독서 강화

인문 · 사회

이룸이앤비
Education & Books

SUMMA CUM LAUDE 독서 강화[인문·사회]

COPYRIGHT

숨마큼라우데® 독서 강화[인문·사회]

이 책을 집필한 선생님들

이주희 / 진산과학고
최혜민 / 미림여고
이효선 / 정신여고
송소라 / 현대고

1판 3쇄 발행일 : 2021년 3월 29일
펴낸이 : 이동준, 정재현
기획 및 편집 : 김성준, 정혜진
디자인 : 굿월디자인

펴낸곳 : (주)이룸이앤비
출판신고번호 : 제2009 – 000168호
주소 : 서울시 강남구 논현로 16길 4-3 이룸빌딩 (우 06312)
대표전화 : 02 – 424 – 2410
팩스 : 02 – 424 – 5006
홈페이지 : www.erumenb.com
ISBN : 978 – 89 – 5990 – 386 – 3

[이 책을 펴내면서]

희망은 마치 독수리의 눈빛과도 같다.
항상 닿을 수 없을 정도로 아득히 먼 곳만 바라보고 있기 때문이다.

진정한 희망이란 바로 나를 신뢰하는 것이다.
행운은 거울 속의 나를 바라볼 수 있을 만큼 용기가 있는 사람을 따른다.

자신감을 잃어버리지 마라.
자신을 존중할 줄 아는 사람만이 다른 사람을 존중할 수 있다.

— 쇼펜하우어의 『희망에 대하여』中

희망과 자신감은 언뜻 무관한 것 같지요.
그러나 위대한 철학자의 말처럼, 진정한 희망이란 자신감이라고 할 수 있습니다.
스스로를 사랑하고 나를 포기하지 않는 것,
그것이 희망을 현실로 만들 수 있는, 그리고 타인을 진심으로 사랑할 줄 아는 사람이 되는 길입니다.

지혜롭고 용기 있는 젊음이 되십시오.

— 지은이들

SUMMA CUM LAUDE 독서 강화[인문·사회]

STRUCTURE

[구성 및 특징]

1 인문·사회·예술 제재 개관 – 출제 경향 및 학습 방법

인문·사회·예술의 각 제재별 수능 출제 경향을 분석하고, 제재의 성격에 따라 효과적으로 학습할 수 있도록 학습 방법을 수록하였습니다.

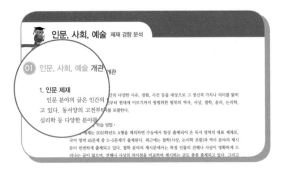

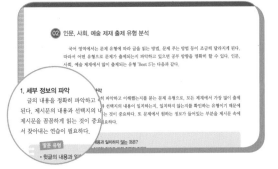

2 출제 유형 분석과 기출 미리보기

- '출제 유형 분석'에서는 실제 수능 국어 영역에서 출제되는 문제를 분석하여 유형에 따라 글을 읽는 방법과 공부 방향을 파악할 수 있도록 하였습니다. 또 수능에 출제된 문제의 발문을 수록하여 수능에 대한 감각을 익힐 수 있도록 하였습니다.
- '기출 미리보기'에서는 실제 수능에 출제되었던 문제를 수록해 제재에 대한 지식과 문제 풀이 능력을 키우고, 각 문항별 출제 의도를 분석하여 실전에 대비할 수 있도록 하였습니다.

3 오답률 BEST 빈출 유형

인문·사회·예술 제재에서의 고난도 문제 유형을 실제 시험에서 오답률이 높았던 문제를 통해 확인할 수 있도록 하였습니다. 지문 분석 노트를 활용하여 제시문의 각 내용을 설명하였고, 오답률 BEST 문항 분석을 통해 학생들이 오답을 선택하게 된 이유를 분석하였습니다. 또 해당 유형의 문제 풀이 방법을 단계별로 제시하였습니다.

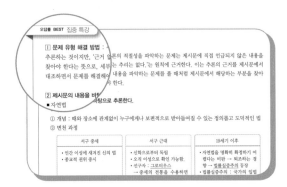

THINK MORE ABOUT YOUR FUTURE

STRUCTURE

4 실전 TEST

- 제재별로 앞부분에는 수능, 평가원 기출문제를 실어 실제 시험에 적응력을 높일 수 있도록 하였습니다. 또한 각 문단의 요지를 직접 쓰게 하여 근본적인 독해 능력을 향상시킬 수 있도록 구성하였습니다.
- 제재별로 실제 수능 시험과 유사한 주제의 제시문, 그리고 유사한 형태의 문항과 새로운 형태의 문항을 골고루 수록하여 실전에서도 자신 있게 임할 수 있도록 하였습니다.

5 독서 PLUS

국어 독서 영역에서는 다양한 배경지식이 중요합니다. 인문·사회·예술 분야를 각 제재별로 공부할 때 도움이 될 만한 글들과 흥미로운 자료들을 엄선하여 수록하였습니다. 또한 단락 요지와 Quiz를 통해 읽은 내용을 다시 정리해 보도록 하였습니다.

6 책 속의 책, 秘 Sub Note

본책에 실린 제시문을 그대로 싣고 글의 주제 및 각 문단의 중심 내용, 행간주 등을 수록하여 정답 및 해설을 통해서도 스스로 학습이 가능하도록 하였습니다. 또 정답에 대한 풀이는 물론 오답에 대한 풀이도 실었으며, 각 유형에 대한 분석을 통해 실제 시험에 대비할 수 있게 하였습니다.

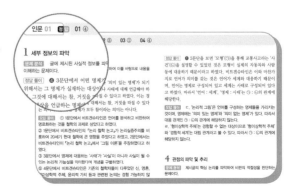

SUMMA CUM LAUDE 독서 강화[인문·사회]

CONTENTS

[차 례]

THINK MORE ABOUT YOUR FUTURE

CONTENTS

[책 속의 책] 秘 서브노트 정답 및 해설

['30일' 완성 학습 PLANNER] 어떤 유형의 문제가 출제되는지 파악하며 헷갈렸거나 틀린 문제를 기록하여 복습해 보세요.

대단원	차시		학습 날짜	쪽수	복습할 내용
제 I 부 **인문**	1일차	01 _ 철학	월 일	40~42	
	2일차	02 _ 사상	월 일	43~45	
	3일차	03 _ 역사	월 일	46~48	
	4일차	04 _ 철학	월 일	49~51	
	5일차	복습	월 일	헷갈리는 문항이나 틀린 문항 위주로 복습하길 권장합니다.	
	6일차	05 _ 역사	월 일	58~60	
	7일차	06 _ 사상	월 일	61~63	
	8일차	07 _ 철학	월 일	64~66	
	9일차	08 _ 역사	월 일	67~69	
	10일차	09 _ 윤리	월 일	70~72	
	11일차	10 _ 고전 국역	월 일	73~75	
	12일차	복습	월 일	헷갈리는 문항이나 틀린 문항 위주로 복습하길 권장합니다.	
제 II 부 **사회**	13일차	01 _ 법률	월 일	82~84	
	14일차	02 _ 문화	월 일	85~87	
	15일차	03 _ 경제	월 일	88~90	
	16일차	04 _ 정치	월 일	91~93	
	17일차	복습	월 일	헷갈리는 문항이나 틀린 문항 위주로 복습하길 권장합니다.	
	18일차	05 _ 법률	월 일	100~102	
	19일차	06 _ 경제	월 일	103~105	
	20일차	07 _ 복지	월 일	106~108	
	21일차	08 _ 문화	월 일	109~111	
	22일차	09 _ 정치	월 일	112~114	
	23일차	10 _ 경제	월 일	115~117	
	24일차	복습	월 일	헷갈리는 문항이나 틀린 문항 위주로 복습하길 권장합니다.	
제 III 부 **예술**	25일차	01 _ 미술	월 일	126~128	
	26일차	02 _ 사진	월 일	129~131	
	27일차	복습	월 일	헷갈리는 문항이나 틀린 문항 위주로 복습하길 권장합니다.	
	28일차	03 _ 건축	월 일	132~134	
	29일차	04 _ 음악	월 일	135~137	
	30일차	복습	월 일	헷갈리는 문항이나 틀린 문항 위주로 복습하길 권장합니다.	

1등급을 향한 국어 문제집
SUMMA CUM LAUDE

Intro

인문
·
사회
·
예술

인문, 사회, 예술 제재 경향 분석

01 인문, 사회, 예술 개관

1. 인문 제재

인문 분야의 글은 인간의 다양한 사유, 경험, 사건 등을 대상으로 그 정신적 가치나 의미를 밝히고 있다. 동서양의 고전부터 현대에 이르기까지 광범위한 범위의 역사, 사상, 철학, 윤리, 논리학, 심리학 등 다양한 분야를 포괄한다.

• 출제 경향 및 학습 방법 •

인문 제재는 2015학년도 A형을 제외하면 수능에서 항상 출제되어 온 독서 영역의 대표 제재로, 국어 영역 45문제 중 2~5문제가 출제된다. 최근에는 철학(사상, 논리학 포함)과 역사 분야의 제시문이 빈번하게 출제되고 있다. 철학 분야의 제시문에서는 특정 인물의 견해나 사상이 명확하게 드러나는 글이 많으며, 견해나 사상의 차이점을 비교하여 제시하는 글도 종종 출제되고 있다. 그리고 역사 분야의 제시문에서는 특정 인물의 역사관이나 역사 연구 방법에 대해 설명하는 글이 많이 출제되고 있다. 이러한 인문 분야의 글에서는 세부 정보를 파악하는 문제가 자주 출제되므로, 제시문의 내용을 세밀하게 파악하며 읽는 연습을 해야 한다.

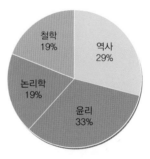

[최근 수능 출제 경향]

2. 사회 제재

사회 분야의 글은 사회 문제, 정치, 경제, 사회 제도, 법률, 언론, 문화 등 우리 사회와 밀접하게 관련된 다양한 분야를 포괄한다. 또 우리 사회에서 쟁점이 되고 있는 시사성이 강한 제재나 화제성이 있는 제재, 사회 관련 교과에 수록된 내용도 사회 분야의 범주에 포함된다.

• 출제 경향 및 학습 방법 •

사회 제재는 수능에서 항상 출제되어 온 독서 영역의 대표 제재로, 국어 영역 45문제 중 2~5문제가 출제된다. 최근에는 경제 분야의 글이 제시문으로 빈번하게 출제되고 있는데, 특히 경제 분야의 제시문은 다소 까다로운 경향이 있으므로 평소 기회가 되는 대로 배경지식을 쌓아두면 도움이 된다. 사회 분야의 글에서는 내용 이해에 대한 문제는 물론, 글 속에 제시된 개념이나 이론 등을 다른 상황에 적용할 수 있는지를 묻는 문제가 자주 출제된다. 따라서 제시문에서 언급하고 있는 핵심 개념을 정확히 이해해야 한다.

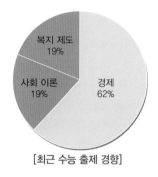

[최근 수능 출제 경향]

3. 예술 제재

예술 분야의 글은 예술 원론, 순수 예술, 대중 문화, 실용 예술 등 실생활에서 접할 수 있는 문화 현상 및 그와 관련된 분야까지 폭넓게 다룬다. 구체적으로 음악, 미술, 건축, 미학, 연극, 사진 등 다양한 예술 장르를 제재로 한다. 또 오랜 시간 동안 이어져 온 고전 예술 분야부터 최근의 뮤지컬, 영화, 만화 등에 이르기까지 시대적 제한 없이 다양한 장르를 포함하는 것이 특징이다.

• 출제 경향 및 학습 방법 •

예술 제재는 수능에서 항상 빠지지 않고 출제되었으며, 국어 영역 45문제 중 2~5문제가 출제된다. 최근에는 음악 분야의 제시문이 빈번하게 출제되고 있다. 화제 또는 개념을 비교·대조하거나 화제의 변천 과정을 설명하는 글이 많이 출제되고 있다. 예술 분야의 제시문에서는 구체적 예시나 그림 등이 글을 이해할 때 도움을 주기도 하므로 이를 잘 활용하도록 한다.

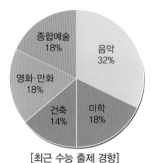

[최근 수능 출제 경향]

02 인문, 사회, 예술 제재 출제 유형 분석

국어 영역에서는 문제 유형에 따라 글을 읽는 방법, 문제 푸는 방법 등이 조금씩 달라지게 된다. 따라서 어떤 유형으로 문제가 출제되는지 파악하고 있으면 공부 방향을 명확히 할 수 있다. 인문, 사회, 예술 제재에서 많이 출제되는 유형 'Best 5'는 다음과 같다.

1. 세부 정보의 파악

글의 내용을 정확히 파악하고 이해했는지를 묻는 문제 유형으로, 모든 제재에서 가장 많이 출제된다. 제시문의 내용과 선택지의 내용이 일치하는지, 일치하지 않는지를 확인하는 유형이기 때문에 제시문을 꼼꼼하게 읽는 것이 중요하다. 또 문제에서 원하는 정보가 들어있는 부분을 제시문 속에서 찾아내는 연습이 필요하다.

> **발문 유형**
> • 윗글의 내용과 일치하지 않는 것은?
> • 윗글을 이해한 것으로 가장 적절한 것은?
> • 윗글을 통해 알 수 있는 내용으로 적절하지 않은 것은?

2. 내용 전개 방식의 파악

글쓴이가 정보 또는 주장하는 바를 전달하기 위해 어떤 전개 방식을 사용하고 있는지를 묻는 유형이다. 글 전체 혹은 특정 부분에 대한 전개 방식을 선택지로 구성하여 묻는 경우가 많다. 내용 전개 방식에 대하여 묻는 문제 때문이 아니더라도 글의 전개 방식을 파악하면 제시문 전체의 내용을 빠르고 정확하게 이해할 수 있다. 따라서 수능에서 자주 출제되는 내용 전개 방식을 익혀두고, 제시문에서 어떤 내용 전개 방식을 사용하는지 파악하는 연습을 해 두는 것이 좋다.

> **발문 유형**
> • 윗글에 대한 설명으로 (가장 적절한 것은 / 적절하지 않은 것은)?
> • 윗글의 (내용 전개 방식 / 논지 전개 방식)으로 가장 적절한 것은?
> • 〈보기〉가 위 글의 집필 지침이라고 할 때, 글에 반영되지 않은 것은?

3. 추론의 적절성 파악

글에 직접 드러나지 않은 정보를 논리적으로 추론할 수 있는지를 묻는 문제 유형이다. 전제나 논리의 근거 등을 추론하거나 전후 관계를 추론하는 문제, 글쓴이의 견해 · 주장 · 의도를 추론하는 문제 등도 이 유형에 포함된다. 이러한 유형의 문제를 풀 때는 자의적으로 추론을 해서는 안 되며, 반

드시 글의 내용을 토대로 추론해야 한다.

4. 구체적 상황에 적용

글의 개념과 원리를 새로운 맥락에 적용 또는 활용할 수 있는지를 묻는 문제 유형으로, 주로 〈보기〉를 통해 제시된다. 즉, 제시문의 내용을 구체적인 상황이나 〈보기〉에서 제시하는 내용과 관련지어 적용해야 하므로, 무엇보다 제시문에 대해 정확하게 이해해야 한다. 그리고 〈보기〉는 도표, 그림, 텍스트 등으로 다양하게 구성되는데, 이에 대한 해석이 제대로 이루어지지 않을 경우에는 문제를 풀 때 어렵게 느껴질 수 있다. 따라서 수업 시간에 다루는 자료나 〈보기〉 등을 통해 자료를 해석하는 연습을 꾸준히 해 두는 것이 좋다.

5. 어휘의 의미 파악

어휘의 사전적·문맥적 의미를 이해할 수 있는지를 묻는 문제 유형이다. 어휘의 의미를 파악하는 문제는 선택지에 제시된 어휘 또는 뜻풀이를 제시문 속에 각각 대입해 보면 어렵지 않게 문제를 풀 수 있다. 최근 독서 영역에서 어휘 문제가 자주 출제되는 경향을 보이고 있으므로, 평소 글을 읽을 때 모르는 어휘가 나오면 반드시 그 의미를 찾아 정리해 두도록 한다. 이때, 단어와 뜻만 단순히 알아두기보다는 문장 속에서 어떻게 쓰이는지 기억해 두면 더 효과적이다.

[01~04] 다음 글을 읽고 물음에 답하시오.

역사가 신채호는 역사를 아(我)와 비아(非我)의 투쟁 과정이라고 정의한 바 있다. 그가 무장 투쟁의 필요성을 역설한 독립 운동가이기도 했다는 사실 때문에, 그의 이러한 생각은 그를 투쟁만을 강조한 강경론자처럼 비춰지게 하곤 한다. 하지만 그는 식민지 민중과 제국주의 국가에서 제국주의를 반대하는 민중 간의 연대를 지향하기도 했다. 그의 사상에서 투쟁과 연대는 모순되지 않는 요소였던 것이다. 이를 바르게 이해하기 위해서는 그의 사상의 핵심 개념인 '아'를 정확하게 이해할 필요가 있다.

신채호의 사상에서 아란 자기 ㉠본위에서 자신을 ㉡자각하는 주체인 동시에 항상 나와 상대하고 있는 존재인 비아와 마주 선 주체를 의미한다. 자신을 자각하는 누구나 아가 될 수 있다는 상대성을 지니면서 또한 비아와의 관계 속에서 비로소 아가 생성된다는 상대성도 지닌다. 신채호는 조선 민족의 생존과 발전의 길을 모색하기 위해『조선상고사』를 저술하여 아의 이러한 특성을 규정했다. 그는 아의 자성(自性), 곧 '나의 나됨'은 스스로의 고유성을 유지하려는 항성(恒性)과 환경의 변화에 대응하여 적응하려는 변성(變性)이라는 두 요소로 이루어져 있다고 하였다. 아는 항성을 통해 아 자신에 대해 자각하며, 변성을 통해 비아와의 관계 속에서 자기의식을 갖게 되는 것으로 ㉢설정하였다. 그리고 자성이 시대와 환경에 따라 변화한다고 하였다.

신채호는 아를 소아와 대아로 구별하였다. 그에 따르면, 소아는 개별화된 개인적 아이며, 대아는 국가와 사회 차원의 아이다. 소아는 자성은 갖지만 상속성(相續性)과 보편성(普遍性)을 갖지 못하는 반면, 대아는 자성을 갖고 상속성과 보편성을 가질 수 있다. 여기서 상속성이란 시간적 차원에서 아의 생명력이 지속되는 것을 뜻하며, 보편성이란 공간적 차원에서 아의 영향력이 ㉣파급되는 것을 뜻한다. 상속성과 보편성은 긴밀한 관계를 가지는데, 보편성의 확보를 통해 상속성이 실현되며 상속성의 유지를 통해 보편성이 실현된다. 대아가 자성을 자각한 이후, 항성과 변성의 조화를 통해 상속성과 보편성을 실현할 수 있다. 만약 대아의 항성이 크고 변성이 작으면 환경에 순응하지 못하여 멸절(滅絕)할 것이며, 항성이 작고 변성이 크면 환경에 주체적으로 대응하지 못하여 우월한 비아에게 정복당한다고 하였다.

이러한 아의 개념을 통해 우리는 투쟁과 연대에 관한 신채호의 인식을 정확히 이해할 수 있다. 일본의 제국주의 침략에 ㉤직면하여 그는 신국민이라는 새로운 개념을 제시하고 조선 민족이 신국민이 될 때 민족 생존이 가능하다고 보았다. 신국민은 상속성과 보편성을 지닌 대아로서, 역사적 주체 의식이라는 항성과 제국주의 국가에 대응하여 생긴 국가 정신이라는 변성을 갖춘 조선 민족의 근대적 대아에 해당한다. 또한 그는 일본을 중심으로 서구 열강에 대항하자는 동양주의에 반대했다. 동양주의는 비아인 일본이 아가 되어 동양을 통합하는 길이기에, 조선 민족인 아의 생존이 위협받는다고 보았기 때문이다.

  식민 지배가 심화될수록 일본에 동화되는 세력이 증가하면서 신채호는 아 개념을 더욱 명료화할 필요가 있었다. 이에 그는 조선 민중을 아의 중심에 놓으면서, 아에도 일본에 동화된 '아 속의 비아'가 있고, 일본이라는 비아에도 아와 연대할 수 있는 '비아 속의 아'가 있음을 밝혔다. 민중은 비아에 동화된 자들을 제외한 조선 민족을 의미한 것이었다. 그는 조선 민중을, 민족 내부의 압제와 위선을 제거함으로써 참된 민족 생존과 번영을 달성할 수 있는 주체이자 제국주의 국가에서 제국주의를 반대하는 민중과의 연대를 통하여 부당한 폭력과 억압을 강제하는 제국주의에 함께 저항할 수 있는 주체로 보았다. 이러한 민중 연대를 통해 '인류로서 인류를 억압하지 않는' 자유를 지향했다.

---

1 윗글에서 다룬 내용으로 적절하지 <u>않은</u> 것은?

① 신채호 사상의 핵심 개념에 대한 이해의 필요성
② 신채호 사상에서의 자성의 의미
③ 신채호가 밝힌 대아와 소아의 차이
✔④ 신채호 사상에서의 대아의 역사적 기원
⑤ 신채호가 지향한 민중 연대의 의의

2 윗글의 자성(自性) 에 관한 이해로 가장 적절한 것은?

① 자성을 갖춘 모든 아는 상속성과 보편성을 갖는다.
② 소아의 항성과 변성이 조화를 이루면, 상속성과 보편성이 모두 실현된다.
③ 대아의 항성이 작고 변성이 크면, 상속성은 실현되어도 보편성은 실현되지 않는다.
✔④ 항성과 변성이 조화를 이루지 못하면, 대아의 상속성과 보편성은 실현되지 않는다.
⑤ 소아의 항성이 크고 변성이 작으면, 상속성은 실현되어도 보편성은 실현되지 않는다.

3 윗글에 대한 이해로 적절하지 <u>않은</u> 것은? [3점]

① 신채호가 『조선 상고사』를 쓴 것은, 대아인 조선 민족의 자성을 역사적으로 어떻게 유지·계승할 수 있는지 모색하기 위한 것이겠군.

② 신채호가 동양주의를 비판한 것은, 동양주의로 인해 아의 항성이 작아짐으로써 아의 자성을 유지하기 어렵게 될 것으로 보았기 때문이겠군.

✓③ 신채호가 신국민이라는 개념을 설정한 것은, 대아인 조선 민족이 시대적 환경에 대응하여 비아와의 연대를 통해 아의 생존을 꾀할 수 있다고 보았기 때문이겠군.

④ 신채호가 독립 투쟁을 한 것은, 비아인 일본 제국주의의 침략이 아의 상속성과 보편성 유지를 불가능하게 하기에 일본 제국주의와 투쟁해야 한다고 생각했기 때문이겠군.

⑤ 신채호가 제국주의 국가에서 제국주의를 반대하는 민중과 식민지 민중의 연대를 지향한 것은, 아가 비아 속의 아와 연대하여 억압을 이겨 내고 자유를 얻을 수 있다고 생각했기 때문이겠군.

4 ㉠~㉤의 사전적 의미로 적절하지 <u>않은</u> 것은?

① ㉠ : 판단이나 행동에서 중심이 되는 기준.

② ㉡ : 자기의 처지나 능력 따위를 스스로 깨달음.

✓③ ㉢ : 여럿 가운데서 어떤 것을 뽑아 정함.

④ ㉣ : 어떤 일의 여파나 영향이 다른 데로 미침.

⑤ ㉤ : 어떠한 일이나 사물을 직접 당하거나 접함.

[01~04] 다음 글을 읽고 물음에 답하시오.

요즘 시청자들은 자신도 모르는 사이에 간접 광고에 수시로 노출되어 광고와 더불어 살아가는 환경에 놓이게 됐다. 방송 프로그램의 앞과 뒤에 붙어 방송되는 직접 광고와 달리 PPL(product placement)이라고도 하는 간접 광고는 프로그램 내에 상품을 배치해 광고 효과를 거두려 하는 광고 형태이다. 간접 광고는 직접 광고에 비해 시청자가 리모컨을 이용해 광고를 회피하기가 상대적으로 어려워 시청자에게 노출될 확률이 더 높다.

광고주들은 광고를 통해 상품의 인지도를 높이고 상품에 대한 호의적 태도를 확산시키려 한다. 간접 광고에서는 이러한 광고 효과를 거두기 위해 주류적 배치와 주변적 배치를 활용한다. 주류적 배치는 출연자가 상품을 사용·착용하거나 대사를 통해 상품을 언급하는 것이고, 주변적 배치는 화면 속의 배경을 통해 상품을 노출하는 것인데, 시청자들은 주변적 배치보다 주류적 배치에 더 주목하게 된다. 또 간접 광고를 통해 배치되는 상품이 자연스럽게 활용되어 프로그램의 맥락에 잘 부합하면 해당 상품에 대한 광고 효과가 커지는데 이를 맥락 효과라 한다.

우리나라는 1990년대 중반부터 극히 제한된 형태의 간접 광고만을 허용하는 ㉠협찬 제도를 운영해 왔다. 이 제도는 프로그램 제작자가 협찬 업체로부터 경비, 물품, 인력, 장소 등을 제공 받아 활용하고 프로그램이 종료될 때 협찬 업체를 알리는 협찬 고지를 허용했다. 그러나 프로그램의 내용이 전개될 때 상품명이나 상호를 보여 주거나 출연자가 이를 언급해 광고 효과를 주는 것은 법으로 금지했다. 협찬 받은 의상의 상표를 보이지 않게 가리는 것은 그 때문이다.

우리나라는 협찬 제도를 그대로 유지하면서 광고주와 방송사 등의 요구에 따라 방송법에 '간접 광고'라는 조항을 신설하여 2010년부터 시행하였다. ㉡간접 광고 제도가 도입된 취지는 프로그램 내에서 광고를 하는 행위에 대해 법적인 규제를 완화하여 방송 광고 산업을 활성화하겠다는 것이었다. 이로써 프로그램 내에서 상품명이나 상호를 보여 주는 것이 허용되었다. 다만 시청권의 보호를 위해 상품명이나 상호를 언급하거나 구매와 이용을 권유하는 것은 금지되었다. 또 방송이 대중에게 미치는 영향력이 크기 때문에 객관성과 공정성이 요구되는 보도, 시사, 토론 등의 프로그램에서는 간접 광고가 금지되었다. 그럼에도 불구하고 간접 광고 제도를 비판하는 사람들은 간접 광고로 인해 광고 노출 시간이 길어지고 프로그램의 맥락과 동떨어진 억지스러운 상품 배치가 빈번해 프로그램의 질이 떨어지고 있다고 주장한다.

이처럼 시청자의 인식 속에 은연 중 파고드는 간접 광고에 적절히 대응하기 위해서는 시청자들에게 간접 광고에 대한 주체적 해석이 요구된다. 미디어 이론가들에 따르면, 사람들은 외부의 정보를 주체적으로 해석할 수 있는 자기 나름의 프레임을 갖고 있

지문 해제

이 글은 간접 광고의 개념과 특성, 운영 방식을 밝히고 우리나라에서 간접 광고와 관련된 제도의 변천 과정을 소개하고 있다. 직접 광고에 비해 시청자에게 노출될 확률이 높은 간접 광고는 주류적 배치와 주변적 배치를 활용하는데, 배치되는 상품의 활용이 프로그램의 맥락에 잘 부합하면 광고 효과가 커지는 맥락 효과가 발생한다. 우리나라는 2010년부터 프로그램 내에서 상품명이나 상호를 보여 줄 수 있는 간접 광고 제도를 도입하였는데, 간접 광고 제도를 비판하는 사람들은 이로 인해 프로그램의 질이 떨어진다고 주장한다. 이러한 간접 광고에 적절히 대응하기 위해 시청자들이 간접 광고에 대해 주체적 해석을 할 수 있도록, 미디어 교육이 필요하다고 하였다.

어서 미디어의 콘텐츠를 수동적으로만 받아들이는 것은 아니다. 이것이 간접 광고를 분석하고 그것을 비판적으로 수용하는 미디어 교육이 필요한 이유이다.

---

1 윗글에 대한 설명으로 적절하지 않은 것은?

① 간접 광고의 개념과 특성을 밝히고 있다.
② 간접 광고와 관련된 제도를 소개하고 있다.
③ 간접 광고를 배치 방식에 따라 구분하고 있다.
④ 간접 광고 제도에 대한 비판적 견해를 소개하고 있다.
✓⑤ 간접 광고에 관한 이론의 발전 과정을 분석하고 있다.

2 윗글을 통해 알 수 있는 내용으로 적절한 것은?

① 간접 광고에서 주변적 배치가 주류적 배치보다 더 시청자의 주목을 받는다.
② 간접 광고는 직접 광고에 비해 시청자가 즉각적으로 광고를 회피하기가 더 쉽다.
③ 간접 광고가 삽입된 프로그램을 시청할 때에는 수용자 개인의 프레임이 작동하지 않는다.
④ 직접 광고와 간접 광고는 광고가 시청자들에게 주는 효과의 정도에 따라 구분한 것이다.
✓⑤ 간접 광고가 광고인 것을 시청자가 알아차리지 못하는 동안에도 광고 효과는 발생할 수 있다.

3 ㉠과 ㉡에 대하여 추론한 내용으로 적절하지 않은 것은?

✓① ㉠이 시행되면서, 프로그램 내용이 전개될 때 상표를 노출할 수 있게 되어 방송 광고업계는 이 제도를 환영했겠군.
② ㉠에 따라 경비를 제공한 협찬 업체는 프로그램이 종료될 때의 협찬 고지를 통해서 광고 효과를 거둘 수 있겠군.
③ ㉡이 도입된 이후에는 프로그램 내용이 전개될 때 작위적으로 상품을 노출시키는 장면이 많아졌겠군.
④ ㉡을 도입할 때 보도와 토론 프로그램에서 간접 광고를 허용하지 않은 것은 방송의 공적 특성을 고려한 것이겠군.
⑤ ㉠에 따른 광고와 ㉡에 따른 광고 모두 맥락 효과를 얻을 수 있겠군.

4 윗글을 바탕으로 〈보기〉를 이해한 내용으로 적절하지 <u>않은</u> 것은? [3점]

왜 출제했을까?

[구체적 상황에 적용] 제시문에서 다룬 내용들을 구체적 사례에 적용할 수 있는지 평가하기 위해 출제된 문제이다. 제시문에 대한 정확한 이해를 바탕으로 〈보기〉에 제시된 내용 간의 연관 관계를 찾도록 한다.

┤ 보기 ├

다음은 최근 인기 절정의 남녀 출연자가 등장한, 우리나라 방송 프로그램의 한 장면에 대한 설명이다.

연인 관계로 설정된 두 남녀가 세련되고 낭만적인 분위기의 커피 전문점에 앉아 있다. 남자가 사용하고 있는 휴대 전화는 상표가 선명하게 보인다. 여자가 입고 있는 의상의 상표가 가려져서 시청자들은 상표를 알아볼 수 없다. 남자는 창밖에 보이는 승용차의 상품명을 언급하며 소음이 없는 좋은 차라고 칭찬한다.

커피 전문점, 휴대 전화, 의상, 승용차는 이를 제공한 측과 방송사 측의 사전 계약에 의해 활용된 것이다. 커피 전문점의 이름과 의상을 제공한 업체의 이름은 이 프로그램이 종료될 때 고지되었다.

① 남자가 사용하는 휴대 전화의 제조 회사는 간접 광고의 주류적 배치를 활용하고 있군.

✔② 여자가 입고 있는 의상을 제공한 의류 회사는 간접 광고의 주변적 배치를 활용하고 있군.

③ 이 프로그램에는 협찬 제도에 따른 광고와 간접 광고 제도에 따른 광고가 모두 활용되고 있군.

④ 남자가 승용차에 대해 말하는 내용으로 보아 이 방송 프로그램은 현행 국내법을 위반하고 있군.

⑤ 방송 후 화면 속의 배경이 된 커피 전문점에 가려고 그 위치를 문의하는 전화가 방송사에 쇄도했다면 간접 광고의 맥락 효과가 발생한 것이군.

☑ 지문 분석 노트

1 '정합적이다'의 의미

2 '정합적이다'를 모순 없음으로 정의하는 경우

3 '정합적이다'를 함축으로 정의하는 경우

4 '정합적이다'를 설명적 연관으로 정의하는 경우

5 '정합적이다'를 설명적 연관으로 정의할 때의 문제와 대안

어떤 명제가 참이라는 것은 무슨 뜻인가? 이 질문에 대한 답변 중 하나가 정합설이다. 정합설에 따르면, 어떤 명제가 참인 것은 그 명제가 다른 명제와 정합적이기 때문이다. 그러면 '정합적이다'는 무슨 의미인가? 정합적이라는 것은 명제들 간의 특별한 관계인데, 이 특별한 관계가 무엇인지에 대해 전통적으로는 '모순 없음'과 '함축', 그리고 최근에는 '설명적 연관' 등으로 정의해 왔다.

먼저 '정합적이다'를 모순 없음으로 정의하는 경우, 추가되는 명제가 이미 참이라고 인정한 명제와 모순이 없으면 정합적이고, 모순이 있으면 정합적이지 않다. 여기서 모순이란 "은주는 민수의 누나이다."와 "은주는 민수의 누나가 아니다."처럼 동시에 참이 될 수도 없고 또 동시에 거짓이 될 수도 없는 명제들 간의 관계를 말한다. '정합적이다'를 모순 없음으로 정의하는 입장에 따르면, "은주는 민수의 누나이다."가 참일 때 추가되는 명제 "은주는 학생이다."는 앞의 명제와 모순이 되지 않기 때문에 정합적이고, 정합적이기 때문에 참이다. 그런데 '정합적이다'를 모순 없음으로 이해하면, 앞의 예에서처럼 전혀 관계가 없는 명제들도 모순이 발생하지 않는다는 이유 하나만으로 모두 정합적이고 참이 될 수 있다는 문제가 생긴다.

이 문제를 해결하기 위해서 '정합적이다'를 함축으로 정의하기도 한다. 함축은 "은주는 민수의 누나이다."가 참일 때 "은주는 여자이다."는 반드시 참이 되는 것과 같은 관계를 이른다. 명제 A가 명제 B를 함축한다는 것은 'A가 참일 때 B가 반드시 참'이라는 의미이다. '정합적이다'를 함축으로 이해하면, 명제 "은주는 민수의 누나이다."가 참일 때 이와 무관한 명제 "은주는 학생이다."는 모순이 없다고 해도 정합적이지 않다. 왜냐하면 "은주는 학생이다."는 "은주는 민수의 누나이다."에 의해 함축되지 않기 때문이다.

그런데 '정합적이다'를 함축으로 정의할 경우에는 참이 될 수 있는 명제가 과도하게 제한된다. 그래서 '정합적이다'를 설명적 연관으로 정의하기도 한다. 명제 "민수는 운동 신경이 좋다."는 "민수는 농구를 잘한다."는 명제를 함축하지는 않지만, 민수가 농구를 잘하는 이유를 그럴듯하게 설명해 준다. 그 역의 관계도 마찬가지이다. 두 경우 각각 설명의 대상이 되는 명제와 설명해 주는 명제 사이에는 서로 설명적 연관이 있다고 말한다. 설명적 연관이 있는 두 명제는 서로 정합적이기 때문에 그중 하나가 참이면 추가되는 다른 하나도 참이다. 설명적 연관으로 '정합적이다'를 정의하게 되면 함축 관계를 이루는 명제들까지도 포괄할 수 있는 장점이 있다. 함축 관계를 이루는 명제들은 필연적으로 설명적 연관이 있기 때문이다. '정합적이다'를 설명적 연관으로 정의하면, 함축으로 이해하는 것보다는 많은 수의 명제를 참으로 추가할 수 있다.

그러나 설명적 연관이 정확하게 어떤 의미인지, 그리고 그 연관의 긴밀도가 어떻게

측정될 수 있는지는 아직 완전히 해결되지 않은 문제이다. 이 문제와 관련된 최근 연구는 확률 이론을 활용하여 정합설을 발전시키고 있다.

■ 주제 : 정합설에서 '정합적이다'는 것의 의미

問 **윗글의 내용과 일치하지 않는 것은?**

① 정합설에서 참 또는 거짓을 판단하는 기준은 명제들 간의 관계이다.

② 정합설에서 이미 참이라고 인정한 명제와 어떤 새로운 명제가 정합적이면, 그 새로운 명제도 참이다.

③ '정합적이다'를 모순 없음으로 이해했을 때 참이 아닌 명제는 함축으로 이해했을 때에도 참이 아니다.

✔④ 함축 관계에 있는 명제들은 설명적 연관이 있는 명제들일 수는 있지만 모순 없는 명제들일 수는 없다.

⑤ '정합적이다'를 설명적 연관으로 이해한다고 해도 연관의 긴밀도 문제 때문에 정합설은 아직 한계가 있다.

오답률 BEST 문항 분석

이 문제는 학생들이 ③번을 가장 많은 오답으로 선택(25.2%)하였다. 세부 정보를 확인하는 쉬운 유형의 문제였으나 정답률이 낮은 편이다. 그 이유는 지문 자체가 추상적인 내용을 다루고 있어 학생들이 어려워하였기 때문이다. 또 선택지에서는 '명제', '정합적', '모순'과 같은 핵심어와 '참, 거짓', '있다, 없다.' 등 반의어를 반복적으로 사용하였고, 선택지의 문장 구조가 복잡하게 구성되어 학생들에게 부담을 주는 요인으로 작용했을 가능성이 높다. ③번 선택지도 '~를 ~로 이해했을 때 ~는 ~때에도 ~이 아니다.'와 같이 복잡하게 구성되어 있다. 그러므로 선택지를 읽을 때는 핵심어를 중심으로 의미 단위로 끊어 읽고('정합적이다'를 모순 없음으로 이해했을 때 / 참이 아닌 명제는 / 함축으로 이해했을 때에도 참이 아니다.), 해당 내용이 제시문의 어느 부분에 언급되어 있는지 찾아 대응시키는 과정이 필요하다.

오답률 BEST 집중 특강

① **문제 유형 해결 방법** : 세부 정보를 파악하는 문제의 경우, 선택지의 핵심어가 글의 어떤 부분에 제시되어 있는지를 찾아 대응시키면 쉽게 해결할 수 있다. 이때 글 전체의 흐름을 파악해 두면 내용을 이해하는 데 도움을 얻을 수 있다. 이 글에서는 '정합적이다'의 의미를 '모순 없음'(2문단), '함축'(3문단), '설명적 연관'(4문단) 등 세 가지 관점에서 정의하고 있으며, ③번 선택지는 이 중에서 '모순 없음'과 '함축'의 관점과 관련하여 진술하고 있으므로 2문단과 3문단을 통해 근거를 찾을 수 있다.

2 제시문에 나오는 내용을 요약하여 각 내용의 의미를 파악한다.

■ 정합설 : 어떤 명제가 참인 것은 그 명제가 다른 명제와 정합적이기 때문이다.

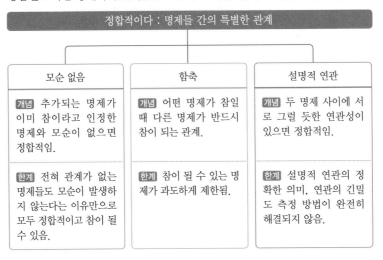

정합적이다 : 명제들 간의 특별한 관계

모순 없음	함축	설명적 연관
개념 추가되는 명제가 이미 참이라고 인정한 명제와 모순이 없으면 정합적임.	**개념** 어떤 명제가 참일 때 다른 명제가 반드시 참이 되는 관계.	**개념** 두 명제 사이에 서로 그럴 듯한 연관성이 있으면 정합적임.
한계 전혀 관계가 없는 명제들도 모순이 발생하지 않는다는 이유만으로 모두 정합적이고 참이 될 수 있음.	**한계** 참이 될 수 있는 명제가 과도하게 제한됨.	**한계** 설명적 연관의 정확한 의미, 연관의 긴밀도 측정 방법이 완전히 해결되지 않음.

오답률 BEST 문제 풀이

〈1단계〉 출제 이유 및 해결 방안 분석

글에 제시된 세부 정보들을 파악하는 것은 글을 읽는 데 가장 기본이 되는 능력이므로 이를 평가하기 위해 출제된 문제이다. 세부 정보를 파악하는 문제를 풀 때는 선택지에 제시된 내용을 제시글에서 찾아 밑줄을 그어가며 1 : 1로 대응을 시켜보면 문제를 정확하게 풀 수 있다.

〈2단계〉 정답 풀이

④ 이 선택지에는 두 가지 정보가 담겨 있으므로, 각각이 모두 맞는지 확인해야 한다.

> ⓐ 함축 관계에 있는 명제들은 설명적 연관이 있는 명제들일 수 있다.
> ⓑ 함축 관계에 있는 명제들은 모순 없는 명제들일 수는 없다.

ⓐ : 4문단에서 '함축 관계를 이루는 명제들은 필연적으로 설명적 연관이 있다'고 하였으므로 올바른 진술이다.(○)

ⓑ : 다르게 표현하면 '함축 관계에 있는 명제들은 모순이 있다.'로 바꿀 수 있다. 3문단에서 '명제 A가 명제 B를 함축한다는 것은 A가 참일 때 B가 반드시 참이라는 의미'라고 하였고, 2문단에서 모순이란 '동시에 참이 될 수도 없고 또 동시에 거짓이 될 수도 없는 명제들 간의 관계'라고 하였다. 따라서, 함축 관계에 있는 명제들은 모순이 없으므로 올바르지 않은 진술이다.(×)

⇒ ⓐ는 옳은 진술이지만 ⓑ가 옳지 않은 진술이므로, ④는 윗글의 내용과 일치하지 않는다.

〈3단계〉 오답 풀이

① 1문단에서 '정합설에 따르면, 어떤 명제가 참인 것은 그 명제가 다른 명제와 정합적이기 때문'이라고 하였고, '정합적이라는 것은 명제들 간의 특별한 관계'라고 하였다. 이를 통해 정합설에서 참과 거짓을 판단하는 기준은 명제들 간의 관계라고 할 수 있다.

② 2문단에서 '추가되는 명제가 이미 참이라고 인정한 명제와 모순이 없으면 정합적'이라고 하였다. 따라서 정합설에서 이미 참이라고 인정한 명제와 어떤 새로운 명제가 정합적이면 새로운 명제도

참이라고 볼 수 있다.

③ '정합적이다'를 모순 없음으로 이해했을 때 참이 아닌 명제를 한 마디로 요약하면 '모순이 있는 명제'를 의미하므로, '모순이 있는 명제는 함축으로 이해했을 때에도 참이 아니다.'로 정리할 수 있다. 3문단에서 '명제 A가 명제 B를 함축한다는 것은 'A가 참일 때 B가 반드시 참'이라는 의미'라고 하였으므로, 모순이 있는 명제는 함축으로 이해했을 때에도 참이 아니라는 것을 알 수 있다.

⑤ 5문단에서 '설명적 연관이 정확하게 어떤 의미인지, 그리고 그 연관의 긴밀도가 어떻게 측정될 수 있는지는 아직 완전히 해결되지 않은 문제이다.'라고 하였다.

's Advice

'세부 정보의 파악'은 독서 영역의 모든 제재에서 가장 많이 출제되는 유형이다. 선택지에 제시된 내용이 제시문에 있는지 없는지만 파악하면 되기 때문에 쉬운 유형의 문제처럼 생각되지만, 정답률이 낮은 경우가 종종 있다. 이 경우 선택지를 만드는 원리에 대해 알고 있으면 문제를 푸는 데 도움을 받을 수 있다. 세부 정보를 파악하는 문제에서 선택지를 만드는 방법은 다음과 같다.

■ '세부 정보의 파악' 유형 선택지 출제 방식
① 복사하기 : 제시문에서 진술한 내용을 그대로 옮기는 방법
② 요약하기 : 제시문에서 길게 설명한 내용을 간단하게 요약하는 방법
③ 재진술하기 : 제시문에서 진술한 내용을 유사한 의미의 다른 말로 표현하는 방법

> 재진술하기! 어떻게 바꿀까?

▶ 상위어-하위어 : 제시문에 제시되어 있는 하위어를 선택지에서 상위어로, 또는 그 반대로 바꾸어 진술하는 방법

▶ 일반적 진술-구체적 진술 : 제시문의 진술을 선택지에서 일반적 또는 구체적으로 진술하는 방법

▶ 유사한 말-반대되는 말 : 제시문에 있는 말과 유사한 말로 바꾸어 진술하는 방법. 오답을 만들고자 할 때는 제시문에 있는 말과 반대되는 말로 바꾸어 진술함.

■ '세부 정보의 파악' 유형 문제 풀이 방법
① 선택지를 먼저 읽으면서 핵심어에 표시해 둔다.
  (핵심어는 제시문에서 어느 부분을 살펴볼 것인지 범위를 결정할 때 활용하게 되는데, 하나의 선택지에 여러 개의 핵심어가 존재할 수도 있다.)
② 관련된 부분을 제시문에서 찾아 1 : 1로 대응시켜 일치하는지 확인한다.

■ '세부 정보의 파악' 유형 공부 방법
• 신문 기사에는 육하원칙에 따른 사실적 정보가 담겨 있으므로, 신문 기사를 읽으면서 내용을 정리하며 세부 내용을 파악하는 연습을 한다.
• 제시문의 내용을 요약하거나 재진술한 선택지에 사용된 어휘가 어려우면 문제가 어렵게 느껴진다. 따라서 평소에도 글을 읽을 때 모르는 단어가 나오면 사전을 찾아보는 등 어휘 실력을 많이 쌓아두는 것이 좋다.

☑ 지문 분석 노트

① 19세기 시민 사회론을 논할 때
그 시대를 함께 살펴보게 되는 이유

② 19세기 초 시민 사회의 개념을
정교화한 헤겔

③ 국가를 견제하는 직업 단체의
역할을 강조한 뒤르켐

④ 헤겔과 뒤르켐의 시민 사회론이
차이가 나는 이유

사회 이론은 사회 구조나 사회적 상호 작용을 연구하는 이론들을 통칭한다. 사회 이론은 과학적 방법을 적용하면서도 연구 대상뿐 아니라 이론 자체가 사회 상황이나 역사적 조건에 긴밀히 연관된다는 특징을 지닌다. 19세기의 시민 사회론을 이야기할 때 그 시대를 함께 살펴보게 되는 것도 바로 이와 같은 이유 때문이다.

시민 사회라는 용어는 17세기에 등장했지만, 19세기 초에 이를 국가와 구분하여 개념적으로 정교화한 인물이 헤겔이다. 그가 활동하던 시기에 유럽의 후진국인 프러시아에는 절대주의 시대의 잔재가 아직 남아 있었다. 산업 자본주의도 미성숙했던 때여서, 산업화를 추진하고 자본가들을 육성하며 심각한 빈부 격차나 계급 갈등 등의 사회 문제를 해결해야 하는 시대적 과제가 있었다. 그는 사익의 극대화가 국부(國富)를 증대해 준다는 점에서 공리주의를 긍정했으나, 그것이 시민 사회 내에서 개인들의 무한한 사익 추구가 일으키는 빈부 격차나 계급 갈등을 해결할 수는 없다고 보았다. 그는 시민 사회가 개인들이 사적 욕구를 추구하며 살아가는 생활 영역이자 그 욕구를 사회적 의존 관계 속에서 추구하게 하는 공동체적 윤리성의 영역이어야 한다고 생각했다. 특히 시민 사회 내에서 사익 조정과 공익 실현에 기여하는 직업 단체와 복지 및 치안 문제를 해결하는 복지 행정 조직의 역할을 설정하면서, 이 두 기구가 시민 사회를 이상적인 국가로 이끌 연결 고리가 될 것으로 기대했다. 하지만 빈곤과 계급 갈등은 시민 사회 내에서 근원적으로 해결될 수 없는 것이었다. 따라서 그는 국가를 사회 문제를 해결하고 공적 질서를 확립할 최종 주체로 설정하면서 시민 사회가 국가에 협력해야 한다고 생각했다.

한편 1789년 프랑스 혁명 이후 프랑스 사회는 혁명을 이끌었던 계몽주의자들의 기대와는 다른 모습을 보이고 있었다. 사회는 사익을 추구하는 파편화된 개인들의 각축장이 되어 있었고 빈부 격차와 계급 갈등은 격화된 상태였다. 이러한 혼란을 극복하기 위해 노동자 단체와 고용주 단체 모두를 불법으로 규정한 르 샤플리에 법이 1791년부터 약 90년간 시행되었으나, 이 법은 분출되는 사익의 추구를 억제하지도 못하면서 오히려 프랑스 시민 사회를 극도로 위축시켰다. 뒤르켐은 이러한 상황을 아노미, 곧 무규범 상태로 파악하고 최대 다수의 최대 행복을 표방하는 공리주의가 사실은 개인의 이기심을 전제로 하고 있기에 아노미를 조장할 뿐이라고 생각했다. 그는 사익을 조정하고 공익과 공동체적 연대를 실현할 도덕적 개인주의의 규범에 주목하면서, 이를 수행할 주체로서 직업 단체의 역할을 강조하였다. 국가의 역할을 강조한 헤겔의 영향을 받았음에도 불구하고, 뒤르켐은 직업 단체가 정치적 중간 집단으로서 구성원의 이해관계를 국가에 전달하는 한편 국가를 견제해야 한다고 보았던 것이다.

헤겔과 뒤르켐은 시민 사회를 배경으로 직업 단체의 역할과 기능을 연구했다는 공통점이 있었다. 하지만 직업 단체에 대한 두 사람의 생각은 달랐다. 이러한 차이는 두 학자의 시민 사회론이 철저하게 시대의 산물이라는 점을 보여 준다. 이들의 이론은 과학적 연구로서 객관적으로 타당하다는 평가를 받기도 하지만, 이론이 갖는 객관적 속성은 그 이론이 마주 선 현실의 문제 상황이나 이론가의 주관적인 문제의식으로부터 근본적으로 자유로울 수는 없는 것이다.

■주제 : 시대 상황에 영향을 받는 사회 이론

問 윗글의 내용 전개 방식에 대한 설명으로 가장 적절한 것은?

✓① 논지를 제시한 후, 대표적인 사례를 검토하는 과정을 통해 주제를 명료화하고 있다.
② 화제를 소개한 후, 예외적인 사례를 배제하는 과정을 통해 주제를 일반화하고 있다.
③ 주장을 제시한 후, 예상되는 반증 사례를 검토하는 과정을 통해 주제를 강화하고 있다.
④ 쟁점을 도출한 후, 각 주장의 근거 사례를 비교 평가하는 과정을 통해 주제를 정당화하고 있다.
⑤ 주제를 제시한 후, 동일한 사례를 다른 관점에서 분석하는 과정을 통해 주제를 초점화하고 있다.

오답률 BEST 문항 분석

이 문제는 학생들이 ⑤번을 가장 많은 오답으로 선택(35.6%)하였다. 이는 '동일한 사례'라는 진술에는 주의를 기울이지 않고 '다른 관점에서 분석'이라는 진술만 보고 맞았다고 판단했을 가능성이 높다. 이 글은 시민 사회론에 대한 헤겔의 관점과 뒤르켐의 관점이 제시되어 있지만, 동일한 사례를 다른 관점에서 분석하지는 않았다. 일반적으로 내용 전개 방식을 묻는 질문의 선택지에서는 '시간적 순서에 따라 설명하고 있다.', '원인을 분석하여 다양한 해결책을 제시하고 있다.', '두 사례를 비교하여 공통점과 차이점을 부각하고 있다.', '대립되는 이론을 절충하여 새로운 이론을 제시하고 있다.' 등 비교적 내용이 명확히 구분이 되는 것이 많이 제시된다. 그런데 이 문제의 선택지에서는 모두 '사례'라는 말이 언급되어 있고, 미묘한 차이를 보이는 용어(논지 / 화제 / 주장 / 쟁점 / 주제 / 명료화 / 일반화 / 강화 / 정당화 / 초점화)가 제시되어 있어서 선택지를 이해하는 데 어려움을 느낄 수도 있다. 따라서 각 선택지에 해당하는 사례와 그 사례를 수식하는 말에 밑줄을 긋고 문제를 차근차근 해결해야 한다.

오답률 BEST 집중 특강

① **문제 유형 해결 방법** : 내용 전개 방식을 파악하는 문제의 경우, 글의 세부적인 부분에 집중하기보다는 글의 전체적인 흐름을 파악해야 한다. 각 문단의 핵심어, 문장과 문단을 이어주는 접속어 등을 활용하면 내용 전개 방식을 파악하는 데 도움이 된다. 특히 이 글은 문단별로 핵심어가 명확히 드러나 있으며, 3문단에서는 '한편'과 같은 접속어가 제시되어 있어 도움을 받을 수 있다. 이 글

은 1문단에서 사회 이론이 시대와 긴밀히 연관된다는 논지를 제시한 뒤, 2문단과 3문단에서 각각 헤겔과 뒤르켐의 시민 사회론을 사례로 들어 논지를 검토하고 있다. 마지막으로 4문단에서 헤겔과 뒤르켐의 주장의 공통점과 차이점에 대해 정리하면서 주제를 명료화하고 있다.

② 제시문의 개념 및 사례를 정리하여 전체적인 흐름을 파악한다.

- 사회 이론 : 사회 구조나 사회적 상호 작용을 연구하는 이론을 통칭. 과학적 방법을 적용하면서도 사회 상황이나 역사적 조건에 긴밀히 연관된다는 특징이 있음.
- 시민 사회론

인물	헤겔	뒤르켐
내용	• 프러시아 시대 • 산업화 추진, 자본가 육성 　→ 공리주의 긍정(사익의 극대화가 국부를 증대하기 때문)	• 프랑스 혁명 이후 • 사익만을 추구하는 개인으로 인해 빈부 격차와 계급 갈등 격화 　→ 공리주의 비판(아노미를 조장하기 때문)
결론	• 시민 사회가 국가에 협력해야 함.	• 직업 단체가 국가를 견제해야 함.

오답률 BEST 문제 풀이

〈1단계〉 출제 이유 및 해결 방안 분석
글쓴이가 자신의 주장이나 의도를 효과적으로 전달하기 위해 사용하고 있는 전개 방식을 이해하고 있는지 평가하기 위해 출제된 문제이다. 내용 전개 방식을 파악하면 글의 전체적인 흐름을 파악할 수 있을 뿐만 아니라, 세부 내용을 파악하는 데도 도움이 된다. 수능에서 출제된 '내용 전개 방식의 파악' 유형의 문제에서 사용된 선택지 등을 정리해 두고, 평소에 글을 읽을 때 내용 전개 방식을 파악해 보는 연습을 하면 문제를 더 쉽게 풀 수 있다.

〈2단계〉 정답 풀이
① 이 선택지에는 세 가지 정보가 담겨 있으므로, 각각이 모두 맞는지 확인해야 한다.

> ⓐ 논지를 제시하였다.
> ⓑ 대표적인 사례를 검토하고 있다.
> ⓒ ⓐ와 ⓑ를 통해 주제를 명료화하고 있다.

- ⓐ : 1문단에서 '(사회) 이론 자체가 사회 상황이나 역사적 조건에 긴밀히 연관된다'는 점을 언급하면서 논지를 제시하고 있다. (○)
- ⓑ : 2문단에서 헤겔의 사례를, 3문단에서 뒤르켐의 사례를 들면서 논지를 뒷받침할 대표적인 사례를 검토하고 있다. (○)
- ⓒ : 4문단에서 두 사람이 처한 시대적, 역사적 배경이 달랐기 때문에 두 사람의 이론이 달랐다는 점을 언급하면서 '사회 이론은 당시의 사회 상황이나 역사적 조건의 영향을 받는다'는 주제를 명료화하고 있다. (○)

〈3단계〉 오답 풀이
② 1문단에서 '시민 사회론'이라는 화제를 소개하였다. 그러나 화제와 연관이 되는 사례(헤겔, 뒤르켐)를 제시했을 뿐, 화제에서 벗어나는 예외적인 사례를 배제하는 과정은 다루지 않았다.
③ 1문단에서 '이론 자체가 사회 상황이나 역사적 조건에 긴밀히 연관된다.'는 주장을 제시하였다.

그러나 어떤 사실이나 주장이 옳지 않음을 증명하는 반증 사례를 검토하는 부분은 찾아볼 수 없다.

④ 글의 시작 부분에서 쟁점을 도출하거나 주장의 근거 사례를 비교 평가하는 부분은 찾아볼 수 없다.

⑤ 이 글은 사회 이론이 사회 상황이나 역사적 조건에 긴밀하게 연관된다는 논지에 대하여 헤겔과 뒤르켐의 두 가지 다른 사례를 들어 설명하고 있을 뿐, 동일한 사례를 분석하고 있지는 않다. 또한 다른 관점을 지니고 있던 사례를 제시한 것일 뿐, 이 글의 글쓴이가 다른 관점에서 분석하고 있다고 보기도 어렵다.

's Advice

내용 전개 방식을 파악하면 글의 내용을 체계적으로 이해할 수 있고, 글의 내용이 어떤 방향으로 전개될 것인지 예측할 수 있게 된다. 따라서 수능에는 학생들이 제시문을 읽고 내용 전개 방식을 파악해 낼 수 있는지를 평가하기 위한 문제가 거의 매년 출제되고 있다. 내용 전개 방식은 발문에서 글쓰기 전략, 서술상의 특징 등으로 표현되기도 하는데, 표현이 다르더라도 같은 유형의 문제이므로 당황하지 않고 풀도록 한다.

대개 글은 종류와 목적에 따라 구조적인 특징과 자주 사용하는 전개 방식이 다르다. 따라서 제시문을 읽을 때는 글의 종류와 목적에 주의를 기울이면서 연결어 등의 표지를 활용하여 어떤 내용 전개 방식이 사용되었는지 파악하도록 한다.

■ '내용 전개 방식의 파악' 유형의 문제 풀이 방법

수능에서 출제되는 제시문은 대개 4~5개 문단 정도이므로 한눈에 제시문을 훑어보는 것이 가능하다. 따라서 제시문을 훑어보면서 각 문단별 핵심 단어를 이용하여 글의 전체 구조를 짐작하면 문제를 푸는 데 도움이 된다.

① 중심 화제를 찾는다.(중심 화제는 주로 첫 문단에 등장하며, 제시문 전체에서 반복적으로 등장한다.)

② 문단 내에서 가장 중심이 되는 단어나 문장을 찾는다.

③ 연결어, 제시어 등의 표지와 내용의 전개 방향을 암시하는 단서들을 통해 문단 간, 문단 내 관계를 정리한다.

■ '내용 전개 방식의 파악' 유형 공부 방법

• 수능에서 자주 사용되는 내용 전개 방식을 정리하여 숙지한다.
• 평소 글을 읽을 때, 어떤 방법으로 내용이 전개되고 있는지 파악하며 읽는다.

☑ 지문 분석 노트

1️⃣ 자연법의 개념과 근원

2️⃣ 서구 중세의 자연법과 그로티우스에 의해 비롯된 근대의 자연법

3️⃣ 그로티우스의 자연법 이론이 등장한 배경

4️⃣ 근대적 법체계에 영향을 끼친 자연법 사상

5️⃣ 자연법 사상의 퇴조와 그 의의

법과 정의의 관계는 법학의 고전적인 과제 가운데 하나이다. 때와 장소에 관계없이 누구에게나 보편적으로 받아들여질 수 있는 정의롭고 도덕적인 법을 떠올리게 되는 것은 자연스러운 일이다. 전통적으로 이런 법을 '자연법'이라 부르며 논의해 왔다. 자연법은 인위적으로 제정되는 것이 아니라 인간의 경험에 앞서 존재하는 본질적인 것으로서 신의 법칙이나 우주의 질서, 또는 인간 본성에 근원을 둔다. 특히 인간의 본성에 깃든 이성, 다시 말해 참과 거짓, 선과 악을 분별할 수 있는 인간만의 자질은 자연법을 발견해 낼 수 있는 수단이 된다.

서구 중세의 신학에서는 자연법을 인간 이성에 새겨진 신의 법이라고 이해하여 종교적 권위를 중시하였다. 이후 근대의 자연법 사상에서는 신학의 의존으로부터 독립하여 자연법을 오직 이성으로써 확인할 수 있다고 보았다. 이런 경향을 열었다고 할 수 있는 그로티우스(1583~1645)는 중세의 전통을 수용하면서도 인간 이성에 따른 자연법의 기초를 확고히 하였다. 그는 이성을 통해 확인되고 인간 본성에 합치하는 법 규범은 자연법이자 신의 의지라고 말하면서, 이 자연법은 신도 변경할 수 없는 본질적인 것이라고 주장하였다. 이성의 올바른 인도를 통해 다다르게 되는 자연법은 국가와 실정법을 초월하는 규범이라고 보았다.

그로티우스가 활약하던 시기는 한편으로 종교 전쟁의 시대였다. 그는 이 소용돌이 속에서 어떤 법도 존중받지 못하는 일들을 보게 되고, 자연법에 기반을 두면 가톨릭, 개신교, 비기독교 할 것 없이 모두가 받아들일 수 있는 규범을 세울 수 있다고 생각했다. 나아가 이렇게 이루어진 법 원칙으로써 각국의 이해를 조절하여 전쟁의 참화를 막고 인류의 평화와 번영을 실현할 수 있다고 믿었다. 이러한 그의 사상은 1625년 『전쟁과 평화의 법』이란 저서를 낳았다. 이 책에서는 개전의 요건, 전쟁 중에 지켜져야 할 행위 등을 다루었으며, 그에 대한 이론적 근거로서 자연법 개념의 기초를 다지고, 그것을 바탕으로 국가 간의 관계를 규율하는 법 이론을 구성하였다. 이 때문에 그로티우스는 국제법의 아버지로도 불린다.

신의 권위에서 독립한 이성의 법에는 인간의 권리가 그 핵심에 자리 잡았고, 이는 근대 사회의 주요한 사상적 배경이 되었다. 한 예로 1776년 미국의 독립 선언에도 자연법의 영향이 나타난다. 더욱이 프랑스 대혁명기의 인권 선언에서는 자유권, 소유권, 생존권, 저항권을 불가침의 자연법적 권리로 선포하였다. 이처럼 자연법 사상은 근대적 법체계를 세우는 데에 중요한 기반을 제공하였고, 특히 자유와 평등의 가치가 법과 긴밀한 관계를 맺도록 하는 데 이바지하였다.

그러나 19세기에 들어서자 현실적으로 자연법을 명확히 확정하기 어렵다는 비판 속에서 자연법 사상은 퇴조하는 경향을 보였다. 이때 비판의 선봉에 서며 새롭게 등장한

이론이 이른바 '법률실증주의'이다. 법률실증주의는 국가의 입법 기관에서 제정하여 현실적으로 효력을 갖는 법률인 실정법만이 법으로 인정될 수 있다는 입장이다. 이에 따르면 입법자가 합법적인 절차로 제정한 법률은 그 내용이 어떻든 절대적인 법이 되며, 또한 그것은 국가 권위에 근거하여 이루어진 것이기에 국민은 이를 따라야 할 의무가 있다. 하지만 현대에 와서 합법의 외관을 쓴 전체주의로 말미암은 참혹한 세계 대전을 겪게 되자, 자연법에 대한 논의는 부흥기를 맞기도 하였다. 오늘날 자연법은 실정법이 지향해야 할 이상을 제시하는 역할에서 여전히 의의가 인정된다.

■주제 : 자연법 사상의 변천 과정

問 윗글을 바탕으로 할 때, 그로티우스의 국제법 사상에 대한 추론으로 적절하지 <u>않은</u> 것은?

① 국가 사이의 관계를 규율하는 법은 자연법에 근거를 두어야 한다.
② 국가 간에 전쟁을 할 때에도 마땅히 지켜야 할 법 규범이 있다.
③ 국제 분쟁을 조정하고 인류의 평화를 이루기 위하여 국제 사회에 적용되는 법이 있어야 한다.
✓④ 각국의 실정법을 두루 통합하여 국제법으로 만들면 그것은 어디서나 통용되는 현실적 규범이 될 수 있다.
⑤ 종교의 차이로 전쟁이 이어지는 상황에서 전통적인 신학 이론을 바탕으로 국제법을 구성하면 보편적으로 받아들여질 수 없다.

오답률 BEST 문항 분석

이 문제는 학생들이 ⑤번을 가장 많이 오답으로 선택(24.2%)하였다. '그로티우스의 국제법 사상'에 대하여 묻고 있기 때문에 제시문에서 이에 대해 언급한 부분을 찾아야 한다. 즉 2~3문단에 있는 그로티우스에 대한 내용을 근거로 하여 선택지의 옳고 그름을 판단해야 한다. ⑤번을 선택한 학생들은 그로티우스가 중세 신학과 다른 견해를 가졌다는 사실을 간과했거나, 그의 국제법이 자연법을 바탕으로 했다는 사실을 제대로 읽어내지 못했을 가능성이 높다. 따라서 중심 화제와 관련하여 대비되는 견해를 분명히 파악하고, 이를 바탕으로 제시문에 드러나지 않은 내용까지 적절히 추론할 수 있어야 실수를 줄일 수 있다.

1 **문제 유형 해결 방법** : 추론의 적절성을 파악하는 문제는 제시문에 직접 언급되지 않은 내용을 추론하는 것이지만, '근거 없는 추리는 없다.'는 원칙에 근거한다. 이는 추론의 근거를 제시문에서 찾아야 한다는 뜻으로, 세부 내용을 파악하는 문제를 풀 때처럼 제시문에서 해당하는 부분을 찾아 대조하면서 문제를 해결해야 한다.

2 **제시문의 내용을 바탕으로 추론한다.**

■ 자연법

① 개념 : 때와 장소에 관계없이 누구에게나 보편적으로 받아들여질 수 있는 정의롭고 도덕적인 법

② 변천 과정

서구 중세	서구 근대	19세기 이후
• 인간 이성에 새겨진 신의 법 • 종교적 권위 중시	• 신학으로부터 독립 • 오직 이성으로 확인 가능함. • 선구자 : 그로티우스 → 중세의 전통을 수용하면서도 인간 이성에 따른 자연법의 기초를 확고히 함. → 자연법은 국가와 실정법을 초월하는 규범임. • 『전쟁과 평화의 법』: 자연법 개념의 기초, 국가 간의 관계 규율하는 법 이론을 구성함. → 국제법의 아버지라 불림.	• 자연법을 명확히 확정하기 어렵다는 비판 → 퇴조하는 경향 → 법률실증주의의 등장 • 법률실증주의 : 국가의 입법 기관에서 제정하여 현실적으로 효력을 갖는 법률인 실정법만이 법으로 인정될 수 있다는 입장 • 한계 : 전체주의 → 세계대전

③ 의의 : 실정법이 지향해야 할 이상을 제시하는 역할을 함.

〈1단계〉 **출제 이유 및 해결 방안 분석**

글을 추론하며 읽는다는 것은 제시문에 언급한 내용을 바탕으로 드러나지 않은 내용을 미루어 추측한다는 것이다. 그러므로 추론의 적절성을 파악하는 유형의 문제는 이를 평가하기 위한 것이다. 따라서 제시문의 내용을 정확하게 파악한 후 앞뒤 문맥을 통하여 선택지에 제시된 추론 내용이 적절한지를 확인하도록 한다.

〈2단계〉 **정답 풀이**

④ 3문단에서 그로티우스는 '자연법에 기반을 두면 가톨릭, 개신교, 비기독교 할 것 없이 모두가 받아들일 수 있는 규범을 세울 수 있'다고 보았으며, 이를 통해 '각국의 이해를 조절하여 전쟁의 참화를 막'을 수 있다고 하였다. 이를 통해 각국의 실정법을 두루 통합하여 국제법으로 만들었다고 추론하기는 어렵다.

〈3단계〉 **오답 풀이**

① 3문단에서 그로티우스는 '자연법 개념의 기초를 다지고, 그것을 바탕으로 국가 간의 관계를 규

율하는 법 이론을 구성하였다.'고 하였다. 따라서 그로티우스가 국가 사이의 관계를 규율하는 법은 자연법에 근거를 두어야 한다고 생각했음을 추론할 수 있다.

② 3문단에서 그로티우스가 『전쟁과 평화의 법』이라는 책에서 전쟁 중에 지켜야 할 행위 등을 다루었으며, 이를 바탕으로 '국가 간의 관계를 규율하는 법 이론을 구성하였다.'는 내용이 언급되어 있다. 이를 통해 그로티우스는 국가 간에 전쟁을 할 때도 마땅히 지켜야 할 법 규범이 있다고 생각했음을 추론할 수 있다.

③ 3문단에서 그로티우스의 저서 『전쟁과 평화의 법』은 '각국의 이해를 조절하여 전쟁의 참화를 막고 인류의 평화와 번영을 실현할 수 있다'는 믿음에서 비롯하여 국가 간 관계를 규율하는 법 이론을 구성한 책이라고 하였다. 따라서 그는 국제 분쟁을 조정하고 인류의 평화를 이루기 위해 국제 사회에 적용되는 법이 필요하다고 생각했음을 추론할 수 있다.

⑤ 3문단에서 그로티우스는 '자연법에 기반을 두면 가톨릭, 개신교, 비기독교 할 것 없이 모두가 받아들일 수 있는 규범을 세울 수 있을' 것이라고 생각했다고 하였다. 이를 통해 그로티우스는 전통적인 신학 이론을 바탕으로 국제법을 구성하면 보편적으로 받아들여질 수 없다고 생각했음을 추론할 수 있다.

^'s Advice

'추론의 적절성 파악' 유형의 문제는 글에 직접 드러나지 않은 정보를 논리적으로 추론할 수 있어야 한다.

■ '추론의 적절성 파악' 문제 출제 유형
① 글에서 명시되지 않은 정보 추론하기
② 전제나 논리의 근거 추론하기
③ 전후 관계 추론하기
④ 글쓴이의 견해 · 주장 · 의도 추론하기

■ '추론의 적절성 파악' 유형의 문제 풀이 방법
① 선택지를 읽으면서 핵심어에 표시해 둔다.(핵심어는 제시문에서 어느 부분을 살펴볼 것인지 범위를 결정할 때 활용하게 되는데, 하나의 선택지에 여러 개의 핵심어가 존재할 수도 있다.)
② 제시문에서 핵심어와 관련된 부분의 앞뒤를 읽으며 추론이 적절한지 확인한다.

〈유의 사항〉
• 자의적으로 추출하지 말고, 반드시 글의 내용을 근거로 삼아 추론해야 한다.
• 선택지에서 '모든', '반드시', '절대로'와 같은 극단적인 느낌을 주는 표현에 주의한다. 이런 단어들은 범위를 매우 좁게 한정시키므로 제시문의 내용과 일치하지 않을 확률이 높다.

■ '추론의 적절성 파악' 유형의 공부 방법
제시문에 있는 내용을 재진술하여 선택지를 구성하는 경우, 평소에는 잘 쓰이지 않는 어려운 단어가 사용되기도 한다. 따라서 평소에 어휘 공부를 해 두는 것이 좋다.

☑ 지문 분석 노트

① 연역 논증과 귀납 논증의 차이

② 귀납 논증의 논리적 문제

③ 연역 논증으로 과학적 지식을 정당화할 수 있다는 포퍼의 주장

④ 반증에 의해 참과 거짓이 밝혀지는 과학적 지식

⑤ 반증의 시도로부터 견뎌 온 과학적 지식들

■ 주제 : 과학적 지식의 진위 여부를 논증하는 방법

논증은 크게 연역과 귀납으로 나뉜다. 전제가 참이면 결론이 확실히 참인 연역 논증은 결론에서 지식이 확장되는 것처럼 보이지만, 실제로는 전제에 이미 포함된 결론을 다른 방식으로 확인하는 것일 뿐이다. 반면 귀납 논증은 전제들이 모두 참이라고 해도 결론이 확실히 참이 되는 것은 아니지만 우리의 지식을 확장해 준다는 장점이 있다. 여러 귀납 논증 중에서 가장 널리 쓰이는 것은 수많은 사례들을 관찰한 다음에 그것을 일반화하는 것이다. ㉠우리는 수많은 까마귀를 관찰한 후에 우리가 관찰하지 않은 까마귀까지 포함하는 '모든 까마귀는 검다.'라는 새로운 지식을 얻게 되는 것이다.

철학자들은 과학자들이 귀납을 이용하기 때문에 과학적 지식에 신뢰를 보낼 수 있다고 생각했다. 그러나 모든 귀납에는 논리적인 문제가 있다. 수많은 까마귀를 관찰한 사례에 근거해서 '모든 까마귀는 검다.'라는 지식을 정당화하는 것은 합리적으로 보이지만, 아무리 치밀하게 관찰하여도 아직 관찰되지 않은 까마귀 중에서 검지 않은 까마귀가 있을 수 있기 때문이다.

포퍼는 귀납의 논리적 문제는 도저히 해결할 수 없지만, 귀납이 아닌 연역만으로 과학을 할 수 있는 방법이 있으므로 과학적 지식은 정당화될 수 있다고 주장한다. 어떤 지식이 반증 사례 때문에 거짓이 된다고 추론하는 것은 순전히 연역적인데, 과학은 이 반증에 의해 발전하기 때문이다. 다음 논증을 보자.

(ㄱ) 모든 까마귀가 검다면 어떤 까마귀는 검어야 한다.
(ㄴ) 어떤 까마귀는 검지 않다.
(ㄷ) 따라서 모든 까마귀가 다 검은 것은 아니다.

'모든 까마귀는 검다.'라는 지식은 귀납에 의해서 참임을 보여 줄 수는 없지만, 이 논증에서처럼 전제 (ㄴ)이 참임이 밝혀진다면 확실히 거짓임을 보여 줄 수 있다. 그러나 아직 (ㄴ)이 참임이 밝혀지지 않았다면 그 지식을 거짓이라고 말할 수 없다.

포퍼에 따르면, 지금 우리가 받아들이는 과학적 지식들은 이런 반증의 시도로부터 잘 견뎌 온 것들이다. 참신하고 대담한 가설을 제시하고 그것이 거짓이라는 증거를 제시하려는 노력을 진행해서, 실제로 반증이 되면 실패한 과학적 지식이 되지만 수많은 반증의 시도로부터 끝까지 살아남으면 성공적인 과학적 지식이 되는 것이다. 그런데 포퍼는 반증 가능성이 없는 지식, 곧 아무리 반증을 해 보려 해도 경험적인 반증이 아예 불가능한 지식은 과학적 지식이 될 수 없다고 비판한다. 가령 '관찰할 수 없고 찾아낼 수 없는 힘이 항상 존재한다.'처럼 경험적으로 반박할 수 있는 사례를 생각할 수 없는 주장이 그것이다.

問 윗글의 (ㄱ)~(ㄷ)과 〈보기〉에 대한 설명으로 적절하지 <u>않은</u> 것은?

┌─────────────── 보기 ───────────────┐

  ⊙은 다음과 같은 논증으로 표현할 수 있다.

    ┌─ 내가 오늘 관찰한 까마귀는 모두 검다.

  (가) 내가 어제 관찰한 까마귀는 모두 검다.

    └─ 내가 그저께 관찰한 까마귀는 모두 검다.

                               ⋮

    ──────────────────────────────

  (나) 따라서 모든 까마귀는 검다.

└──────────────────────────────────┘

① (가)가 확실히 참이어도 검지 않은 까마귀가 내일 관찰된다면 (나)는 거짓이 된다.

② (ㄴ)과 (가)가 참임을 밝히는 작업은 모두 경험적이다.

③ '모든 까마귀는 검다.'는 (ㄴ)만으로 거짓임이 밝혀지지만 (가)만으로는 참임을 밝힐 수 없다.

✓④ (ㄱ), (ㄴ)에서 (ㄷ)이 도출되는 것이나 (가)에서 (나)가 도출되는 것은 모두 지식이 확장되는 것이다.

⑤ 포퍼에 따르면 ⊙의 '모든 까마귀가 검다.'가 과학적 지식임은 (가)~(나)의 논증이 아니라 (ㄱ)~(ㄷ)의 논증을 통해 증명된다.

② 제시문에 나타난 각 개념의 핵심을 정리하여 〈보기〉와 대응시킨다.

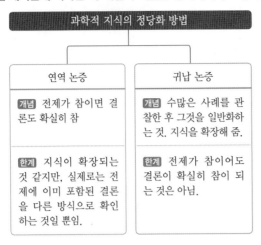

■ 포퍼가 생각하는 과학적 지식
① 과학적 지식은 연역만으로 정당화될 수 있다.
② 과학적 지식은 반증의 시도로부터 잘 견뎌온 것들이다.
③ 경험적인 반증 가능성이 없는 지식은 과학적 지식이 될 수 없다.

오답률 BEST 문제 풀이

〈1단계〉 출제 이유 및 해결 방안 분석
글의 내용을 다양한 사례에 적용하면서 글을 읽으면 독해력을 신장시킬 수 있고, 배경지식도 확장
시킬 수 있기 때문에 이와 같은 능력이 있는지 확인하는 문제이다. 제시문의 내용을 다양한 사례에
적용하는 문제는 제시문의 내용을 정확하게 파악하는 것이 핵심이다. 그리고 〈보기〉 또는 선택지
에 제시된 내용을 일반화하여 1 : 1로 대응하는지 확인해 보도록 한다.

〈2단계〉 정답 풀이
④ 〈보기〉의 (가)에서 (나)가 도출되는 것은 경험을 통해 결론을 도출하는 귀납 논증이다. 그러나
(ㄱ), (ㄴ)에서 (ㄷ)이 도출되는 것은 연역 논증이다. 1문단에서 '연역 논증은 결론에서 지식이 확
장되는 것처럼 보이지만, 실제로는 전제에 이미 포함된 결론을 다른 방식으로 확인하는 것일 뿐'
이라고 하였다. 따라서 (ㄱ), (ㄴ)에서 (ㄷ)이 도출되는 연역 논증을 지식이 확장된다고 설명하는
것은 적절하지 않다.

〈3단계〉 오답 풀이
① 〈보기〉는 귀납 논증인데, 2문단에서 '아무리 치밀하게 관찰하여도 아직 관찰되지 않은' 사례가
있을 수 있다며 귀납 논증의 논리적인 문제에 대해 언급하고 있다. 따라서 (가)가 확실히 참이어
도, 검지 않은 까마귀가 관찰된다면 (나)는 거짓이 된다.
② (ㄴ)과 (가)는 모두 관찰함으로써 파악할 수 있는 것이므로, (ㄴ)과 (가)가 참인지를 밝히는 작업
은 모두 경험적이라고 볼 수 있다.
③ '모든 까마귀가 검다.'는 '(ㄴ) 어떤 까마귀는 검지 않다.'는 반증이 발견되면 거짓임이 밝혀진다.
하지만 (가)는 모두 관찰한 사실에 불과하므로 '모든 까마귀는 검다.'는 결론을 내릴 수 없다. 2
문단에서 언급하고 있듯이, '아무리 치밀하게 관찰하여도 아직 관찰되지 않은 까마귀 중에서 검

지 않은 까마귀가 있을 수 있기 때문'이다.

⑤ 3문단에서 포퍼는 '귀납이 아닌 연역만으로 과학을 할 수 있는 방법이 있으므로 과학적 지식은 정당화될 수 있다고 주장한다.'고 하였다. 따라서 이는 (가)~(나)의 논증(귀납 논증)이 아니라 (ㄱ)~(ㄷ)의 논증(연역 논증)을 통해 증명될 수 있다.

'구체적 상황에 적용'은 수능에서 빠지지 않고 출제되는 유형으로, 3점짜리 문제로 출제되어 어려운 경우가 많다. 제시문에서 언급되지 않은 내용이 〈보기〉에 나오기 때문에 당황할 수도 있지만, 원리를 파악하면 정답을 쉽게 찾아낼 수 있다.

■ '구체적 상황에 적용' 문제 출제 유형
① 시각 자료에 적용하는 유형
② 글에 제시된 원리나 추상적 개념을 사례에 적용하는 유형
③ 글에 제시된 사례와 다른 범주에 속하는 새로운 사례에 적용하는 유형

■ '구체적 상황에 적용' 유형 문제 풀이 방법
① 제시문을 읽으면서 핵심적인 요소를 찾는다.
② 〈보기〉에서 제시된 사례를 제시문의 요소와 1 : 1 대응시켜 본다.

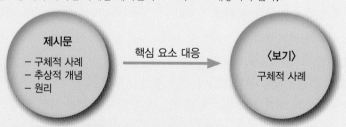

■ '구체적 상황에 적용' 유형 문제를 풀 때 유의 사항
제시문의 사례와 〈보기〉의 사례가 서로 다른 범주에 속하기 때문에, 각 사례의 핵심을 잘못 이해하면 문제를 푸는 과정에서 혼란이 있을 수도 있다. 그러나 이 유형의 문제는 두 사례가 서로 다른 범주에 속하더라도 최소한 한 가지 이상의 기본 요소에서 유사성을 지니고 있다는 데에서 착안한 것이므로, 제시문에 대한 정확한 이해를 통해 유사성을 파악하도록 한다.

☑ 지문 분석 노트

① 공자가 제안한 예(禮)의 의미와 등장 배경

② 공자가 제시한 정명(正名)의 개념과 중요성

③ 공자가 제시한 군자의 개념

④ 공자가 제시한 정치 이념의 의의

⑤ 군자가 갖추어야 할 요소

⑥ 군자가 목표로 해야 할 성인(聖人)의 의미

공자가 살았던 춘추 시대는 주나라 봉건제가 무너지고 제후국들이 주도권을 놓고 치열하게 전쟁을 일삼던 시기였다. 이러한 사회적 혼란을 극복하기 위한 방법으로 공자는 예(禮)를 제안하였다. 예란 인간의 도덕적 본성을 그 사회에 맞게 규범화한 것으로 단순히 신분적 차이를 드러내거나 행동을 타율적으로 규제하는 억압 장치는 아니었다. 예는 개인의 윤리 규범이면서 사회와 국가의 질서를 바로잡는 제도였으며, 인간관계를 올바르게 형성하는 사회적 장치였다.

공자는 예에 기반을 둔 정치는 정명(正名)에서 시작한다고 하며, 정명을 실현할 주체로서 군자를 제시하였다. 정명이란 '이름을 바로잡는다'라는 뜻으로, 다양한 사회적 관계 속에서 자신이 마땅히 해야 할 도리를 행하는 것을 의미한다. 군주는 군주다운 덕성을 갖추고 그에 ⓐ맞는 예를 실천해야 하며, 군주뿐만 아니라, 신하, 부모 자식도 그러해야 한다. 만일 군주가 예에 의하지 아니하고 법과 형벌에 ⓑ기대어 정치를 한다면, 백성들은 형벌을 면하기 위해 법을 지킬 뿐, 무엇이 옳고 그른지 스스로 판단하려 하지 않는 문제가 생길 것이라고 공자는 보았다.

공자가 제시한 군자는 도덕적 인격을 완성하기 위해 애쓰는 사람이기도 하면서 자신의 도덕적 수양을 통해 예를 실현하는 사람이다. 원래 군자는 정치적 지배 계층을 ⓒ가리키는 말로 일반 서민을 가리키는 소인과 대비되는 개념이었다. 공자는 이러한 개념을 확장하여 군자와 소인을 도덕적으로도 구별하였다. 사리사욕에 ⓓ사로잡혀 자신의 이익과 욕심을 채우는 데만 몰두하는 소인과 도덕적 수양을 최우선으로 삼는 군자를 도덕적으로 차별화한 것이다. 군자는 이익을 따지기보다는 무엇이 옳고 그른지를 먼저 판단해야 한다고 하였다.

공자는 군주는 군자다운 성품을 지녀야 한다고 함으로써 정치적 지도자가 가져야 할 덕목으로 도덕적 수양과 실천을 강조하였다. 이는 공자가 당시 지배 계층에게 도덕적 본성을 요구했다는 점에서 큰 의미가 있다. 인간의 도덕적 본성에 근거한 정치를 시행해야 한다는 유학적 정치 이념을 제시한 것이기 때문이다. 또한 공자는 소인도 군자가 될 수 있다고 강조하여 사회 전반에 걸쳐 정명을 통한 예의 실천을 구현하고자 하였다.

공자는 군자가 되기 위해서는 항상 마음이 참되고 미더운 상태가 되도록 자신의 내면을 잘 ⓔ살피라고 하였다. 이렇게 도덕적 수양을 할 뿐만 아니라 옛 성현의 책을 읽고 육예(六藝)를 고루 익혀 다양한 학문적 소양을 갖춰야 한다고 하였다. 이를 통해 어느 한 가지 특정 분야에서 뛰어나기보다는 어떤 상황에서든 그에 맞는 제 역할을 다하는 사람이 되라고 독려하였다.

유학에서 말하는 이상적인 인간은 성인(聖人)이다. 공자도 자신을 성인이라고 자처하지 않았다. 성인은 도덕적 수양이 더 이상 필요 없는, '인간의 도덕적 본성'을 완성한 인격자를 가리키는데 언제 어디서건 인간의 도리를 벗어나는 일을 하지 않는 완전한 존재로 보았다. 따라서 군자는 일상생활에서의 도덕적 수양을 통해 성인의 경지에 도달할 것을 목표로 삼아야 한다고 하였다. 공자는 정치적 지도자뿐만 아니라 일반 서민의 지속적인 도덕적 수양을 통해 혼란스러운 당시의 세상을 이상적인 사회로 이끌고자 하였다.

■주제 : 공자가 주장한 정치 이념의 의미와 의의

問 ⓐ~ⓔ를 한자어로 바꾼 것으로 적절하지 않은 것은?

① ⓐ : 합당(合當)한
② ⓑ : 의거(依據)하여
③ ⓒ : 지칭(指稱)하는
✔④ ⓓ : 매수(買收)되어
⑤ ⓔ : 성찰(省察)하라고

오답률 BEST 문항 분석

이 문제는 학생들이 ②번을 가장 많은 오답으로 선택(22.3%)하였다. ②번을 선택한 학생들은 '의거하다'라는 한자어의 의미를 잘 몰랐거나, '기대다'의 문맥적 의미를 정확하게 파악하지 못했을 가능성이 높다. 이처럼 고유어와 문맥적 의미가 유사한 한자어를 찾는 어휘의 의미 파악 유형의 문제에서는 제시된 고유어의 의미를 글의 전후 맥락을 통해 파악함으로써 대체할 한자어의 적절성 여부를 판단해야 한다.

오답률 BEST 집중 특강

① **문제 유형 해결 방법** : 어휘 문제는 사전적 의미보다는 문맥적 의미가 중요하므로, 제시된 어휘의 앞뒤 부분을 살펴 어떤 의미로 사용되었는지 파악해야 한다. 그리고 제시문의 밑줄 친 어휘 자리에 선택지에 제시된 어휘를 넣어 어색한 점이 없는지 살펴보도록 한다.

② **각 어휘를 문맥에 적절한 어휘로 바꾸어 본다.**
① ⓐ : 그에 맞는 예를 실천해야 하며
 → 꼭 알맞은, 걸맞은, 적합한 등
② ⓑ : 법과 형벌에 기대어 정치를 한다면
 → 의지하여, 의존하여, 근거하여 등
③ ⓒ : 군자는 정치적 지배 계층을 가리키는 말
 → 일컫는, 지시하는, 가르켜 이르는 등
⑤ ⓔ : 자신의 내면을 잘 살피라고
 → 들여다보라고, 돌아보라고 등

〈1단계〉 출제 이유 및 해결 방안 분석

어휘의 의미를 파악하는 것은 글을 이해하는 데 있어 가장 기초가 되므로 수능에서의 출제 빈도가 점점 높아지고 있다. 선택지에 제시된 단어 또는 뜻풀이를 제시문에서 언급된 어휘 대신에 대입하여 읽어 보면서 문맥적 흐름이 자연스러운지를 판단해 보도록 한다.

〈2단계〉 정답 풀이

④ '매수(買收)되다'는 '물건이 사들여지다. 또는 금품이나 그 밖의 수단 따위에 넘어가 그 편이 되다'의 의미이므로, ⓓ의 '사로잡혀'와 바꾸어 쓰기에 적절하지 않다. ⓓ의 '사로잡혀'는 '마음이 다른 것에 사로잡혀 넘어가다'라는 의미의 '매혹(魅惑)되다'로 대체하는 것이 적절하다.

〈3단계〉 오답 풀이

① 합당(合當)하다 : 어떤 기준, 조건, 용도, 도리 따위에 꼭 알맞다.

② 의거(依據)하다 : 어떤 사실이나 원리 따위에 근거하다.

③ 지칭(指稱)하다 : 어떤 대상을 가리켜 이르다.

⑤ 성찰(省察)하다 : 자기의 마음을 반성하고 살피다.

's Advice

　어휘에 관한 문제는 독서 영역에서 출제되는 핵심적인 문제라고 보기는 어렵다. 하지만 어휘에 관한 문제가 쉬운 것만은 아니며, 최근에는 출제되는 빈도도 증가하는 추세에 있기 때문에 이에 대비해 반드시 어휘 공부를 해 둘 필요가 있다.

■ '어휘의 의미 파악' 유형의 문제 출제 방식 및 풀이 방법

　① 사전적 의미를 묻는 문제

　• 선택지에서 제시된 의미를 제시문에 직접 대입해 본다.

　② 문맥적 의미를 묻는 문제

　• 주어진 부분의 문장 앞뒤를 읽고 어떤 의미로 사용되었는지를 파악한다.

　• 주어진 부분을 다른 어휘로 대체해 보고, 선택지에도 그것과 동일한 어휘로 대체해 본다.

■ '어휘의 의미 파악' 유형의 공부 방법

　평소 글을 읽을 때, 생소한 어휘가 나오면 반드시 그 의미를 찾아 정리해 두도록 한다. 이때, 단순히 단어와 그 의미만 알아두기보다는, 문장과 함께 읽고 그 쓰임새를 기억해 두는 것이 효과적이다.

인문

제 I 부

실전 TEST 01 인문 / 철학

[대학수학능력시험 기출]

☑ 지문 분석 노트

① _____

_____

② _____

_____

③ _____

④ _____

■ 주제 : _____

비트겐슈타인이 1918년에 쓴 『논리 철학 논고』는 '빈학파'의 논리실증주의를 비롯하여 20세기 현대 철학에 큰 영향을 주었다. 그는 많은 철학적 논란들이 언어를 애매하게 사용하여 발생한다고 보았기 때문에 언어를 분석하고 비판하여 명료화하는 것을 철학의 과제로 삼았다.

그는 이 책에서 언어가 세계에 대한 그림이라는 '그림 이론'을 주장한다. 이 이론을 세우는 데 그에게 영감을 주었던 것은, 교통사고를 다루는 재판에서 장난감 자동차와 인형 등을 이용한 ㉠모형을 통해 ㉡사건을 설명했다는 기사였다. 그런데 모형을 가지고 사건을 설명할 수 있는 이유는 무엇일까? 그것은 모형이 실제의 자동차와 사람 등에 대응하기 때문이다. 그는 언어도 이와 같다고 보았다. 언어가 의미를 갖는 것은 언어가 세계와 대응하기 때문이다. 다시 말해 언어가 세계에 존재하는 것들을 가리키고 있기 때문이다. 언어는 명제들로 구성되어 있으며, 세계는 사태들로 구성되어 있다. 그리고 명제들과 사태들은 각각 서로 대응하고 있다. 이처럼 언어와 세계의 논리적 구조는 동일하며, 언어는 세계를 그림처럼 기술함으로써 의미를 가진다.

'그림 이론'에서 명제에 대응하는 '사태'는 '사실'이 아니라 사실이 될 수 있는 논리적 가능성을 의미한다. 따라서 언어를 구성하는 명제들은 사실적 그림이 아니라 논리적 그림이다. 사태가 실제로 일어나서 사실이 되면 그것을 기술하는 명제는 참이 되지만, 사태가 실제로 일어나지 않는다면 그 명제는 거짓이 된다. 어떤 명제가 '의미 있는 명제'가 되기 위해서는 그 명제가 ●실재하는 대상이나 사태에 대해 언급해야 하며, 그것에 대해서는 참, 거짓을 따질 수 있다. 만약 어떤 명제가 실재하지 않는 대상이나 사태가 아닌 것에 대해 언급하면 그것은 '의미 없는 명제'가 되며, 그것에 대해 참, 거짓을 따질 수 없다. 따라서 경험적 세계에 대해 언급하는 명제만이 의미 있는 것이 된다.

이러한 관점에서 비트겐슈타인은 기존의 철학자들이 다루었던 신, 영혼, ●형이상학적 주체, 윤리적 가치 등과 관련된 논의가 의미 없는 말들에 불과하다고 보았다. 왜냐하면 그 말들이 가리키는 대상이 세계 속에 존재하지 않는, 즉 경험 가능하지 않은 대상이기 때문이다. 이와 같은 형이상학적 문제와 관련된 명제나 질문들은 의미가 없는 말들이다. 그러한 문제는 우리의 삶을 통해 끊임없이 드러나는 신비한 것들이지만 이에 대해 말로 답변하거나 설명할 수는 없다. 그래서 비트겐슈타인은 "말할 수 없는 것에 대해서는 침묵해야 한다."라고 말했다.

Words

● **실재** : 실제로 존재함.　● **형이상학적** : 형이상학(사물의 본질, 존재의 근본 원리를 사유나 직관에 의하여 탐구하는 학문)에 관련되거나 바탕을 둔 것

1 비트겐슈타인의 이론에 대한 이해로 적절하지 <u>않은</u> 것은?

① 언어의 문제를 철학의 중요한 과제로 보았다.
② '그림 이론'으로 논리실증주의에 큰 영향을 주었다.
③ '사태'와 '사실'의 개념을 구별하였다.
④ 경험적 대상을 언급하는 명제는 참이라고 보았다.
⑤ 형이상학적 문제를 다룬 기존 철학을 비판하였다.

2 윗글의 '의미 없는 명제'에 해당하는 것은?

① 곰팡이는 생물의 일종이다.
② 물은 1기압에서 90℃에 끓는다.
③ 피카소는 1881년 스페인에서 태어났다.
④ 우리 반 학생의 절반 이상이 헌혈을 했다.
⑤ 선생님은 한평생 바람직한 삶을 살아왔다.

3 ㉠ : ㉡의 관계에 해당하는 것만을 〈보기〉에서 있는 대로 고른 것은?

┤ 보기 ├

ㄱ. 언어 : 세계
ㄴ. 명제 : 사태
ㄷ. 논리적 그림 : 의미 있는 명제
ㄹ. 형이상학적 주체 : 경험적 세계

① ㄱ, ㄴ   ② ㄱ, ㄷ
③ ㄴ, ㄹ   ④ ㄱ, ㄴ, ㄷ
⑤ ㄴ, ㄷ, ㄹ

4

윗글로 미루어 볼 때, 비트겐슈타인이 〈보기〉와 같이 말한 이유로 가장 적절한 것은?

─┤ 보기 ├─

사다리를 딛고 올라간 후에 그 사다리를 던져 버리듯이, 『논리 철학 논고』를 이해한 사람은 거기에 나오는 내용을 버려야 한다. ㉮이 책의 내용은 의미 있는 언어의 한계를 넘어선 것이기 때문에 엄밀하게 보면 '말할 수 있는 것'의 범주에 속하지 않는다.

① ㉮는 자신이 내세웠던 철학의 과제를 넘어서는 주제들을 다루고 있기 때문이다.
② ㉮는 객관적 세계에 존재하는 대상을 과학적으로 분석하여 서술하고 있기 때문이다.
③ ㉮는 실재하는 대상이 아니라 논리적으로 가능한 사태에 대해 기술하고 있기 때문이다.
④ ㉮는 경험적 세계가 아니라 언어와 세계의 논리적 관계에 대해 언급하고 있기 때문이다.
⑤ ㉮는 기존의 철학자들이 다루었던 형이상학적 물음에 대해 관념적으로 답하고 있기 때문이다.

[평가원 기출]

전국 시대(戰國時代)의 사상계가 양주(楊朱)와 묵적(墨翟)의 사상에 *경도되어 유학의 영향력이 약화되고 있다고 판단한 맹자(孟子)는 유학의 수호자를 *자임하면서 공자(孔子)의 사상을 계승하는 한편, 다른 학파의 사상적 도전에 맞서 유학 사상의 이론화 작업을 전개하였다. 그는 공자의 춘추 시대(春秋時代)에 비해 사회 혼란이 가중되는 시대적 환경 속에서 사회 안정을 위해 특히 '의(義)'의 중요성을 강조하였다.

맹자가 강조한 '의'는 공자가 제시한 '의'에 대한 견해를 강화한 것이었다. 공자는 사회 혼란을 치유하는 방법을 '인(仁)'의 실천에서 찾고, '인'의 실현에 필요한 객관 규범으로서 '의'를 제시하였다. 공자가 '인'을 강조한 이유는 자연스러운 도덕 감정인 '인'을 사회 전체로 확산했을 때 비로소 사회가 안정될 것이라고 보았기 때문이다. 이때 공자는 '의'를 '인'의 실천에 필요한 합리적 기준으로서 '정당함'을 의미한다고 보았다.

맹자는 공자와 마찬가지로 혈연관계에서 자연스럽게 드러나는 도덕 감정인 '인'의 확산이 필요함을 강조하면서도, '의'의 의미를 확장하여 '의'를 '인'과 대등한 지위로 격상하였다. 그는 부모에게 효도하는 것은 '인'이고, 형을 공경하는 것은 '의'라고 하여 '의'를 가족 성원 간에도 지켜야 할 규범이라고 규정하였다. 그리고 나의 형을 공경하는 것에서 시작하여 남의 어른을 공경하는 것으로 나아가는 유비적 확장을 통해 '의'를 사회 일반의 행위 규범으로 정립하였다. 나아가 그는 '의'를 개인의 완성 및 개인과 사회의 조화를 위해 필수적인 행위 규범으로 설정하였고, 사회 구성원으로서 개인은 '의'를 실천하여 사회 질서 수립과 안정에 기여해야 한다고 주장하였다.

또한 맹자는 '의'가 이익의 추구와 구분되어야 한다고 주장하였다. 이러한 입장에서 그는 사적인 욕망으로부터 비롯된 이익의 추구는 개인적으로는 '의'의 실천을 가로막고, 사회적으로는 혼란을 야기한다고 보았다. 특히 작은 이익이건 천하의 큰 이익이건 '의'에 앞서 이익을 내세우면 천하는 필연적으로 상하 질서의 문란이 초래될 것이라고 *역설하였다. 그래서 그는 사회 안정을 위해 사적인 욕망과 결부된 이익의 추구는 '의'에서 배제되어야 한다고 주장하였다.

맹자는 '의'의 실현을 위해 인간에게 도덕적 행위를 할 수 있는 근거와 능력이 있음을 밝히는 데에도 관심을 기울였다. 그는 인간이라면 누구나 도덕 행위를 할 수 있는 선한 마음이 선천적으로 내면에 갖춰져 있다는 일종의 ㉠도덕 내재주의를 주장하였다. 그는, 인간은 자기의 행동이 옳지 못함을 부끄러워하고 남이 착하지 못함을 미워하는 마음을 본래 가지고 있는데, 이러한 마음이 의롭지 못한 행위를 하지 않도록 막아 주는 동기로 작용한다고 보았다. 아울러 그는 어떤 것이 옳고 그른 것인지 판단할 수 있는 능력도 모든 인간의 마음에 갖춰져 있다고 하여 '의'를 실천할 수 있는 도덕적 역량이 *내재화되어 있음을 제시하였다.

맹자는 '의'의 실천을 위한 근거와 능력이 인간에게 갖추어져 있음을 제시한 바탕 위에서, 이 도덕적 마음을 현실에서 실천하는 노력이 필요하다고 역설하였다. 그는 본래 갖추고 있는 선한 마음의 확충과 더불어 욕망의 절제가 필요하다고 보았으며, 특히 생활에서 마주하는 사소한 일에서도 '의'를 실천해야 함을 강조하였다. 나아가 그는 목숨과 '의'를 함께 얻을 수 없다면 "목숨을 버리고 의를 취한다."라고 주장하여 '의'를 목숨을 버리더라도 실천해야 할 가치로 부각하였다.

Words

• **경도(傾倒)** : 온 마음을 기울여 사모하거나 열중함. • **자임(自任)** : 어떤 일에 대하여 자기가 적임이라고 자부함. • **역설** : 자기의 뜻을 힘주어 말함. • **내재화** : 어떤 현상이나 성질 따위가 내부나 일정한 범위 안에 있게 됨.

1 윗글에 대한 설명으로 가장 적절한 것은?

① 맹자의 '의' 사상에 대한 사회적 통념을 비판하고 있다.
② 맹자의 '의' 사상이 가지는 한계에 대해 분석하고 있다.
③ 맹자의 '의' 사상에 대한 상반된 관점들을 비교하고 있다.
④ 맹자의 '의' 사상이 가지는 현대적 의의를 재조명하고 있다.
⑤ 맹자의 '의' 사상의 형성 배경과 내용에 대해 설명하고 있다.

2 윗글의 '맹자'에 대한 이해로 적절하지 <u>않은</u> 것은?

① 일상생활에서 '의'를 실천하는 것이 중요하다고 보았다.
② '의'의 실천은 목숨을 바칠 만큼 가치가 있다고 보았다.
③ 가정 내에서 '인'과 더불어 '의'도 실천해야 한다고 보았다.
④ '의'의 의미 확장보다는 '인'의 확산이 더 필요하다고 보았다.
⑤ 사회 규범으로서 '의'는 '인'과 대등한 지위를 지닌다고 보았다.

3 ㉠에 해당하는 것으로 가장 적절한 것은?

① 세상의 올바른 이치가 모두 나의 마음속에 갖추어져 있으니, 수양을 통해 이것을 깨달으면 이보다 큰 즐거움은 없다.

② 바른 도리를 행하려면 분별이 있어야 하니, 분별에는 직분이 중요하고, 직분에는 사회에서 통용되는 예의가 중요하다.

③ 인간이 지켜야 할 도덕은 지혜와 덕이 매우 뛰어난 성인들이 만든 것이지 인간의 성품으로부터 생겨난 것이 아니다.

④ 군자에게 용기만 있고 의로움이 없으면 어지러움을 일으키게 되고, 소인에게 용기만 있고 의로움이 없으면 남의 것을 훔치게 된다.

⑤ 저 사람이 어른이기 때문에 내가 그를 어른으로 대우하는 것이지, 나에게 어른으로 대우하고자 하는 마음이 원래부터 있어서 그런 것이 아니다.

4 윗글의 '맹자'와 〈보기〉의 '묵적'을 이해한 내용으로 적절하지 않은 것은?

┤ 보기 ├

　'묵적'은 인간이 이기적인 존재이기 때문에 자기 자신과 자기 집단만의 이익을 추구하여 개인 간의 갈등과 사회의 혼란이 생긴다고 보았다. 그는 '의'를 개인과 사회 전체의 이익을 충족하는 것으로 보아, '의'를 통해 이러한 개인과 사회의 혼란을 해결할 수 있다고 하였다. 모든 사람을 차별 없이 똑같이 서로 사랑하면 '의'가 실현되어 사회의 혼란이 해소될 것이라고 본 것이다. 아울러 그는 이러한 '의'의 실현이 만물을 주재하는 하늘의 뜻이라고 하여 '의'를 실천해야 할 당위성을 강조하였다.

① '맹자'와 '묵적'은 모두 '의'라는 개념을 사용하지만, 그 의미를 다르게 보았다.

② '맹자'는 '의'와 이익이 밀접하게 관련된다고 보았고, '묵적'은 '의'와 이익을 명확히 구분되는 것으로 보았다.

③ '맹자'는 이익의 추구를 사회 혼란의 원인이라고 보았고, '묵적'은 이익의 충족을 통해 사회 혼란을 해결할 수 있다고 보았다.

④ '맹자'는 인간의 잘못에 대한 수치심을 '의'를 실천하게 하는 동기로 보았고, '묵적'은 '의'의 실천을 하늘의 뜻에 따르는 것으로 보았다.

⑤ '맹자'는 '의'의 실천이 개인과 사회의 조화를 위해 필요하다고 보았고, '묵적'은 '의'의 실천이 개인과 사회의 이익을 충족하는 데 필요하다고 보았다.

실전 TEST 03 인문 / 역사

[평가원 기출]

☑ 지문 분석 노트

①

②

③

④

⑤

■ 주제 :

기원전 5세기, 헤로도토스는 페르시아 전쟁에 대한 책을 쓰면서 『역사(*Historiai*)』라는 제목을 붙였다. 이 제목의 어원이 되는 'histor'는 원래 '목격자', '증인'이라는 뜻의 법정 용어였다. 이처럼 어원상 '역사'는 본래 '목격자의 증언'을 뜻했지만, 헤로도토스의 『역사』가 나타난 이후 '진실의 탐구' 혹은 '탐구한 결과의 이야기'라는 의미로 바뀌었다.

헤로도토스 이전에는 사실과 허구가 뒤섞인 신화와 전설, 혹은 종교를 통해 과거에 대한 지식이 전수되었다. 특히 고대 그리스 인들이 주로 과거에 대한 지식의 원천으로 삼은 것은 『일리아스』였다. 『일리아스』는 기원전 9세기의 시인 호메로스가 오래전부터 구전되어 온 트로이 전쟁에 대해 읊은 ˚서사시이다. 이 서사시에서는 전쟁을 통해 신들, 특히 제우스 신의 뜻이 이루어진다고 보았다. 헤로도토스는 바로 이런 신화적 세계관에 입각한 서사시와 구별되는 새로운 이야기 양식을 만들어 내고자 했다. 즉, 헤로도토스는 가까운 과거에 일어난 사건의 중요성을 인식하고, 이를 직접 확인·탐구하여 인과적 형식으로 서술함으로써 역사라는 새로운 분야를 개척한 것이다.

『역사』가 등장한 이후, 사람들은 역사 서술의 효용성이 과거를 통해 미래를 예측하게 하여 후세인(後世人)에게 교훈을 주는 데 있다고 인식하게 되었다. 이러한 인식에는 한 번 일어났던 일이 마치 계절처럼 되풀이하여 다시 나타난다는 순환 사관이 바탕에 깔려 있다. 그리하여 오랫동안 역사는 사람을 올바르고 지혜롭게 가르치는 '삶의 학교'로 인식되었다. 이렇게 교훈을 주기 위해서는 과거에 대한 서술이 정확하고 객관적이어야 했다.

물론 모든 역사가들이 정확성과 객관성을 역사 서술의 우선적 원칙으로 ⓐ앞세운 것은 아니다. 오히려 헬레니즘과 로마 시대의 역사가들 중 상당수는 수사학적인 표현으로 독자의 마음을 움직이는 것을 목표로 하는 역사 서술에 몰두하였고, 이런 경향은 중세 시대에도 어느 정도 지속되었다. 이들은 이야기를 감동적이고 설득력 있게 쓰는 것이 사실을 객관적으로 기록하는 것보다 더 중요하다고 보았다. 이런 점에서 그들은 역사를 ˚수사학의 테두리 안에 집어넣은 셈이 된다.

하지만 이 시기에도 역사의 ˚본령은 과거의 중요한 사건을 가감 없이 전달하는 데 있다고 보는 역사가들이 여전히 존재하여, 그들에 대해 날카로운 비판을 가하기도 했다. 더욱이 15세기 이후부터는 수사학적 역사 서술이 역사 서술의 장에서 퇴출되고, ㉠과거를 정확히 탐구하려는 의식과 과거 사실에 대한 객관적 서술 태도가 역사의 척도로 다시금 중시되었다.

Words _____

• **서사시** : 역사적 사실이나 신화, 전설, 영웅의 사적 따위를 서사적 형태로 쓴 시 • **수사학** : 사상이나 감정 따위를 효과적·미적으로 표현할 수 있도록 문장과 언어의 사용법을 연구하는 학문 • **본령(本領)** : 근본이 되는 강령이나 요점

1 윗글의 내용과 일치하지 않는 것은?

① 오늘날에 이르기까지 역사는 수사학의 범위 안에서 점차 발전되어 왔다.
② 헤로도토스는 『역사』에서 페르시아 전쟁의 원인과 결과를 서술하였다.
③ 역사의 어원이 되는 'histor'라는 단어는 재판 과정에서 증인을 지칭할 때 쓰였다.
④ 사람들이 역사를 '삶의 학교'라고 인식한 것은 역사에서 교훈을 얻고자 기대했기 때문이다.
⑤ 『역사』의 등장 이후, 사람들은 역사 서술의 효용성을 과거를 통해 미래를 예측하는 데에서 찾았다.

2 윗글을 바탕으로 〈보기〉에 대해 반응한 내용으로 적절하지 않은 것은?

―――――| 보기 |―――――

(가) 필라르코스는 자신이 쓴 역사서에서 독자들의 동정심을 일으키고 주의를 끌 만한 장면들을 세세히 묘사하고 있다. 역사가는 그런 과장된 묘사로 독자를 감동시키려고 애쓰면 안 된다. 또 비극 작가들처럼 등장인물들이 했을 법한 말을 상상하여 서술해서도 안 된다.

– 폴리비오스, 『세계사』

(나) 역사가는 무엇보다 거울 같은 마음을 지녀야 한다. 거울은 맑고 밝게 빛나며 왜곡이나 채색함이 없이 사물의 형상을 있는 그대로 보여 준다. 역사가가 말하는 것, 즉 사실은 스스로 말한다. 그것은 이미 일어난 일인 까닭이다.

– 루키아노스, 『역사에 대하여』

(다) 과거사에 대해, 그리고 인간의 본성에 따라 언젠가는 비슷한 형태로 다시 나타날 미래의 일에 대해 명확한 진실을 알고자 하는 사람이라면 내 책을 유용하게 여길 것이다.

– 투키디데스, 『펠로폰네소스 전쟁사』

① (가)의 '필라르코스'는 수사학적 역사 서술을 했다고 보아야겠군.
② (나)는 역사가의 덕목인 정확성과 객관성을 '거울'로 표상하고 있군.
③ (다)의 투키디데스는 순환 사관에 입각하여 자신의 저작의 효용성을 내세우고 있군.
④ (가), (나)는 모두 과거사를 가감 없이 전달하는 것을 중요시하고 있군.
⑤ (가), (다)는 모두 역사 서술에서 교훈성보다 설득력을 중시하고 있군.

3 ㉠의 입장에서 호메로스의 『일리아스』를 비판한 내용으로 적절하지 <u>않은</u> 것은?

① 직접 확인하지 않고 구전에만 의거해 서술했으므로 내용이 정확하지 않을 수 있다.

② 신화와 전설 등의 정보를 후대에 전달하면서 객관적 서술 태도를 배제하지 못했다.

③ 트로이 전쟁의 중요성은 인식하였으나 실제 사실을 확인하는 데까지는 이르지 못했다.

④ 신화적 세계관에 따른 서술로 인해 과거에 대해 정확한 정보를 추출해 내기 어렵다.

⑤ 과거의 지식을 습득하는 수단으로 사용되기도 했지만 과거를 정확히 탐구하려는 의식은 찾을 수 없다.

4 〈보기〉를 바탕으로 할 때, 합성어의 구성 방식이 ⓐ와 같은 것은?

┤ 보기 ├

　합성어는 어근과 어근이 결합하여 만들어진 단어이다. 용언의 경우, 합성어 내부의 구성 방식에 따라 '주어＋서술어'로 해석되는 것, '목적어＋서술어'로 해석되는 것, '부사어＋서술어'로 해석되는 것 등으로 나눌 수 있다.

① 멍들다 　　　　　　② 빛내다
③ 힘쓰다 　　　　　　④ 그늘지다
⑤ 남다르다

[평가원 기출]

흔히 어떤 대상이 반드시 가져야만 하고 그것을 다른 대상과 구분해 주는 속성을 ⓐ본질이라고 한다. X의 본질이 무엇인지 알고 싶으면 X에 대한 필요 충분한 속성을 찾으면 된다. 다시 말해서 모든 X에 대해 그리고 오직 X에 대해서만 해당되는 것을 찾으면 된다. ⓑ예컨대 모든 까투리가 그리고 오직 까투리만이 꿩이면서 동시에 암컷이므로, '암컷인 꿩'은 까투리의 본질이라고 생각된다. 그러나 암컷인 꿩은 애초부터 까투리의 정의라고 우리가 규정한 것이므로 그것을 본질이라고 말하기에는 허망하다. 다시 말해서 본질은 따로 존재하여 우리가 발견한 것이 아니라 까투리라는 낱말을 만들면서 사후적으로 구성된 것이다.

서로 다른 개체를 동일한 종류의 것이라고 판단하고 의사소통에 성공하기 위해서는 개체들이 공유하는 무엇인가가 필요하다. 본질주의는 ⓒ그것이 우리와 무관하게 개체 내에 본질로서 존재한다고 주장한다. ⓓ반면에 반(反)본질주의는 그런 본질이란 없으며, 인간이 정한 언어 약정이 본질주의에서 말하는 본질의 역할을 충분히 달성할 수 있다고 주장한다. ⓔ이른바 본질은 우리가 관습적으로 부여하는 의미를 표현한 것에 불과하다는 것이다.

'본질'이 존재론적 개념이라면 거기에 언어적으로 상관하는 것은 '정의'이다. 그런데 어떤 대상에 대해서 약정적이지 않으면서 완벽하고 정확한 정의를 내리기 어렵다는 사실은 반본질주의의 주장에 힘을 실어 준다. 사람을 예로 들어 보자. 이성적 동물은 사람에 대한 정의로 널리 알려져 있다. 그러면 이성적이지 않은 갓난아이를 사람의 본질에 반례로 제시할 수 있다. 이번에는 ㉠'사람은 사회적 동물이다.'라고 정의를 제시할 수도 있다. 그러나 사회를 이루고 산다고 해서 모두 사람인 것은 아니다. ㉡개미나 벌도 사회를 이루고 살지만 사람은 아니다.

서양의 철학사는 본질을 찾는 과정이라고 말할 수 있다. 본질주의는 사람뿐만 아니라 자유나 지식 등의 본질을 찾는 시도를 계속해 왔지만, 대부분의 경우 아직까지 본질적인 것을 명확히 찾는 데 성공하지 못했다. 그래서 숨겨진 본질을 밝히려는 철학적 탐구는 실제로는 부질없는 일이라고 반본질주의로부터 비판을 받는다. 우리가 본질을 명확히 찾지 못하는 까닭은 우리의 무지 때문이 아니라 그런 본질이 있다는 잘못된 가정에서 출발했기 때문이라는 것이다. 사물의 본질이라는 것은 단지 인간의 가치가 *투영된 것에 지나지 않는다는 것이 반본질주의의 주장이다.

☑ 지문 분석 노트

1

2

3

4

■ 주제 :

Words
─────────────
• **투영** : 어떤 일을 다른 일에 반영하여 나타냄을 비유적으로 이르는 말

1 '반본질주의'의 견해로 볼 수 있는 것은?

① 어떤 대상이라도 그 개념을 언어로 약정할 수 없다.
② 개체의 본질은 인식 여부와 상관없이 개체에 내재하고 있다.
③ 어떤 대상이든지 다른 대상과 구분되는 불변의 고유성이 있다.
④ 어떤 대상에 의미가 부여됨으로써 그 대상은 다른 대상과 구분된다.
⑤ 같은 종류에 속하는 개체들이 공유하는 속성은 객관적으로 실재한다.

2 문맥상 ㉠과 ㉡의 관계와 같은 것은?

	㉠	㉡
①	가위는 자를 수 있는 도구이다.	칼
②	노인은 65세 이상인 사람이다.	64세인 사람
③	이모는 어머니의 여자 형제이다.	어머니의 여동생
④	고래는 헤엄칠 수 있는 포유동물이다.	헤엄칠 수 없는 고래
⑤	연필은 흑연을 나무로 둘러싼 필기도구이다.	흑연 심

3 윗글을 바탕으로 〈보기〉에 대해 추론한 내용으로 적절하지 않은 것은?

─┤ 보기 ├─

(가) 금은 오랫동안 색깔이나 밀도처럼 쉽게 확인할 수 있는 특성으로 정의되어 왔지
만 이제는 현대 화학에 입각해 정의되고 있다.
(나) 누군가가 사자와 바위와 컴퓨터를 묶어 '사바컴'으로 정의했지만 그 정의는 널리
쓰이지 않았다.

① 본질주의자는 (가)를 숨겨져 있는 정확하고 엄격한 본질을 찾아 가는 과정으로 해석
하겠네.
② 본질주의자는 (나)를 근거로 들어 본질은 사후적으로 구성되는 것이 아니라고 하겠
네.
③ 반본질주의자는 (가)에서처럼 널리 믿어지던 정의가 바뀌는 것을 보고 약정적이지
않은 정의는 없다고 주장하겠네.
④ 반본질주의자는 (나)에 대해 그 세 가지가 지니는 근원적 속성이 발견되지 않아서
일어나는 현상이라고 하겠네.
⑤ 본질주의자와 반본질주의자는 모두 (가)를 들어 의사소통을 위해서는 개체들을 동
일한 종류의 것으로 판단할 수 있는 무엇인가가 필요하다고 생각하겠네.

4

글의 특성과 문맥을 고려할 때, ⓐ~ⓔ를 활용한 독서 방안으로 적절하지 <u>않은</u> 것은?

① 개념의 정확한 이해가 중요하므로 핵심어인 ⓐ가 글에서 어떤 의미로 쓰이는지 확인해야겠어.

② 글에서 다루는 내용이 추상적이므로 ⓑ에 이어진 사례를 통해 앞의 설명에서 이해가 부족했던 부분을 보완해야겠어.

③ 내용 간의 논리적인 관계를 따지는 것이 중요하므로 ⓒ가 지시하는 내용이 무엇인지 확인해야겠어.

④ 상반된 두 입장이 제시되어 있으므로 ⓓ로 이어진 앞뒤의 내용이 어떤 점에서 다른지 살펴보아야겠어.

⑤ 사실과 글쓴이의 의견을 구별하는 것이 중요하므로 ⓔ를 통해 강조되는 글쓴이의 주장이 타당한지 따져 보아야겠어.

데카르트와 근대

I THINK THEREFORE I AM!

근대 철학의 아버지로 불리는 데카르트는 근대 철학의 두 기둥이었던 합리론과 경험론 중에서 진정한 인식은 선천적으로 타고난 이성에 의해 얻어진다고 보는 합리론의 핵심 인물이다. 그가 도달한 철학적 진리는 무엇이며, 그 진리가 근대 이후 사회에 미친 영향은 어떤 것일까?

▲ 데카르트(1596~1650)

데카르트에게 있어서 중요한 것은 회의, 즉 의심이었다. 그는 회의주의자들의 의심을 끝까지, 그리고 철저하게 밀고 나가고자 했다. 만약 그런 의심이 성공적이라면, 그런 의심의 끝에서 더 이상 의심될 수 없는 무언가가 발견되리라고 기대했다. 이러한 의심의 방법을 철학자들은 '방법적 회의'라고 한다. 의심에 의심을 거듭한 끝에 결코 의심될 수 없는 것을 찾으려는 것이다.

그렇다면 무엇을 의심하는가? 우리는 모든 개별적 지식들을 철저하고 완벽하게 의심할 수 있는가? 이런 의심은 끝나기 어려울 것이다. 왜냐하면 그 의심스러운 개별적인 지식들은 그 수가 무척 많고 또 다양하기 때문이다. 그렇다면 어떻게 해야 우리는 철저하고 완벽한 의심을 할 수 있을까? 한 가지 길은 그런 다양한 개별적 지식을 낳는 지적인 방법을 의심하는 것이다. 즉, 다양한 지식을 낳는다고 여겨지는 지적인 방법들이 과연 확실한 진리를 보장하는지 검토하는 것이다.

그럼 우리의 지식은 어떤 방법을 통해서 획득될까? 첫 번째는 **감각 경험**을 통해 지식을 획득하는 것이다. 그러나 실제 겪은 일이 아닌 꿈속에서도 감각 경험은 가능하기 때문에 감각 경험이라는 방법은 지식의 확실성을 보장하지 못한다. 두 번째 방법은 순수하게 **정신적인 능력**을 통해서 지식을 획득하는 것이다. '2+3=5'라는 것은 꿈이 아닌 세계에서도, 꿈에서도 참이다. 특별한 감각 경험이 필요 없이 순수한 정신적 능력으로 항상 성립하는 지식을 획득할 수 있는 것이다. 여기에 데카르트는 '악마의 가설'을 덧붙인다. 전능한 악마가 있다고 가정하고, 순수하게 정신적인 지식 획득 방법을 그 악마가 만들었다고 하는 것이다. 더불어 악마는 우리가 그 방법을 통해서 지식을 획득할 때마다 실수를 저지르도록 장치를 만들어 두어, '2+3=4'이지만 우리가 '2+3=5'라고 생각하도록 계략을 꾸몄다는 것이다. 만약 그런 악마가 존재할 수 있다면, 순수하게 정신적인 능력을 통해서 획득한 지식의 확실성도 충분히 의심할 수 있다.

수학적 진리를 포함해서 가능한 모든 것이 의심스러워진 시점에서 의심에 의심을 계속하던 데카르트는 의심의 끄트머리에서 다음과 같은 결론에 도달한다.

'내가 꿈속이든 전능한 악마에게 속고 있든 나는 반드시 존재한다. 이런 의심을 하고 있는 바로 이 순간에도, 의심을 하는 나는 존재한다. 나는 의심한다. 즉, 나는 생각한다. 그러므로 나는 존재한다.' 보통 '코기토(Cogito)'라고 불리는 이것이 데카르트가 찾아낸 절대적인 철학적 진리다. 그런데 코기토에 등장하는 '나'는 무엇인가? 방법적 회의를 통해 내가 존재한다는 결론에 이르는 데 있어서 나의 물질적인 부분, 즉 신체는 어떤 역할도 하지 못했다. 오로지 내가 생각하고 있다는 사실만이 내가 존재한다는 데카르트의 결론에 영향을 주었을 뿐이다. 결국 코기토에 등장하는 '나'는 사유하는 무엇 혹은 정신적인 무엇이라고 할 수 있다.

'나는 존재한다'는 것은 결국 '나의 정신이 존재한다'는 것이다.

데카르트는 '생각하는 나'라는 주체에게 세계 전체와 대면하는 중심적인 자리를 넘겨주었고, 그것이 모든 확실한 지식, 올바른 진리의 출발점임을 선언했다. 이로써 인간은 세상의 '주체'가 되었고, 자연이든 우주든, 혹은 인간의 눈앞에 있는 사물이든 표상의 형식으로 그 주체의 '대상'이 되었다. 이러한 주체와 대상의 개념은 '이성'과 '비이성', '사유하는 존재'와 '사유하지 않는 존재'의 이분 범주로 변환되었다. 데카르트의 주체와 대상에 대한 이러한 비대칭적 인식은 이성 중심주의, 기계론적 자연관으로 발전하여 근대 이후 서구의 사회, 과학 분야에 막대한 영향력을 행사하게 되었다.

– 정재영 외, 『철학의 숲, 길을 묻다』,
이진경, 『문화 정치학의 영토들』

'님'의 문제

'님'의 문제라고 하지만 한용운의 시 이야기가 아니다. 오래 전 한 방송과의 인터뷰에서 작곡가 윤이상에 대해 말한 적이 있는데, 인터뷰를 옆에서 들은 한 젊은 지인이 내게 이런 이야기를 했다. "아까 '윤이상 선생'이라고 말씀하셨는데 그보다는 끝에 '님'자를 붙여서 선생님이라고 말씀하시는 게 좋을 것 같습니다." 예상치 못한 지적이었다. 나는 부끄러워졌다. "흠. 일본어 감각으로는 '선생'이라는 단어 속에 충분히 존경의 의미가 담겨있거든. 답변이 실례가 됐다면 인터뷰를 다시 하는 게 좋을까?" 그 젊은 친구는 위로하듯이 말했다. "아니요. 선생님이 일본에서 오셨다는 것을 대다수 사람이 알고 있기 때문에 그 정도 일로 다시 할 필요는 없을 거예요." 이 말이 고맙기는 했지만 그다지 위로가 되지는 않았다. 사람들은 내가 재일 동포라는 사실을 감안해 다소 실례되는 언행도 너그럽게 봐주고 있다는 뜻이니까.

일본의 TV 방송에는 '이상한 외국인'들이 자주 등장한다. 어휘도 풍부하고, 비유도 자유자재다. 하지만 발음이나 표현에는 부자연스러운 부분이 남아 있다. 시청자들은 그 부자연스러움을 오락으로 즐기고 있는 것이다. 나 또한 이 나라 사람들의 눈으로 보면 그 이상한 외국인과 똑같을까.

며칠이 지난 뒤 중요한 사실을 깨달았다. 앞서 언급한 젊은 친구는 나와 이야기할 때 자신의 지도교수를 '님'자 없이 '선생'이라고 부르고 있었다. 그렇다면 높임말 사용과 관련한 그의 지적과 모순되는 게 아닌가. 재미있다 싶어 그 친구에게 물어보니 답변은 더욱 의외였다.

"맞습니다. 그것이 바른 높임말 사용법이니까요. 선생님은 제 지도교수보다 나이가 많으신데, 제가 지도교수의 호칭에 '님'을 붙이면 선생님에게 결례가 되는 거랍니다." 그랬구나……. 나도 모르게 한숨이 터져 나왔다. 이 이야기를 또 다른 지인에게 이야기했다. 하지만 이 사람은 윤이상 정도의 대가에게 '님'자를 붙이면 '마르크스 선생님'이나 '김구 선생님'이라고 부르는 것처럼 오히려 부자연스럽다고 했다. 제3의 친구에게 의견을 구했다. 그는 "누구든 '씨' 자를 붙여서 부르면 되는 것"이라고 했다. 그는 "대한민국의 모든 사람은 선생님이고, 사장님이잖아. 이 권위주의가 사회의 개방과 발전을 저해하고 있어. 호칭부터 민주화해야 한다."고 주장했다. 나는 이 친구의 주장에 전적으로 동의한다. 그러나 지금 상황에서 내가 '호칭의 민주화'를 주장하더라도 사람들은 '이상한 외국인'의 재미있는 농담쯤으로 받아들일 것이다. 호칭의 민주화를 주장하기 위해서라도 먼저 사회적 위계 구조를 복잡하게 반영하는 우리말 용법에 익숙해져야 한다. 이는 훗날 무너뜨리기 위해 집을 세우는 것 같은 일이다. 과연 내가 이 일을 할 수 있을까?

– 서경식(도쿄 경제대 교수)

매슬로의 『욕구 5단계설』

인간의 심리적인 욕구에 대하여 가장 널리 인용되고 있는 심리학자들 중의 한 사람이 매슬로(Abraham H. Maslow, 1908~1970)이다. 그는 인간의 욕구를 생리적 욕구(biological and physiological needs), 안전의 욕구(safety needs), 소속감과 사랑의 욕구(belongingness and love needs), 존경의 욕구(esteem needs), 자아 실현의 욕구(self-actualization needs)로 구분하였다.

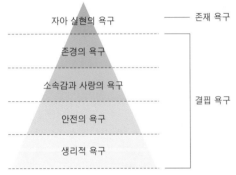

▲ 매슬로의 욕구 5단계

생리적 욕구는 공기, 음식, 음료, 주거, 난방, 생식, 수면 등에 대한 욕구이고, 안전의 욕구는 여러 가지 위협적인 요소들로부터의 보호, 안전, 질서, 법, 제한, 안정성 등에 대한 욕구이다. 소속감과 사랑의 욕구는 소속 집단, 가족, 애정, 관계 등에 대한 욕구이며, 존경의 욕구는 자기 존중, 성취, 지배, 위신, 책임, 평판 등에 대한 욕구, 자아 실현의 욕구는 인격적 성장과 잠재력의 실현, 극적 경험에 대한 욕구이다.

매슬로는 이러한 욕구들 사이에는 위계가 있으며, 하위 욕구가 충족되지 않으면 사람들은 상위 욕구로 나아가지 않는다는 '욕구 5단계설'을 주장했다. 만약 하위 욕구가 충족되어 상위 욕구로 욕구의 중심이 옮겨 갔다가도 하위 욕구 충족이 좌절되면 상위 욕구를 추구하는 것이 아니라 다시 하위 욕구로 돌아온다는 것이다.

이러한 매슬로의 견해는 우리가 이러한 욕구들을 충족시킬 재화를 가지고 있지 못한 상태를 가정해 보면 쉽게 이해할 수 있다. 굶주린 사람이 음식을 훔치는 것을 예로 들어보자. 굶주린 사람은 배고픔이라는 생리적 욕구가 충족되지 않아 절도라는 반사회적인 행위에 대하여 처벌받을 수 있다는 것을 알면서도 음식을 훔치게 되었다. 이는 안전의 욕구가 우선적으로 고려되지 않고, 생리적 욕구가 고려됐다는 증거로 볼 수 있다.

매슬로는 생리적 욕구, 안전의 욕구, 소속감과 사랑의 욕구, 존경의 욕구를 **결핍 욕구**(deficiency needs)라고 총칭하였다. 그는 이 네 가지 욕구들은 충족하고자 하는 대상들이 결핍됨으로써 생겨난다고 설명하였다. 결핍된 욕구가 충족되고 나면 그 욕구는 더 이상 욕구로써 기능하지 않게 되고, 상위 욕구에 우선권을 넘겨주게 된다. 하지만 매슬로의 욕구 체계에서 최상위 욕구인 자아 실현의 욕구는 이들 욕구들과는 성격이 다르다.

매슬로가 주장한 자아 실현의 욕구는 마지막 욕구로, **존재 욕구**(being needs)라고 불리며 결핍 욕구와 구분된다. 존재 욕구는 결핍으로부터 생겨나는 것이 아니라 자신의 개인적 의미를 실현하고자 하는 인간의 바람으로부터 생겨난다. 예컨대, 예술가들이 예술 작품을 창조하고자 하는 욕구는 어떤 결핍에서 비롯된 것이 아니라 자신의 예술성을 발휘하고자 하는 바람에서 비롯된 것이다.

– 김성동, 『소비, 열두 이야기』

●**단락 요지**●

1문단 : 인간의 욕구를 다섯 가지로 구분한 매슬로

2문단 : 다섯 가지 욕구의 의미

3문단 : 욕구 5단계설

4문단 : 욕구 위계의 예

5문단 : 결핍 욕구의 종류와 특징

6문단 : 존재 욕구와 그 예

●**Quiz**●

1. 다른 사람에게 좋은 평판을 듣고자 하는 욕구는 자아 실현의 욕구에 해당한다. (○, ×)
2. 매슬로는 어떤 사람이 소속감과 사랑의 욕구를 추구하는 도중에 생리적 욕구가 좌절되면 다시 생리적 욕구를 추구하게 된다고 주장한다. (○, ×)

정답 : 1. ×   2. ○

가치를 떠난 사실, 사실이 되고자 애쓰는 가치

'가치는 사실에서 나올 수 없다.' 이 말에는 진실함과 오류가 동시에 들어 있다. 가치가 환경이라는 사실에 의하여 얼마나 많이 형성되고 있는가를 알기 위해서는 한 시대, 한 국가를 지배한 가치 체계를 검토해 보는 것만으로도 족할 것이다. 가령 노예 제도, 인종 차별, 아동의 노동 착취를 일반적으로 부도덕한 일이라고 생각하도록 만들어 준 과거의 역사적 사실을 생각해 보라. 가치는 사실로부터 나올 수 없다는 주장은 어떻게 보더라도 그릇된 이야기이다.

'사실은 가치로부터 나올 수 없다.' 여기에도 일면의 진실은 있지만 오해를 초래하기 쉽기 때문에 조건을 달 필요가 있다. 우리가 사실을 알려고 할 경우, 우리가 제기하는 문제나 입수하는 해답 같은 것들은 모두가 우리의 가치 체계의 도움을 통해서 만들어지는 것이다. 우리 환경의 여러 사실들을 어떠한 모양으로 파악하고 있는가는 우리들의 가치, 즉 우리가 그것을 매개로 하여 사실에 접근하는 여러 범주에 의해서 결정되는 것이다.

가치는 사실 속에 들어가 본질적인 부분을 이루고 있다. 우리들이 환경에 적응할 수 있는 능력도, 환경을 우리 자신에게 적응시킬 수 있는 능력도, 환경에 대한 지배력을 획득하여 역사를 진보의 기록으로 만들어 나갈 수 있는 능력도 모두 우리의 가치를 통하여 획득된다. 그러나 인간과 환경의 투쟁을 극적으로 과장하여 사실과 가치를 거짓으로 대립·분열시켜서는 안 된다. 역사의 진보는 사실과 가치의 상호 의존과 상호작용을 통해서 이룩되는 것이기 때문이다. 이러한 상호작용을 가장 깊이 통찰할 수 있는 사람들이야말로 객관적인 역사가라고 할 수 있다.

사실과 가치에 관한 이러한 문제의 단서는 보통 우리들이 '진리'라는 말을 어떻게 사용하고 있는가에서 찾아볼 수 있다. 이 말은 사실의 세계와 가치의 세계의 양쪽에 걸쳐 있는 말로, 양쪽의 요소에 의하여 성립되고 있다. '내가 지난 주에 런던에 갔다.'는 것은 하나의 사실일 수 있다. 그러나 우리는 이것을 진리라고 하지 않는다. 여기에는 어떠한 가치가 반영된 내용이라는 것이 없기 때문이다.

한편 미국의 건국자들은 독립 선언문에서 '만인은 나면서부터 평등하다.'는 자명한 진리를 언급하고 있다. 하지만 여러분은 이 경우에 선언의 가치 내용이 사실적인 내용을 압도하고 있다고 생각할 것이고, 이를 통해 진리로써 인정받을 만한 권리가 없다고 부정할 것이다. 역사적 진리의 영역은 이러한 양극 — 가치를 떠난 사실이라는 북극과, 사실이 되고자 애쓰는 가치 판단이라는 남극—의 중간 지대에 위치하고 있는 것이다. 역사가란 사실과 해석, 사실과 가치의 양자 사이에서 균형을 잡고 있는 사람들이다. 그들은 이 양자를 분리할 수 없다. 정적인 세계에서라면 사실과 가치의 결별을 선언해야 한다는 일도 가능할 것이다. 그러나 정적인 세계에서 역사란 무의미한 것이다. 역사는 본질상 변화요, 운동이요, 진보이다.

▲ E. H. 카아, 『역사란 무엇인가』

이리하여 나의 결론은 진보를 가리켜 '역사 서술의 토대가 될 수 밖에 없는 과학적 가설'이라고 말한 액튼(J. Acton, 1834~1902)의 말에 되돌아가게 되는 것이다. 여러분은 만일 여러분이 원한다면 과거의 의미를 역사 외적인 초이성적인 힘에 종속시켜 역사를 신학으로 바꾸어 놓을 수도 있다. 또한 그럴 생각만 있다면 역사를 문학 —의미나 중요성이 결여된 과거의 이야기와 전설의 집성 — 으로 바꾸어 놓을 수도 있다. 그러나 그 이름에 부끄럽지 않은 역사라는 것은, 역사 자체의 방향 감각을 찾고 받아들이는 사람만이 쓸 수 있다. 우리들이 온 방향에 대한 믿음은 우리들이 가고 있는 방향에 대한 믿음과 굳게 연결되어 있는 것이다. 그리고 미래의 진보 가능성에 대한 신념을 상실한 사회는 과거에 자기들이 이룩한 진보에 대해서도 급속히 무관심하게 될 것이다. 따라서 우리들의 역사관은 우리들의 사회관의 반영인 것이다.

— E. H. 카아, 『역사란 무엇인가』

스콜라 철학과 성당 건축

교회 건축에서 보이는 구조의 특성과 스콜라 철학의 논리 구조가 유사하다고 파악한 사람은 독일의 미술사학자 파노프스키였다. 그는 하늘로 치솟은 공간 구조, 규칙적이며 조화로운 배치로 빛나는 고딕 건축만의 독특한 구조가 우연히 생겨난 것이 아니라, 그 당시 사회·문화나 사상적으로 인간의 정신세계를 의식적·무의식적으로 지배하고 있던 어떤 경향성을 보여줄 수도 있다고 주장했다. 그의 주장대로 신학과 건축이라는 각기 다른 분야에서 일정한 유사성이 보인다는 것은 한 시대를 이끌고 있던 정신 구조를 엿볼 수 있는 기회가 된다.

스콜라 철학과 고딕 건축 양식으로 지어진 교회는 어떤 면에서 공통적인 요소를 가지고 있을까? 스콜라 철학과 고딕 건축이 유행하던 시기에 나왔던 학술적인 글들의 체제를 살펴보면, 전체의 체계를 더 작은 단위로 계속해서 분할해나가는 경향을 확인할 수 있다. 같은 종류의 기호나 번호가 붙어 있는 부분이 전체 글에서 논리적으로 같은 층위에 있는 것은 오늘날의 학술 서적들에서도 찾아볼 수 있는데, 이런 식의 체계화는 13세기 즈음의 스콜라 철학을 다룬 토마스 아퀴나스(1225~1274)의 『신학대전』에서 찾아볼 수 있다.

『신학대전』은 전체는 파르테스(partes, parts)로 나뉘고, 이는 다시 멤브라(membra, members), 콰이스티오네스(quaestiones, questions), 마지막으로 더 작은 단위인 아르티쿨리(articuli, articles)로 나뉜다. 심지어 형식의 균형을 맞추기 위해 내용상으로는 불필요한데도 아르티쿨리나 멤브라를 일부러 집어넣기도 한 부분도 있다. 그렇다면 이것은 단순히 글의 논리가 아니라 무의식적으로라도 따라야 했던 심리적 패턴이라고 볼 수 있는데, 당시 이 형식은 학술적인 책이라면 당연히 따라야만 하는 규칙과도 같았다. 이는 전체를 층위와 단계의 반복되는 구조로 나누어 사물에 질서와 체계를 부여하려는 심리적 구조의 발현이라고 할 수도 있다.

▲ 샤르트르 대성당

마찬가지로 고딕 건축도 공간을 체계적으로 나누고 부분들을 서로 균형 있게 배치하는 데 집중했다. 이 시기에 지어진 교회를 보면 마치 스콜라 철학을 다룬 책 차례와 같이 일정한 분할과 세부 분할이 건물 전체에 규칙적으로 나타나고 있음을 확인할 수 있다. 대표적인 예는 바로 프랑스에 있는 샤르트르 대성당이다. 사각의 몸체, 반원형의 머리 부분 등에서 동일한 단위가 반복적으로 나타나고, 이것들이 모여 한 건물을 이룬다. 샤르트르 대성당 내부는 부분들이 완벽한 균형을 이루면서 서로 조화롭게 대칭한다.

중세를 거치면서 사람들은 교회를 천상의 조화를 지상에 옮겨 놓은 일종의 소우주로 생각하였다. 체계적인 분할·균형·대칭의 법칙이 교회 안에서 이루어지고 있듯이, 동일한 원칙과 조화는 우주를 이루는 법칙이었고, 그것은 스콜라 철학자들이 사고하고 저술하는 데서도 같은 원리로 드러났던 것이다.

– 김영범, 「철학 갤러리」

▸ 단락 요지

1문단 : 스콜라 철학과 고딕 건축의 유사성

2문단 : 스콜라 철학 시기 책의 체제

3문단 : 질서정연한 세계관이 반영된 『신학대전』의 체제

4문단 : 질서정연한 세계관이 반영된 고딕 건축 양식

5문단 : 중세 시대 인간의 정신 세계를 지배하던 경향성

• Quiz •

1. 이 글은 서로 다른 분야에 드러난 대상의 유사성을 비교하며 설명하는 전개 방식을 활용하고 있다. (○, ×)
2. 고딕 건축과 스콜라 철학의 논리 구조가 지닌 유사한 특성은 체계적인 [　　　　　　　]이다.

정답 : 1. ○ 2. 분할·균형·대칭

윤리학적 이기주의

인간이 어떻게 행동하는가를 설명하는 인간 본성에 관한 이론인 심리학적 이기주의와는 달리, 윤리학적 이기주의는 인간에게는 자신에게 좋은 최선의 행동을 하는 것 외에 다른 어떤 도덕적 의무는 없다고 말한다. 다시 말해서 인간의 유일한 의무이자 행위의 궁극적인 원리는 오직 하나 자신의 이익을 증진시키는 것 뿐이라는 다소 극단적인 관점을 보여준다. 나아가 윤리학적 이기주의는 이것이 하나의 규범적 이론, 즉 인간은 어떻게 행동해야만 하는가에 관한 보편적 이론임을 강조한다. 이러한 관점 역시 매우 도전적인 이론으로서 우리의 일상적인 도덕적 신념들과 모순되는 점이 있다.

물론 윤리학적 이기주의도 다른 사람을 도와주는 행동을 피하거나 거부해야 한다고 말하지는 않는다. 많은 경우에 자신의 이익이 다른 사람의 이익과 일치하기에, 자신을 이롭게 하기 위해서 다른 사람을 도와주기 때문이다. 따라서 윤리학적 이기주의는 그러한 행동을 부인하지 않으며, 상황에 따라서는 그러한 행동을 요구하기도 한다. 이런 관점에서 윤리학적 이기주의 역시 심리학적 이기주의 이상으로 인간의 행동 방식을 설명함에 있어서 많은 지지를 받아온 이론 중의 하나이다.

윤리학적 이기주의는 전통적으로 세 가지 근거를 들어 주장되어 왔다. 첫째, 우리는 자신의 개인적인 소원과 필요에는 매우 익숙하고 이를 비교적 정확하게 파악하기 때문에 이를 효과적으로 추구할 수 있으나, 타인의 소원과 요구는 간접적으로만 알 수 있다. 따라서 타인의 요구나 희망 사항을 함부로 추구하다 보면 손해를 끼칠 수도 있는 것이다. 둘째, 우리들은 일반적으로 타인의 소원과 요구를 추구하기에 알맞지 않은 위치에 놓여 있기 때문에 그가 처해진 상황에 대한 정확한 이해 없이 타인의 이익을 고려하려는 것은 그의 사생활을 간섭하는 결과를 가져올 수 있다. 셋째, 타인을 자신의 '자선'의 대상으로 삼는 것은 상대방의 존엄성과 자존심을 손상시키는 것이 될 수 있다. 이것은 그들이 타인에게 피동적으로 의존하게 함으로써 그들을 무능하게 할 수도 있다는 것이다.

그러나 극한 상황에 처해 있는 이웃에게 따뜻한 애정을 보여주는 것이 이웃의 존엄성을 훼손하는 것일까? 우리는 이러한 문제 제기를 통해서 윤리학적 이기주의의 심각한 결점을 확인할 수 있다. 우선 한 개인 혹은 집단의 이익을 다른 개인 혹은 집단의 이익보다 더 우선시하는 이러한 도덕 이론은 일반적으로 받아들이기 힘들다. 왜냐하면 우리는 자신의 이익에 관심을 가져야 하는 것과 같은 이유로 타인의 이익에도 관심을 가져야 하기 때문이다. 즉, 한 공동체의 같은 구성원으로서 그들의 요구와 소원, 희망은 우리들의 것과 똑같이 소중하기 때문에 우리의 욕구가 충족되어야 하듯이 그들의 욕구도 충족되어야 하는 것이다.

둘째, 윤리학적 이기주의는 모든 것을 오로지 자신을 중심으로, 한 개인 혹은 한 집단의 이익에 다른 개인 혹은 다른 집단의 이익보다 더 큰 중요성을 부여하도록 허용한다. 그러나 이는 사회적 상황, 조건이라는 인간의 생활 세계를 전적으로 무시하는 자의적이고도 차별적인 자기 중심적 이론이다. 이것이 윤리학적 이기주의가 하나의 도덕 이론으로서 실패할 수밖에 없는 이유인 것이다.

그럼에도 근래에 이르러 이러한 이기주의를 근거로 하는 윤리 이론이 다원화된 탈현대 사회에 적합한 현실적인 이론이라는 주장도 자주 제기되고 있다. 이른바 후기 산업 사회에서 윤리적 가치는 매우 다양하며 이때 개인에게 무엇보다도 중요한 것은 자신의 생존의 보존이며 이러한 목적에 부합되는 한에서만 타인과의 공존이 가능하다는 것이다. 그러나 이러한 논리는 사회적 존재라는 인간의 본질적 속성을 부인한다는 점에서 정당한 근거를 제시하지 못하고 있다.

— 성장환 · 장윤수 외, 『우리 시대와 윤리』

• **단락 요지** •

1문단 : 일상적 도덕적 신념들과 모순되는 윤리학적 이기주의

2문단 : 윤리학적 이기주의의 관점

3문단 : 윤리학적 이기주의를 뒷받침하는 세 가지 근거

4문단 : 윤리학적 이기주의의 문제점 ①

5문단 : 윤리학적 이기주의의 문제점 ②

6문단 : 윤리학적 이기주의를 지지하는 관점과 이에 대한 반박

• **Quiz** •

1. 이 글은 윤리학의 특정 관점을 소개하고 이 관점이 지닌 한계를 설명하고 있다. (○, ×)
2. 윤리학적 이기주의에서는 다른 사람을 도와주는 행위를 피하거나 거부해야 한다고 주장한다. (○, ×)

정답 : 1. ○ 2. ×

실전 TEST 05 인문 / 역사

☑ 지문 분석 노트
①

②

　　1936년 5월 한 무리의 학자들이 진단학회(震檀學會)라는 학술 단체를 만들었다. 이들은 "실증사학의 입장에서 우리나라의 역사, 문화 및 언어를 연구한다."라는 목적을 내걸었는데, 그 중심인물은 이병도, 이병기, 이은상, 손진태 등 일본의 동경제국대학이나 와세다대학, 서울대학교의 전신인 경성제국대학에서 공부한 사람들이었다. 이들은 주로 *관변 연구 기관에 종사하면서 일본인 학자들에게 뒤지지 않으려고 나름대로 열심히 경쟁하였다.

　　그러면 이들이 내건 ㉠'실증사학'이란 도대체 무엇인가? 진단학회 ⓐ창립 *발기인의 한 사람인 이상백은 자기의 저서 『조선 문학사 연구 논고』에서 실증사학의 역사 연구 방법과 관련하여 이렇게 말했다.

　　　역사 연구의 임무는 생활 진전의 일반적인, 인간에 보편한 법칙을 발견하는 데에도 있는 것이나, 또 민족의 구체적인 생활의 실상과 그 진전의 정세를 구체적으로 파악하여 역사로서 그것을 구성하는 데에도 있는 것이다. 따라서 그 연구의 *도정에서 무슨 일반적인 법칙이나 공식만을 미리 가정하여 그것을 어떤 민족의 생활에 *견강부회하는 방법을 취하여서는 안 된다.

③

　　이러한 견해로 보나 '실증사학'이라는 용어로 보나 진단학회의 역사 연구 경향은 유럽 실증주의와 역사주의 역사학으로부터 어느 정도 영향을 받은 듯하다. 이상백의 말에서 알 수 있듯이 1930년대 우리나라 '실증사학'의 대표자들은 어떤 보편적인 역사 법칙보다는 개별적인 역사적 사실을 구체적으로 연구하려 하였으며 사료를 존중하고 사실을 ⓑ고증하는 일에 몰두하였다. 그러나 이러한 연구 방법 면을 제외하고는, 진단학회의 실증사학과 19세기 유럽의 실증주의 및 역사주의 사이에는 아무런 공통점이 없다.

④

　　콩트가 실증적 연구 방법을 통해 찾으려 한 것은 인류 사회의 발전을 지배하는 보편적 법칙이었다. 그러나 우리나라의 실증사학은 보편적인 역사 법칙을 기피했다. 랑케와 독일의 역사주의 역사학의 밑바닥에는 민족적 각성과 결속을 통해 독일을 영국이나 프랑스와 어깨를 겨룰 부강한 나라로 발전시키려는 그들 나름의 민족주의가 깔려 있다. 그러나 우리나라 실증사학에서 강렬한 민족주의를 읽어내기는 매우 어렵다. 역사 연구에서 실증은 하나의 예비 단계일 뿐 역사 연구 그 자체가 아니다. 또 사료의 엄격한 고증은 역사가의 기본적인 의무이지 자랑거리가 아니다. 이런 면에서 진단학회가 ⓒ표방한 실증주의는 하나의 역사관이나 역사 연구 경향을 나타내는 독립적인 개념으로 성립할 수 없는 것이다.

⑤

　　진단학회에 속한 역사가들은 "일반적인 법칙이나 공식을 거부한다."라는 이상백의 말대로 일제의 조선사 왜곡에 직접적으로 협력하지는 않았다. 그러나 그들의 이러한 연구 태도는 결과적으로 일제의 조선사 왜곡을 묵인하는 결과를 낳았다. 많은 민족주의 역사학자들이 일제에 대항하며 민족의 혼을 지키기 위해 ⓓ망명 생활의 고통을 감수하거나, 모진 박해를 받으며 감옥에서 죽음을 맞이했던 시대에 진단학회는 모든 역사 법칙과 사관을 거부한 채 '과학적인 ⓔ사료 검증과 개별적 사실의 탐구'에만 매달린 것이다. 일제 강점기의 사회 정치적 상황에 비추어 보건대, 이러한 역사 연구 경향은 일제에 적극 협력하는 데서 오는 양심의 고통을 피하는 동시에 조선 총독부의 감시와 위협으로부터 안전과 생명을 지키는 데에 매우 적절했을 것이다. 그러나 그들의 실증 사학은 사회 현실과 역사적 사실을 나름대로 해석해야 할 역사가 본연의 임무로부터의 도피라고 볼 수 있을 것이다.

■주제 :
_____
_____
_____

Words _____

• **관변(官邊)** : 관청 쪽 또는 관청 계통 • **발기인(發起人)** : 먼저 어떤 일을 시작하는 안을 꾸며 내는 사람 • **도정(道程)** : 어떤 곳이나 상태에 이르기까지의 과정 • **견강부회(牽強附會)** : 이치에 맞지 않는 말을 억지로 끌어 붙여 자기에게 유리하게 함.

1 윗글의 논지 전개 방식으로 가장 적절한 것은?

① 이론이 갖는 현대적 의의를 재조명하고 있다.
② 구체적인 예를 들어 추상적인 이론을 설명하고 있다.
③ 다른 이론과 비교하면서 대상의 문제점을 비판하고 있다.
④ 이론이 만들어지게 된 원인을 다양한 측면에서 분석하고 있다.
⑤ 기존 이론의 문제점을 밝히고, 새로운 이론을 제시하고 있다.

2 '진단학회'에 대한 설명으로 적절하지 않은 것은?

① 우리나라 학자들이 1930년대에 설립한 학술 단체이다.
② 역사를 연구하는 데 있어 사료를 매우 중요하게 여긴다.
③ 연구 방법 측면에서 유럽 실증주의 및 역사주의의 영향을 받았다.
④ 개별적인 역사적 사실에 대한 연구를 통해 강렬한 민족주의를 표출하였다.
⑤ 일제가 우리나라의 역사를 왜곡하는 행위에 대해 방관적인 태도를 취하였다.

3 〈보기〉의 입장에서 ㉠을 비판한 내용으로 가장 적절한 것은?

┤ 보기 ├

　역사가란 사실과 해석의 양자 사이에서 균형을 잡고 있는 사람들이다. 그는 이 양
자를 분리할 수 없다. 정적인 세계에서라면 사실과 해석의 결별을 선언해야 한다는
일도 가능할 것이다. 그러나 정적인 세계에서 역사란 무의미한 것이다. 역사는 본질
상 변화요, 운동이요, 진보이다.

－ E.H. 카아, 『역사란 무엇인가』

① 역사가는 시대적 환경의 영향을 받아서는 안 된다.
② 역사가는 자기 나름대로의 연구 방법론을 개발할 필요가 있다.
③ 역사가는 사료를 엄격하게 검증해서 있는 그대로를 서술해야 한다.
④ 역사 연구에서는 객관적인 사실을 해석하는 과정이 반드시 필요하다.
⑤ 역사가는 보편적 법칙뿐만 아니라, 개별적 사실도 역사 연구의 대상으로 삼아야 한다.

4 ⓐ～ⓔ의 사전적 의미로 적절하지 <u>않은</u> 것은?

① ⓐ : 기관이나 단체 따위를 새로 만들어 세움.
② ⓑ : 일이나 상황에 대하여 자세하게 이야기함.
③ ⓒ : 어떤 명목을 붙여 주의나 주장 또는 처지를 앞에 내세움.
④ ⓓ : 혁명 또는 그 밖의 정치적인 이유로 받는 박해를 피하기 위해 외국으로 몸을
　　　옮김.
⑤ ⓔ : 역사 연구에 필요한 문헌이나 유물, 문서, 기록, 건축, 조각 따위

인문 / 사상 **06** 실전 **TEST**

경험주의자이면서 동시에 회의주의자였던 데이빗 흄(D. Hume, 1711~1776)은 인간이 본질적으로 이성적인 존재라는 입장에 동의하지 않았다. 오히려 그는 우리의 삶에서 이성이 차지하고 있던 지배적인 지위를 감정과 *정념의 것으로 되돌려 놓으려고 하였다. 흄의 이러한 입장은 먼저 그의 인식론, 즉 '인간은 어떻게 앎을 형성하게 되는가'라는 물음에서부터 시작한다. 그는 인상은 관념에 선행하며, 관념은 인상의 복사물일 뿐이라고 생각했다. 그에 따르면 관념 또는 지식은 우리가 직접 경험한 인상들에 대해 사유와 추리를 통해 기억들을 떠올린 것이라고 할 수 있다.

그런데 우리는 어떻게 한 번도 가 본 적이 없는 '황금 궁전'에 관한 관념을 지닐 수 있을까? 흄은 그 이유를 관념들의 결합 때문이라고 주장한다. 즉 우리는 비록 '황금 궁전'을 직접 가 본 경험은 없지만 황금을 본 경험, 그리고 궁전을 사진으로 보았든 직접 가 보았든 궁전을 보았던 경험이 있는데, 이 두 경험이 주는 인상들로부터 얻어낸 관념—황금, 궁전—을 결합시켜 '황금 궁전'이라는 관념을 가질 수 있다는 것이다. 흄은 이처럼 색깔이나 모양, 맛과 같은 직접적인 '단순 관념'들과 이러한 관념들을 결합한 '복합 관념'을 통해서 우리가 경험하지 않은 '황금 궁전'에 대한 새로운 관념을 형성할 수 있게 되는 것이라 생각했다. 이처럼 흄은 앎이 이성에 의해서 생긴 것이 아니라, 우리가 습관적으로 그렇게 생각한 것이거나 각각의 다른 사실을 묶어 생각한 것에 불과하다고 보았다.

흄의 이러한 태도는 그의 윤리 사상에서도 나타난다. 도덕은 실천의 문제이며, 행위의 직접적인 동기를 제공하는 도덕적 신념들은 우리가 경험할 수 없는 이성에 의해서가 아니라 감정 또는 정념에 의해서 생긴다는 것이다. 우리는 누구나 도둑질이 옳지 않다는 것을 알고 있다. 그런데 왜 도둑은 사라지지 않는 것일까? 흄에 의하면 ⓐ도둑질이 옳지 않다는 것을 안다는 지식이, 곧바로 도둑질을 하지 않음으로 이어지지는 않기 때문이다. 이성은 어떤 행동이 옳은지 옳지 않은지를 분별하게 해 준다. 하지만 이성은 감정을 일으키는 믿음을 바로잡는 역할을 할 뿐, 우리가 어떤 행동을 하거나 하지 못하도록 영향을 미치지는 못한다. 이러한 의미에서 흄은 "(㉠   )"라고 말하였다.

흄에 의하면 우리는 도둑질을 혐오하거나, 도둑질을 함으로써 어떤 고통을 경험하게 될 때 도둑질을 하지 않게 된다. 이는 도덕적으로 옳은 행위를 할 때에도 마찬가지이다. 우리가 어려움에 처한 사람을 도움으로써 마음의 평안과 즐거움을 느끼게 될 때 우리는 옳은 행위를 하게 된다는 것이다. 이처럼 흄은 고통을 혐오하거나 쾌락을 추구하는 것과 같은 여러 가지 정념이 바로 우리가 어떤 행동을 하는 동기가 된다고 하였다.

그러나 이러한 감정이나 정념이 나에게만 생기는 것이라면 이는 윤리의 근거가 될 수 없다. 흄에 따르면 우리에게는 공감의 능력이 있기 때문에 다른 사람의 고통을 함께

☑ 지문 분석 노트

①

②

③

④

⑤

아파하고 다른 사람의 행복을 함께 즐거워할 수 있다. 따라서 그는 우리가 마음으로 공감하는 것이 선(善)이고, 공감하지 않는 것이 악(惡)이라고 하였다. 결론적으로 흄이 말하고자 했던 도덕 감정이란 인간으로 하여금 일반적인 *승인을 이끌어내는 인류 공통의 정서인 것이다.

■주제 :
_____

Words

• **정념(情念)** : 감정에 따라 일어나는 생각 • **승인(承認)** : 어떤 사실을 마땅하다고 받아들임.

1 윗글을 이해한 것으로 적절하지 <u>않은</u> 것은?

① 흄은 이성이 어떤 행위의 옳고 그름에 대한 기준을 제시한다고 보았다.
② 흄은 인간의 삶에서 감정이나 정념이 이성보다 우위에 있다고 보았다.
③ 흄은 새로운 관념을 형성할 때 단순 관념과 이성이 함께 작용한다고 보았다.
④ 흄은 정념이 인간으로 하여금 어떤 행동을 하게 하는 동기를 부여한다고 보았다.
⑤ 흄은 감정이 윤리의 근거가 될 수 있는 것은 인간에게 공감의 능력이 있기 때문이라고 보았다.

2 〈보기〉에 대하여 흄이 보일 반응으로 적절하지 <u>않은</u> 것은?

| 보기 |

> 기말고사를 보기 하루 전, 독서실로 서둘러 가고 있던 수범이는 길을 잃고 울고 있는 아이를 발견했다. 늦은 시각이었고 주위에는 아무도 없었다. 수범이는 공부를 마무리하지 못해 마음이 불안했지만, 아이를 달래며 경찰서로 데려다 주었다.

① 수범이는 길 잃은 아이를 도와준 것에 대해 기쁨을 느꼈을 것이다.
② 수범이가 자신의 고통에만 관심을 두지 않았기에 아이를 도와줄 수 있었을 것이다.
③ 수범이가 아이를 도와준 것은 그것이 옳은 행동이라는 것을 알고 있었기 때문이다.
④ 수범이가 아닌 다른 사람들도 길을 잃고 우는 아이를 보았더라면 안타까운 마음이 들었을 것이다.
⑤ 수범이가 아이를 도와준 것에 대해 다른 사람들이 공감했다면 수범이의 행위는 도덕적이라고 볼 수 있다.

3 윗글로 미루어 볼 때, ㉠에 들어갈 내용으로 가장 적절한 것은?

① 이성적인 것만이 도덕적인 것이다.

② 인간은 이성을 통해 지식을 형성한다.

③ 도덕적으로 행한 일은 언제나 선악을 초월한다.

④ 이성은 정념에 봉사하고 복종하는 노예일 뿐이다.

⑤ 인간에게 이성과 정념이 있다는 것은 무한한 기쁨이다.

4 〈보기〉를 참고하였을 때, 다음 중 ⓐ의 '-질'과 그 의미가 같은 것은?

┤ 보기 ├

ⓐ의 '도둑질'은 ((일부 명사 뒤에 붙어)) 주로 좋지 않은 행위에 비하하는 뜻을 더하는 접미사 '-질'이 실질 형태소인 '도둑'과 결합하여 하나의 단어가 된 말이다.

① 부채질   ② 딸꾹질

③ 사장질   ④ 싸움질

⑤ 손가락질

실전 TEST **07** 인문 / 철학

☑ 지문 분석 노트
①
②
③
④
⑤
⑥

'몸철학'이라는 용어는 몸에 '관한' 철학으로 해석할 수도 있고, 몸을 '바탕으로 한' 철학으로 해석할 수도 있다. 그러나 진정한 의미의 몸철학은 몸 자체에서 출발하여 철학적 사유의 기초를 재구성하는 몸을 바탕으로 한 철학을 가리키는 말이다.

'몸을 바탕으로 한 철학'인 몸철학은 정신을 바탕으로 한 종래의 정신철학과 대립된다. 이 대립 구도에서 가장 중요한 문제점은 크게 두 가지이다. 하나는 인간의 존재가 진정 몸을 바탕으로 해서 성립하는가, 아니면 정신을 바탕으로 해서 성립하는가이다. 또 하나는 전 우주의 존재가 진정 몸 또는 물체를 바탕으로 해서 성립되는가, 아니면 정신 또는 영혼을 바탕으로 해서 성립하는가이다.

사실 이 문제들은 철학사적으로 해묵은 논쟁거리 중 하나이다. 정신과 물질의 *선차성, 즉 정신과 물질 중 어느 것이 우선해서 존재하는가 하는 관념론과 유물론의 대립이 그것이다. 이 논쟁에 비추어 보면 몸철학이란 그저 전통적인 유물론, 특히 변증법적 유물론을 이름만 바꾼 것이 아니냐고 가볍게 볼 수 있을 것이다. 그러나 전통적인 유물론 내지는 변증법적인 유물론과 몸철학은 결정적으로 다음과 같은 점에서 다르다.

변증법적인 유물론은 결국 '철(鐵)의 필연성', 즉 자연이든 역사든 벗어나려고 해도 벗어날 수 없는 필연성에 입각해서 이루어지는 것으로 보고, 이를 고도의 이성적 사유로써 파악할 수 있다고 본다. 하지만 몸철학은 자연과 역사의 진행 과정에 있어 우연성을 인정한다. 그리고 그 우연성은 몸과 세계의 성격 및 관계에서 비롯된다고 본다. 따라서 몸철학은 자연과 역사가 필연적인 법칙에 의해 진행된다고 보는 것을, 보편적인 필연성을 추구하는 이성의 모습을 자연과 역사에 덮어씌우는 것으로 본다.

몸철학에서 볼 때, 자연과 역사는 인간의 이성적인 능력이 아무리 발달하더라도 이론적으로 파악될 수 없다는 점을 중시한다. 자연과 역사는 인간의 이론적인 지성의 *기저에 놓여 있으면서 지성의 작업을 가능케 하는 것으로 본다. 말하자면 자연과 역사는 지성적인 이론 작업을 항상 넘어서 있고 둘러싸고 있기 때문에 원칙적으로 이론으로써는 완전히 파악할 수 없다고 보는 것이다. 이에 몸철학은 자연과 역사에 대한 새로운 *사유 방식을 요구한다. 자연과 역사가 이론적으로 정리되지 않더라도 상관없으며, 오히려 지성을 통해 이론적으로 완벽하게 파악하려 할 때 부작용이 생긴다고 여긴다. 몸철학은 자연과 역사에서 '몸을 빼내어' 그것들을 관찰하고 체계화하는 것이 아니라, 온몸을 자연과 역사 속에 한껏 집어넣어 그 자연과 역사를 느끼고자 한다.

몸철학은 근본적으로 인간의 주체를 몸이라고 생각하고 인간의 몸이 지닌 자연성은 대우주의 몸이 지닌 자연성과 하나로 소통할 수 있는 것으로 본다. 마치 대우주의 몸이 하나의 큰 나무라면 인간의 몸은 그중 하나의 독특한 가지이고, 인간 정신은 그 가지에서 피어나는 꽃 내지는 그 가지에서 영글어 맺히는 열매라고 여기는 것이다. 몸철학에서는 이성 혹은 시성 대신에 온몸으로 이미 느끼고 있는 전신적인 감각과 그것에 의거한 전신적인 사유를 중시한다. 그렇다고 지성적인 사유를 포기하는 것은 아니다. 다만, ㉠지성적인 사유의 '우둔한 오만'을 항상 경계하면서 그 모태가 전신적인 사유에 있음을 염두에 두어야 한다고 주장한다. 그래야만 자연과 역사에 대한 지성적 사유의 횡포를 미리 방지할 수 있기 때문이다.

■주제 :

_____

_____

Words

• **선차성(先次性)** : 차례에서 먼저가 되는 성질 • **기저(基低)** : 사물의 뿌리나 밑바탕이 되는 기초 • **사유(思惟)** : ① 대상을 두루 생각하는 일 ② 개념, 구성, 판단, 추리 따위를 행하는 인간의 이성 작용

1 윗글을 통해 해결할 수 있는 질문이 <u>아닌</u> 것은?

① 전통적인 유물론과 구별되는 몸철학의 특징은 무엇인가?
② 변증법적 유물론에서 역사의 필연성은 어떻게 파악할 수 있는가?
③ 정신을 바탕으로 한 종래의 정신철학과 몸철학의 차이는 무엇인가?
④ 몸철학은 자연과 역사에 작용하는 필연적 법칙을 어떻게 평가하는가?
⑤ 자연과 역사를 이론적으로 완벽하게 파악하려 할 때의 부작용은 무엇인가?

2 윗글에 대한 이해로 가장 적절한 것은?

① 관념론에서는 자연 현상이 필연적인 법칙에 의해 발생한다고 주장한다.
② 변증법적 유물론에서는 자연과 역사에서의 우연성을 인정하지 않는다.
③ 몸철학에서는 관념론이 중시하는 지성적 사유를 포기할 것을 요구한다.
④ 몸철학에서는 자연과 역사에 모두 적용되는 보편적인 필연성을 추구한다.
⑤ 변증법적 유물론에서는 인간의 존재가 정신을 바탕으로 해서 성립한다고 주장한다.

3 〈보기〉는 윗글을 읽은 후 ㉠에 대해 찾아 본 자료이다. '몸철학'의 관점에서 ㉠을 비판할 수 있는 내용으로 적절하지 않은 것은?

┤ 보기 ├

　　정신철학에 입각한 지성적 사유는 나 자신만을 진정한 정신적 존재로 보고 타인들은 물질적으로만 지각되는 대상으로 여긴다. 각자는 자신을 정신적인 존재 혹은 영혼으로 여기면서 껍데기인 몸을 경계로 해서 다른 사람들과 근원적으로 분리되어 있다고 본다. 이에 타인과의 진정한 교류가 근본적으로 차단된다. 이 관점에서는 자연 또한 정신적 존재가 아니므로 기계적인 것으로 보고 자유로운 의지를 갖춘 정신적인 존재에 의해 도구적으로 활용될 뿐이라고 생각한다.

① 지성적 사유는 타인과 자연을 도구적인 유용성의 관점으로만 파악할 우려가 있군.
② 지성적 사유는 자연을 자유로운 의지를 갖춘 정신적 존재로 보는 오류를 범할 수 있겠군.
③ 지성적 사유로는 함께 대우주를 이루고 있는 인간들 간의 진정한 교류가 불가능하겠군.
④ 지성적 사유는 타인의 존재를 자신과 동등하게 보지 않고 물질적 대상으로 파악하겠군.
⑤ 지성적 사유만 중시하면 지성적 사유의 모태가 되는 '전신적 사유'의 중요성을 간과할 수 있겠군.

4 〈보기〉는 윗글을 쓰기 위해 구상한 내용이다. 글에 반영되지 않은 것은?

┤ 보기 ├

　　사람들이 생소하게 생각하는 '몸철학'에 대해 설명하는 글을 써야겠어. 먼저, ①몸철학이라는 용어가 혼동을 유발할 수 있으므로 개념을 명확하게 설명해야겠어. 그리고 ②몸철학의 개념에 대한 이해를 돕기 위해 몸철학과 대립을 이루는 철학을 소개하는 것도 좋겠어. ③몸철학의 특징을 정확하게 알 수 있도록 언뜻 비슷하다고 생각할 수 있는 이론과의 차이도 설명해줘야겠어. 글의 구성은 ④시간의 흐름에 따라 이론이 발전해가는 과정을 소개하는 형식으로 하고, ⑤내용이 어려울 수 있으니 적절한 비유를 사용해서 쉽게 접근할 수 있도록 해야겠어.

인문 / 역사 **08** 실전 TEST

조선 시대 과거의 최종 시험인 전시(殿試)에서는 왕이 직접 당대의 현안을 제시하고 그 해결책을 묻는 시험을 치렀는데, 응시자들이 답으로 제출한 글을 ㉠책문(策文)이라고 한다. 책문은 시험으로 나온 문제, 즉 ㉡책제(策題)에 대해 해결책을 제시하는 것을 중심으로 자기의 주장을 펼치는 글이다. 책문은 국가를 다스리는 시책을 모색하는 것이라는 점에서 인재의 선발 과정에서 매우 중시되었고, 과거시험의 답안뿐 아니라, 사가독서(賜暇讀書)*의 과제물로 책문을 제출하도록 하는 등 다양하게 활용되었다.

대체로 책문을 쓸 때에는 정해진 표현과 형식을 지켜야 했다. 왕이 낸 문제에 대한 답변이니만큼, 책문은 "신은 다음과 같이 대답합니다[臣對]."라는 말로 글을 시작하고 "신이 삼가 대답합니다[臣謹對]."라는 말로 끝맺음을 하였다. 본문에서는 보통 유학의 경전이나 역사서, 각종 시문을 인용하여 책제에 대한 자신의 주장을 뒷받침하는 근거로 활용하였다. 또 "식견이 보잘것없는 저희들을 불러, 조금이나마 나라에 도움이 될 말을 들을까 하며 시험을 내시니, 죽을 각오를 하고 말씀드리겠습니다."라며 장황하고 공손하게 왕에 대한 찬사와 자신에 대한 •겸사를 섞어 썼다.

책문은 책제에 대한 답변으로 주제가 정해진 글인데다가, 서술 방식도 일정한 편이었기 때문에 천편일률적인 내용이었으리라 속단하기 쉽다. 그런데 남아 있는 책문들을 살펴보면, 책제에서 벗어나 정치 현실에 대한 자신만의 담론을 자유롭게 전개하는 내용들이 다수 포함되어 있어 흥미를 끈다. 가령 1447년(세종 29) 문과 중시(重試)에서 제시된 책문의 문제는 법의 폐단을 고치는 방법에 대한 것이었다. 그런데 이때 최우등으로 뽑힌 답안들 중에는 기존의 법을 잘 지킬 것을 말하면서 군주 중심의 지배 질서를 옹호하는 글도 있었지만, 당시 강력한 왕권 하에서 신하들의 정치적 역할을 확대할 것을 주장하는 책문도 상당수였다. 또한 과거 시험장에서 제출한 책문은 왕이 직접 읽고 평가한다는 점에서, 당대 사회의 부조리를 폭로하는 강직한 비판의 목소리가 실리기도 했다. 책문에 자주 등장하는 "죽기를 각오하고 쓴다."는 말이 상투적인 표현 같지만 실제로 어떤 경우에는 정말로 죽음을 각오한 비장함이 들어 있었던 것이다. 광해군 때 선비 임숙영이 쓴 책문에는 권신들의 횡포와 광해군의 •실정(失政)을 격렬히 •공박하는 내용이 포함되어 있는데, 이로 인해 임숙영은 왕의 진노를 사 과거시험의 합격자 명단에서 그의 이름이 삭제되는 일명 •삭과(削科) 파동의 당사자가 되기도 했다.

이처럼 책문이 다양한 정치적 주장을 담을 수 있었던 이유는 무엇일까? 책문을 쓴 선비들은 단순히 시험에 합격하기 위해 공부를 하던 학생이 아니라, 자기가 배운 유학 이념을 현실에서 실천하고자 한 당대의 지식인들이다. 유학은 본질적으로 내성외왕(內聖外王)*의 학문이다. 사대부는 안으로 인격을 수양하여 성인이 되고, 밖으로는 군주를 도와 이상적인 사회를 만들어야 한다. 왕이 친히 문제를 내어 젊은 인재를 구하고

☑ 지문 분석 노트

①

②

③

④

이들과 소통하고자 한 까닭도 여기에 있다. 결국 책문이란, 당대의 정치 주체인 지식인들이 느끼는 사회적 책임 의식의 *발로였다고 할 수 있다.

■ 주제 :

* 사가독서(賜暇讀書) : 조선시대에 인재를 양성하기 위하여 젊은 문신들에게 휴가를 주어 학문에 전념하고 실력을 재충전하게 한 제도
* 내성외왕(內聖外王) : 안으로는 성인이며 밖으로는 임금의 덕을 갖춘 사람이라는 뜻으로, 학술과 덕행을 아울러 지닌 사람을 이르는 말

Words

• **겸사(謙辭)** : 겸손의 말 • **실정(失政)** : 정치를 잘못함. 또는 잘못된 정치 • **공박(攻駁)** : 남의 잘못을 몹시 따지고 공격함. • **삭과(削科)** : 과거를 볼 때에, 규칙을 위반한 사람의 급제를 취소하던 일 • **발로(發露)** : 숨은 것이 겉으로 드러나거나 숨은 것을 겉으로 드러냄.

1 윗글의 서술상의 특징으로 가장 적절한 것은?

① 대상의 변천 과정을 순차적으로 소개하고 있다.
② 유추를 통해 추상적인 개념을 구체화하고 있다.
③ 문제 상황을 분석하고 그 해결책을 제시하고 있다.
④ 대립되는 견해를 소개하고 합의점을 도출하고 있다.
⑤ 역사적 사례를 들어 중심 화제의 의미를 확장하고 있다.

2 ㉠과 ㉡에 대한 설명으로 적절하지 않은 것은?

① ㉡은 ㉠을 쓰게 하는 출발점 역할을 하였다.
② ㉠은 ㉡이 규정하는 범위를 넘어서기도 하였다.
③ ㉠과 ㉡은 모두 유학의 통치 이념을 반영한 것이다.
④ ㉠은 선비들이 제출한 것이고, ㉡은 왕이 제시한 것이다.
⑤ ㉠은 개인적 차원의 글쓰기인 반면, ㉡은 사회적 차원의 글쓰기이다.

3 〈보기〉는 광해군 때 선비 임숙영이 쓴 책문 의 일부이다. 윗글을 바탕으로 〈보기〉를 이해한 내용으로 적절하지 <u>않은</u> 것은?

─────────┤ 보기 ├─────────

　ⓐ신은 다음과 같이 대답합니다. ⓑ저는 참으로 꽉 막혀 식견이 없습니다. (중략) ⓒ전하께서는 스스로의 실책(失策)과 국가의 허물에 대해서는 거론하지 않았습니다만, 비록 전하께서 말씀하지 않은 사안이라 해도 그것이 참으로 이 시대의 절박한 문제에 관련된 것이라면, 무엇을 조심해야 하는지 모르는 어리석은 저이기에 곧바로 남김없이 지적해 아뢰겠습니다. (중략) ⓓ부디 전하께서 조금이나마 관용을 베푸셔서, 훌륭한 임금이 다스리는 세상에서 정직한 말 때문에 화를 입는 사람이 없게 하신다면, 참으로 나라의 복이 될 것입니다. ⓔ삼가 죽음을 무릅쓰고 대답하였습니다.

① ⓐ : 책문을 시작하는 일종의 수사로, 책문이 왕의 질문에 대답하는 글이었음을 보여 주는 특징적 표현이야.

② ⓑ : 자신의 부족함에 대한 겸사로, 보잘것없는 자신의 견해보다는 다른 뛰어난 선비들의 고견을 받아들이라는 의미야.

③ ⓒ : 임금의 잘못을 지적하면서, 이어질 책문에서 시대 현안에 대한 자신의 정치적 견해를 피력할 것을 예고하고 있어.

④ ⓓ : 임금에 대한 찬사와 더불어, 임금이 자신의 간언(諫言)을 기꺼이 수용해 줄 것을 공손히 요청하고 있어.

⑤ ⓔ : 책문을 마무리하는 관습적인 표현이면서, 동시에 글쓴이가 실제로도 개인적인 불이익을 각오하고서 사회를 비판하는 글을 썼음을 보여 주고 있어.

4 윗글을 바탕으로 〈보기〉의 ㉮에 들어갈 내용을 추리한 것으로 가장 적절한 것은?

─────────┤ 보기 ├─────────

　처음에 한 무제가 천하에 조서를 내려, 유능하고 바르고 곧은 말을 하고 있는 힘을 다해 충언하는 선비를 추천하라고 했습니다. 그때 동중서의 무리가 충직한 말과 바른 의논으로 책문에 답한 것이 지금까지 전해집니다. 그러므로 옛날이나 지금이나 책문을 내어 선비에게 거리낌 없이 진술하도록 언로를 연 것은, (　　㉮　　)을/를 얻고자 한 것입니다. 이는 다만 과거 응시자를 시험하기 위한 것만이 아닙니다.

　　　　　　　－ 1447년(세종 29) 문과 중시에 제출한 신숙주의 책문

① 외세를 물리치고 국방력을 튼튼하게 하는 방법

② 예법의 명분과 절차가 합당한지를 확인하는 원리

③ 인간 본성과 우주 만물의 근원적 이치에 대한 해답

④ 기존의 사회 질서를 공고하게 하고 재생산하는 원리

⑤ 당시 정치가 지닌 폐단을 듣고 세상을 구제하는 방법

실전 TEST **09** 인문 / 윤리

✓ 지문 분석 노트

①

②

③

④

⑤

윤리는 여러 가지 *도덕률로 구성되어 있다. '약속을 지켜라', '거짓말을 말라', '공익을 존중하라' 등등 여러 가지 도덕률이 모여 '윤리'라는 사회 규범을 형성한다. 그렇다면 윤리의 구성 요소인 도덕률은 도대체 어떻게 만들어진 것일까? 거기에는 윤리의 근거가 인간 이전에 이미 주어졌다고 보는 견해가 있으며, 인간 역사의 경험적 산물이라고 보는 견해도 있다.

윤리의 근거가 인간 이전에 미리 주어졌다는 견해는 다시 두 가지로 나뉜다. 그 하나는 '신학적 윤리설'이고, 또 하나는 *형이상학적 윤리설'이다. 전자는 신이 우주와 인간을 창조했을 때 '도둑질하지 말라', '이웃을 사랑하라' 등의 계율을 내렸다는 주장이다. 후자는 어떤 *인격신이 있어서 인간에게 도덕률을 내려주었다고 ⓐ보는 대신, 우주 자연의 *이법 또는 인간의 선천적 이성 속에 도덕률의 근원이 있다고 보는 주장이다.

신학적 윤리설은 종교적 신앙에 바탕을 두고 있으며, 종교가 다양함에 따라 다시 여러 갈래로 나뉜다. 이 윤리설의 공통점은 믿음을 토대로 삼는다는 사실이며, 해당 종교에 대한 믿음이 없는 사람에게 그 윤리설이 참이라는 것을 논리적으로 설명할 수는 없다. 형이상학적 윤리설에서도 그것이 바탕으로 삼는 형이상학설의 다양함에 따라 여러 가지가 있으며, 이 경우에도 그 학설의 타당성을 경험적 근거에 의존해서 증명할 수 없기는 마찬가지다.

현대의 경험 과학적 사고방식을 따르는 사람들은 윤리가 어떤 초월적 존재에 의해 미리 주어졌다는 견해에 동의하지 않는다. 그들은 윤리를 인간의 사회생활 과정에서 필요에 의해 형성된 역사적 산물이라고 주장한다. 이러한 ㉮경험론적 윤리설에도 여러 가지 학설이 있으나, 공통된 내용은 다음과 같이 요약할 수 있다.

인간은 예로부터 집단을 이루고 살아왔다. 집단 생활에서는 한 개인의 행위가 그 행위자에게 어떤 결과를 가져올 뿐 아니라, 집단의 공동 이익과 타인에게도 영향을 미친다. 그러므로 같은 집단에 속하는 사람들은 서로의 행위에 대하여 깊은 관심을 갖게 마련이고, 그들의 행위가 집단 또는 타인에게 미치는 결과 여하에 따라서 '옳다' 또는 '그르다'는 평가를 내리기 쉽다. 예컨대 여러 사람들이 협동하여 농사에 종사하는 사회에서는 부지런한 사람이 칭찬을 받는 반면에, 게으름을 피우는 사람은 비난의 대상이 된다. 함께 사냥을 하여 먹고 사는 사람들의 사회에서는 날쌔고 용감한 행위가 칭찬을 받는 반면에, 굼뜨고 비겁한 행위는 비난을 받는다. 일반적으로 도둑질, 거짓말, 탐욕 따위와 같이 집단생활에 지장을 초래하는 행위들은 '해서는 안 될 행위'로서 비난의 대상이 되기 쉽고, 정직함이나 이웃돕기와 같이 집단이나 타인을 위해서 도움이 되는 행위는 '마땅히 해야 할 행위'로서 칭찬의 대상이 될 *공산이 크다.

모든 집단에는 그 집단을 통솔하는 힘을 가진 개인 또는 계층이 생기게 마련이다. 이들은 '해서는 안 될 행위'로서 비난의 대상이 되는 행위를 억제하는 반면에, '마땅히 해야 할 행위'로서 칭찬의 대상이 되는 행위는 권장하는 방향으로 압력을 가하게 된다. 이러한 상태가 오래 지속되면 거짓말, 도둑질, 탐욕 등에 대해서는 '해서는 안 될 행위'라는 고정관념이 형성되고, 부지런함과 정직함 등 칭찬의 대상이 되는 행위에 대해서는 '마땅히 해야 할 행위'라는 고정관념이 형성된다. 즉, 이러한 고정관념을 통해 윤리가 형성된다고 보는 것이 경험론적 윤리설이다.

⑥

■주제 :

Words
• **도덕률** : 도덕적 행위의 규준이 되는 법칙 • **형이상학** : 사물의 본질이나 존재의 근본 원리 따위를 사유나 직관에 의해 연구하는 학문 • **인격신** : (신을 의인화한 것으로) 인간적인 의식과 감정을 가진 신 • **이법(理法)** : ① 원리와 법칙 ② 도리와 예법 • **공산(公算)** : 확실성의 정도. 확률

1 윗글에 대한 이해로 적절한 것은?

① 윤리의 근거가 인간 이전에 미리 주어졌다는 견해를 가진 사람들은 경험적 근거를 바탕으로 타당성을 주장할 수 있다.
② 현대의 경험 과학적 사고방식을 따르는 사람들은 인간의 집단생활에서 형성되는 고정관념이 윤리의 근원이 된다고 주장한다.
③ 형이상학적 윤리설을 주장하는 사람들은 인간에게 도덕률을 내려주는 초월적 신이 존재한다고 생각한다.
④ 신학적 윤리설은 종교적 신앙에 바탕을 두고 있으므로 종교를 가진 모든 사람들은 차이를 초월한 계율을 따를 수 있다고 본다.
⑤ 집단 생활을 해 온 인간의 역사에 주목하는 사람들은 인간 이전에 주어진 도덕률이 존재한다고 주장한다.

2 윗글의 논지 전개 방식에 대한 설명으로 가장 적절한 것은?

① 문제가 되는 현상을 설명한 후 해결책을 제시하고 있다.
② 하나의 의문에 대한 답을 내린 후 근거를 제시하고 있다.
③ 상반된 두 관점을 비교, 대조하여 절충적 관점을 제시하고 있다.
④ 일반적 통념에 의문을 제기하며 대안적인 관점을 소개하고 있다.
⑤ 대상의 기원에 대한 의문을 던진 후 다양한 이론을 소개하고 있다.

3 〈보기〉에서 ㉮를 뒷받침할 수 있는 진술로 적절한 것끼리 묶인 것은?

| 보기 |

㉠ 사냥을 주로 하는 A부족과 농사를 주로 짓는 B부족에서 지켜야 하는 규범은 조금 씩 차이가 난다.

㉡ 많은 사람들은 새롭게 등장한 사이버 공간에서도 기존의 윤리적 규범을 지키며 행동한다.

㉢ 판례가 없던 범죄 행위에 대해서도 대부분의 사람들은 선천적으로 타고난 양심의 잣대를 동원해 시비를 판단할 줄 안다.

㉣ 어떠한 환경에서 성장하였는가에 따라 각 개인에게 내면화되어 있는 도덕률은 차이를 보일 수밖에 없다.

① ㉠, ㉡   ② ㉠, ㉢   ③ ㉠, ㉣
④ ㉡, ㉣   ⑤ ㉢, ㉣

4 ⓐ의 문맥적 의미와 가장 가까운 것은?

① 그 옷을 사기 위해 미리 입어 보는 중이다.
② 시험을 보는 중에 너무 긴장하여 손이 떨렸다.
③ 오늘은 친구들과 영화를 보고 감상을 나누었다.
④ 동상 앞에서 시계를 보는 사람이 내 친구이다.
⑤ 그 선수가 재기하는 것이 가능하리라고 보고 있다.

인문 / 고전 국역 **10** 실전 TEST

●문치(文治)와 ●무비(武備)는 한 가지도 빠뜨려서는 안 된다. 나라에 무(武)만 있고 문(文)이 없으면 참으로 어지러울 것이다. 그러나 오랑캐들도 ⓐ기강을 잡고, 나라를 세워 여러 대를 전하였다. 문만 있고 무가 없어도 살 수 없다. 지금 세상에는 선량한 자는 적고, 불선한 자는 수두룩하다. 강한 자가 약한 자를 집어삼키고, 무리가 많은 집단이 적은 집단에 폭력을 행세하며, 은밀히 틈을 엿보았다가 힘으로 빼앗을 수 있으면 빼앗아 버린다. 그런데 작은 나라가 이를 깨닫지 못하고 오히려 태연히 즐기면서 세월만 보내는 경우도 있다.

천하를 소유한 것은, 비유하자면 물 가운데 그릇을 띄워놓은 것과 같아서, 틈만 있으면 물이 스며들지 않을 리가 없다. 그런데 그 틈을 메우고 막는 것은 모두 무비의 힘이다. 편안할 때 위태로움을 생각하지 않고 관습에 젖어 그럭저럭 세월만 보내다가, 하루아침에 ⓑ변란이 일어나 목을 빼고 적의 칼을 받게 된다면, 어찌 애처로운 일이 아니겠는가?

그런데 오늘날의 문신이라는 자들은 붓을 잡고 글귀를 따다 진나라 때의 글도 아니고 초나라 때의 글도 아닌 문장을 짓는 데 불과하다가, 요행히 과거에 급제하게 되면 교만하고 방자해져서 무관을 종처럼 여긴다. 무관은 권력을 잃고서, 또 귀를 늘어뜨리고 꼬리를 치며 단지 아첨하고 뇌물 바치는 것을 평생의 목표로 삼는다. 그러다 한번 고을의 원이나 병수사(兵水使)에 ●제수되면, 온갖 방법으로 재물을 수탈하여 백성이 그 ⓒ해독을 입는다. 이는 청렴하여도 명예가 더해지지 않고, ●탐학하여도 명예가 손상되지 않기 때문이다.

공자의 말씀에, "무기(武器)를 버리고 신의(信義)를 보전한다."라고 했으니, 도(道)를 전하는 문으로 말하면 무에 비길 바가 아니다. 그러나 오늘날 멋을 내어 글을 쓰는 것만을 중시하는 ●습속으로 논한다면, 무는 오히려 변방을 막을 수 있는데 문은 민간의 풍속을 망치고 있으니 도리어 글을 배우지 않고 순박한 성품을 보존하는 것이 더 낫다.

그러므로 일은 실상과 어긋나고, 문과 무는 서로 원수가 된 지 오래이다. 하루아침에 변란이 일어나면, 과연 어디에서 피신할 곳을 얻어 위험한 상황을 잘 ⓓ모면하겠는가? 그렇다면 이 둘을 합쳐 하나로 만드는 것만 못할 것이니, 진나라 때의 명장 극곡이 ●예악과 ●시서에 밝았던 것은 어찌 문이 아니며, 제갈량*이 술자리에서 담소하면서 적병을 제어한 것은 어찌 무가 아니겠는가?

오늘날에 와서는 문신은 활쏘기 시험이 있으나 무신은 ●경서를 외는 일이 없고, 문신은 장수가 될 수 있으나 무신은 청환*에 들 수 없으니, 이는 무슨 까닭인가? 무릇 나라를 운영하는 길은 한 가지를 들어서 백 사람을 권장하는 것이니, 무신 가운데 우수한 자를 추려 대신이 천거하여 요직에 모두 참여할 수 있게 해야 한다. 또 지금 유생(儒

☑ 지문 분석 노트

1

2

3

4

5

6

生)의 규례와 같이 경서의 시험을 통해 약간 명을 선발하여 문신과 함께 ⓔ등용한다면, 인재가 한편으로 치우치지 않고 탐욕스런 풍속도 달라질 것이며, 무신의 마음을 얻어서 나라에 변란이 있을 때에 그에게 의지할 수 있을 것이다.

■주제 :

* 제갈량 : 촉나라의 정치가로 문인인 동시에 무략(武略)에 뛰어났던 인물
* 청환 : 조선 시대에 학식과 문벌이 높은 사람에게 시키던 규장각, 홍문관 따위의 벼슬

Words

• **문치(文治)** : 학문과 법령으로 세상을 다스림. 또는 그런 정치   • **무비(武備)** : 군사에 관련된 장비. 또는 그런 장비를 준비하는 일   • **제수(除授)** : 새로운 관직을 내리던 일   • **탐학(貪虐)** : 탐욕이 많고 포악함.   • **습속(習俗)** : 습관이 된 풍속   • **예악(禮樂)** : 예법과 음악을 아울러 이르는 말   • **시서(詩書)** : 시와 글씨를 아울러 이르는 말   • **경서(經書)** : 옛 성현들이 유교의 사상과 교리를 써 놓은 책. 《역경》·《서경》·《시경》·《예기》·《춘추》·《대학》·《논어》·《맹자》·《중용》 따위를 통틀어 이른다.

1 윗글에 대한 설명을 〈보기〉에서 골라 바르게 묶은 것은?

┤ 보기 ├

ㄱ. 고사(古事)를 인용하여 논지를 보강하고 있다.

ㄴ. 문제 상황을 분석하고 그 해결책을 제시하고 있다.

ㄷ. 대조와 분류의 방법으로 대상의 특징을 밝히고 있다.

ㄹ. 사상의 발생 배경을 제시하고 그 발전 과정을 소개하고 있다.

① ㄱ, ㄴ   ② ㄱ, ㄷ   ③ ㄴ, ㄷ

④ ㄴ, ㄹ   ⑤ ㄷ, ㄹ

2 윗글의 내용과 일치하지 않는 것은?

① 강대국으로부터 나라를 보호하기 위해서는 무(武)의 역할이 중요하다.

② 문신은 무관을 겸할 수 있었으나, 무관은 조정의 요직을 맡지 못하였다.

③ 무관의 사회적 지위가 낮은 것은 백성을 수탈하는 무관이 많았기 때문이다.

④ 도를 담지 못하고 멋을 내는 데에만 열중한 문(文)은 민간에 해로움을 끼칠 뿐이다.

⑤ 국제 정세를 잘 살피지 않은 채 무비를 갖추는 일에 소홀하면 나라를 지키기 어렵다.

3 윗글을 바탕으로 할 때, 〈보기〉의 ㉠~㉣에 들어갈 말을 바르게 짝지은 것은?

┤ 보기 ├

문(文)과 무(武)는 상호 보완 관계에 있어 어느 한쪽만을 중하게 여겨서는 안 되니, 어느 한쪽만을 중하게 여기면 습속이 그 추이를 바꾸어 나라가 그 폐해를 입게 된다. (중략) 그런데도 태평한 날이 오랫동안 계속되기만 하면 번번이 (㉠)이/가 성하고 (㉡)이/가 해이해지는 근심이 생긴다. (중략) 우리 조정은 (㉢)을/를 숭상하기는 해도 반드시 (㉣)을/를 단단히 하여야 하는 것을 늘상 염두에 두고 어느 한쪽만을 중하게 여기는 데 따른 폐단을 경계하여 왔다. 그런데 근래에 와서 습상(習尙)이 점차 해이해져 무를 부끄럽게 여기고 모두 유생이라는 이름을 차지하려 하여 이제 막 말을 배우는 아이들도 곧 경서의 대목을 외는 것을 익힌다.

– 정조,『홍재전서』제 31권

	㉠	㉡	㉢	㉣
①	문(文)	문(文)	무비(武備)	문치(文治)
②	문(文)	무(武)	문치(文治)	무비(武備)
③	문(文)	무(武)	무비(武備)	문치(文治)
④	무(武)	무(武)	문치(文治)	무비(武備)
⑤	무(武)	문(文)	문치(文治)	문치(文治)

4 ⓐ~ⓔ의 사전적 의미로 적절하지 않은 것은?

① ⓐ : 규율과 법도를 아울러 이르는 말
② ⓑ : 사변이 일어나 세상이 어지러움.
③ ⓒ : 몸 안에 들어간 독성 물질의 작용을 없앰.
④ ⓓ : 어떤 일이나 책임을 꾀를 써서 벗어남.
⑤ ⓔ : 인재를 뽑아서 씀.

덕 윤리 ; 좋은 습관과 성품

우리에게 '방관자 효과'로 알려진 키티 제노비스 사건은 1964년 3월 뉴욕 퀸즈에서 발생했다. 제노비스는 아파트 앞에서 강도를 만났는데, 강도에게 격렬하게 저항하면서 30여 분 간 사투를 벌이는 동안 그녀의 주변에는 38명의 목격자가 있었지만 단 한 명도 경찰에 신고하지 않았고, 그녀는 결국 죽었다. 이로 미루어 볼 때, 인간은 이성적이기 때문에 절대적 가치를 지니며, 그렇기 때문에 오직 목적으로서 대우하라는 칸트의 '도덕 법칙'은 아무런 실천적 지침을 제공하지 못한다고 볼 수 있다. 칸트의 의무론적 윤리가 규칙만 강조하고 형식적이기 때문에 구체적인 상황에서 행동을 이끌어내지 못한다는 평가는 바로 이 경우에 해당한다.

그렇다면 결과주의는 어떨까? 사회가 최대 다수의 쾌락(행복)을 계산하듯이 38명의 사람들은 각자 자신들이 할 수 있는 행동들을 두고 쾌락과 고통의 양을 계산했을 것이다. 예를 들어 제노비스의 죽음을 막기 위해 직접 행동할 경우 자신이 위험에 빠질 수 있다는 계산, 신고를 한다면 사건 이후 증인이 되어 진술하고 법정에 서야 한다는 불편함에 대한 계산, 심지어 제노비스의 죽음을 목격하면서 자신이 당사자가 아니라는 사실에 대한 심리적 위안을 계산했을지도 모른다. 이렇게 보면, 자신의 행동이 가져올 쾌락과 고통에 대한 계산만을 기준으로 살아야 한다는 벤담의 결과주의는 이기적이라는 비난에 직면할 수 있다.

이렇게 규칙에 따른 행위만을 가지고 옳고 그름을 판단하려는 근대의 대표적인 두 윤리에 대한 비판은 단순히 '우리는 무엇을 해야 하는가?'라는 행동 규칙이 아니라 '좋은 성격'과 '덕 있는 사람'에 대한 강조로 나타났다. 이에 따라 도덕적인 물음은 단순히 의무나 결과를 따르는 행동이 아니라 개인의 '성품'으로 옮겨가게 되었다. 바꿔 말하면, '우리는 어떤 사람이 되어야 하는가?', '우리는 어떤 성품(인격, 성격)을 지녀야 하는가?', '우리 사회와 우리에게 필요한 미덕은 무엇인가?', '어떤 성품에서 나온 행동이 우리를 정의롭게 만드는가?'와 같은 질문이 도덕 이론의 대안으로 떠올랐다. 이 대안을 '덕 윤리'라고 한다.

그런데 이렇게 덕이 있는 성품은 한 번의 행위나 짧은 기간 동안의 노력으로 성취되는 것이 아니라 오랜 기간 동안 좋은 습관을 쌓아서 형성되기 때문에 많은 시간과 노력이 필요하다. 또 훌륭한 모범을 따르려는 모방 학습도 지속해야 한다. 이렇게 형성된 좋은 습관은 바람직한 행동을 일관성 있게 하도록 하는 실천적인 경향성으로 나타난다.

아리스토텔레스의 주장처럼, 덕 윤리는 적절한 상황에서, 적절한 사람들에게, 적절한 목적을 위해, 적절한 방식으로, 바람직하고 훌륭한 감정을 표현하기를 강조한다. 예를 들어, 마크 트웨인의 소설에 나오는 허클베리 핀이 살았던 시대는 흑인 노예가 허용되었던 시기이기 때문에 허클베리 핀에게 당시의 도덕적 의무란 자기 친구이자 도망친 노예인 짐을 신고하는 것이었다. 하지만 허클베리 핀은 짐에 대한 자신의 자연적 감정을 기초로 그렇게 하지 않았다. 자신의 도덕적 감정과 성품(양심)이 '규칙에 따라 행동해야 한다'는 의무보다 더욱 중요한 동기로 작용했기 때문이다.

이처럼 덕 윤리는 원리에 따르는 행위가 아니라 인간의 성품으로부터 나오는 자연스럽고 자발적인 행위를 강조한다. 우리는 교통사고로 다리에 골절상을 입은 친구의 문병을 가면서 '오직 의무이기 때문에' 갈 수도 있고, '퇴원 후 친구와의 관계를 계산해서' 갈 수도 있다. 하지만 이보다 더욱 가치 있고, 훌륭한 동기는 우정을 나눈 친구를 걱정하는 마음에서 나오는 자연적인 정서에 의한 문병일 것이다.

— 문종길, 『더 좋은 삶을 위한 도덕 주제들』

> **◆ 단락 요지**
>
> 1문단 : 키티 제노비스 사건과 의무론적 윤리의 한계
>
> 2문단 : 결과론적 윤리의 한계
>
> 3문단 : 근대적 도덕 이론의 대안으로 떠오른 '덕 윤리'
>
> 4문단 : 덕이 있는 성품을 형성하는 방법
>
> 5문단 : 덕 윤리를 발현한 사례
>
> 6문단 : 덕 윤리의 특성

유교의 네 가지 주덕

유교에서는 인(仁), 의(義), 예(禮), 지(智)를 네 가지 **주덕**(主德)이라 한다. 네 가지 주덕 가운데 실질적 내용을 갖는 덕목은 인과 의라 할 수 있으며, 이들은 대체로 내면의 도덕적 심성을 가리킨다. 이에 비해 예는 내면적 심성인 인과 의가 객관적 상황, 즉 시간과 장소에 맞게 외적으로 표현된 것이다. 그리고 마지막 덕인 지는 상황에 적합한 예에 맞추어 인의를 적절하게 표현하기 위해 요구되는 삶, 즉 실천적 지혜를 의미한다.

▲ 맹자

유교의 핵심 개념이자 중심 덕목은 인(仁)이다. 맹자는 동정과 사랑의 감정은 인의 단초이며 측은지심(惻隱之心)*이 없다면 인간이 아니라고 했다. 또한 측은지심을 우리에게 가까운 사람만이 아니라 그렇지 못한 사람에게까지 일관되게 확대하고자 노력할 때 얻어지는 결과가 바로 인이라고 했다. 즉, 측은지심이 도덕의 잠재적 씨앗이라면 인은 측은지심이 성숙하여 얻어진 온전한 덕목이라고 본 것이다.

의(義)는 일반적으로 옳음으로 해석된다. 이 같은 해석이 틀린 것은 아니나 의의 본질을 잘 보여 주고 있지는 않다. 인을 도덕의 원천이요, 기원이라 한다면 의는 도덕 판단으로서 도덕적 행위자로 하여금 도덕적 실천으로 인도하는 것이라 할 수 있다. 덕목으로써 의는 본질적으로 도덕 판단을 내리는 것을 함축하는 까닭에 적절함 혹은 적합함이라고도 한다.

예(禮)는 원래 제물 혹은 관행을 가리키는 말이었으나 시대와 더불어 하나의 덕목으로 발전하였다. 더 나아가 모든 규칙, 법규, 형식, 관습, 의례 등을 총칭하는 이름이 되었다. 맹자는 예가 인, 의와 맺는 관계에 주목하였다. 그는 예의 중심적 성격은 인에 대해 적합한 형식을 제시하는 것이라 했

다. 또한 의는 본질적으로 인에 대한 판단을 내포하는 데 비해, 예는 그렇게 확립된 판단들에 대한 정당화된 규칙과 예절들을 의미한다고 설명했다. 즉, 이같은 규칙과 의례들은 인의 외적 구현이라 할 수 있다는 것이다.

지(智)는 지혜나 지식 혹은 도덕의식으로 해석될 수 있다. 지는 시비지심(是非之心)*에서 발현된 덕목으로 그에 의거하여 인과 의를 인식하고 파악함을 뜻한다. 지와 의는 모두 도덕적 분별과 판단을 내포하며 옳은 것에 대한 인지뿐만 아니라, 그에 따라 행동해야 한다는 적극적 의무감을 포함한다. 그렇다면 지와 의의 차이점은 무엇인가? 의는 행위 주체가 당면하고 있는 구체적 상황과 관련되지만, 지는 행위 주체가 대면하지 않은 상황까지도 평가함을 의미한다. 좀 더 정확하게 구분하자면 의가 본질적으로 인에 의해 주어지는 도덕 판단이라면, 지는 그러한 판단의 진리 가치를 확인하는 것과 관련되는 인지 능력이라고 할 수 있다.

유교 윤리의 기본이 인이기는 하나 인은 공동체적 유대를 강하게 갖는 소규모 마을 공동체에 적합한 규범이라 할 수 있다. 시대가 발전하면서 의와 같은 추상적이고 일반적인 원칙이나 판단은 불확실하고 결정을 내리는 데 행위의 지침으로 큰 도움이 되지 못하는 경우도 있었다. 시간과 장소에 따라 좀 더 명시적이고 구체적이며 세세한 항목에 걸친 규칙 체계로서 예와 같은 규범을 필요로 하게 된 것이다. 인으로부터 의로, 의로부터 예로 사상의 중심이 변한 것은 개인 도덕으로부터 사회 도덕, 주관적 윤리로부터 객관적 윤리로 전환하는 것을 의미한다. 즉 윤리 도덕이 사회화, 객관화되었음을 의미하는 것이다.

* 측은지심(惻隱之心) : 불쌍히 여기는 마음. 인에서 우러나온다.
* 시비지심(是非之心) : 옳고 그름을 가릴 줄 아는 마음

– 황경식, 「덕 윤리의 현대적 의의」

소쉬르의 언어 이론과 구조주의

오래전부터 사람들은 언어가 사물의 이름이라고 생각해 왔다. 그러나 스위스의 언어학자인 소쉬르는 언어가 사물의 이름이라는 이론을 펼침으로써 구조주의의 토대를 마련하였다.

만약에 언어가 사물의 이름이라면 언어가 사물의 어떤 면을 반영한다고 볼 수 있다. 그러나 '양(羊)'이라는 단어나 'sheep'이라는 단어에는 양과 관련된 이미지가 없다. 게다가 우리나라에서는 '양'이라고 불리지만, 미국에서는 'sheep', 프랑스에서는 'mouton'으로 불리는데, 이들 사이에도 아무런 공통점이 없다. 언어는 글과 음성 등 기호를 표현하는 기표와 그 기호가 나타내는 뜻을 의미하는 기의로 이루어지는데, 위의 예에서 확인할 수 있듯이 기표와 기의 사이에는 아무런 필연성이 없다. 즉 이 둘은 자의적으로 결합하게 되고, 우리가 실제로 나타내려는 사물과는 전혀 관계없는 것이 되어버리고 만다. 소쉬르는 이러한 기표와 기의의 관계가 자의적이라는 점이 언어 기호의 본질이라고 지적했다.

언어가 사물의 속성을 반영하지 않는다고 해도 사회마다 누군가가 각 사물에 처음 이름을 지어줌으로써 만들어졌다고 할 수 있지는 않을까? 즉 모든 사물은 처음부터 구분되어 있고, 그것을 나타내는 것이 언어가 아니냐는 것이다. 이 또한 우리들의 아주 오래된 믿음 중 하나인데, 이에 대해 소쉬르는 다음과 같이 설명했다.

언어가 미리 분류된 사물의 이름이라면 사물 하나에 이름 하나가 정확히 대응해야 한다. 그러나 양을 뜻하는 프랑스어 'mounton'은 영어의 'sheep'과 정확히 대응하지 않는다. 영어에서는 살아 움직이는 양이 'sheep'이지만 죽어 식탁에 올라간 양고기는 'mounton'이기 때문이다. 또 영어의 'devifish'는 우리나라 사람들이 일컫는 가오리와 문어를 함께 지칭하는 말이다. 이로 보아 하나의 사물에 하나의 이름이 정확히 대응하지 않음을 알 수 있다. 오히려 각 사회마다 다른 기준에 의해 사물이 분류되고 이름 붙여져 있다. 즉 사물이 처음부터 구분되어 있어 그것에 언어를 붙인 것이 아니고, 사회마다 갖고 있는 고유의 언어 체계에 의해 이름을 붙이면서부터 사물이 분류되는 것이다.

언어의 의미는 사물이 아니라 언어와 언어들 사이의 관계, 즉 각 사회마다 가지고 있는 언어의 체계 속에서 찾게 되어 있다. 이는 장기판에서 차와 포가 나무로 만들어졌든 플라스틱으로 만들어졌든 상관 없이 장기라는 놀이의 규칙 체계에 따라 움직이며, 차와 포의 기능도 그 규칙에 의해 할당받는 것과 같다. 그리고 그 법칙이라는 것은 상대성과 차이에 의해 정해진다. 그래서 소쉬르는 언어 속에는 오직 차이밖에 없다고 지적했다.

소쉬르는 문법 체계를 의미하는 '랑그(langue)'와 그 체계 속에서 개개인이 발화하는 언어적 행위를 의미하는 '파롤(parole)'로 언어를 구분하여 설명한다. 우리는 말을 배우면 특정한 장소에서 다른 사람들과 대화를 하거나 글을 씀으로써 언어를 사용한다. 이것을 파롤이라고 하는데, 이를 통해 언어는 활용되며 변화하기도 한다. 하지만 우리는 그 언어를 사용할 때 아무렇게나 말하는 것이 아니라, 사회 구성체에 의해 수용된 언어적 관습에 기인해 그것을 사용하게 된다. 바로 이 언어적 관습이 랑그이며, 동시에 기표의 체계이기도 하다. 그것은 막연해 보이지만 엄밀한 문법적 체계와 규칙을 가지고 있다.

소쉬르는 기호학의 연구 대상이 랑그라고 말하며, 기호학을 하나의 학문으로 체계화했다. 랑그에 대한 연구는 그가 주장한 공시적 차원의 연구와도 일맥상통한다. 그동안 언어에 대한 연구들은 언어가 어떻게 변해왔는지를 통시적으로, 즉 역사적으로 연구함으로써 언어의 본질을 파악하려고 했다. 하지만 그들이 소홀히 한 공시적인 차원, 즉 동시대 안에서 언어 자체가 어떻게 작동하는지를 연구하는 것 또한 언어의 본질을 이해하는 데 더없이 중요한 것이라고 강조한 것이다. 그는 체계와 관계망 속에서 언어의 의미를 찾으려는 구조주의의 이론적 근거를 마련하게 되었다.

— 주현성, 『지금 시작하는 인문학』

● 단락 요지

1문단 : 구조주의의 토대가 된 소쉬르의 언어 이론

2문단 : 소쉬르의 언어 이론 – 기표와 기의의 자의적 결합

3문단 : 통념적인 언어관

4문단 : 통념적인 언어관에 대한 소쉬르의 견해

5문단 : 소쉬르의 언어 이론 – 상대적으로 정해지는 언어 규칙

6문단 : 소쉬르의 언어 이론 – '랑그'와 '파롤'의 개념

7문단 : 구조주의의 이론적 근거를 마련한 소쉬르의 언어 이론

우주의 기원과 삶의 근원
- 생명의 나무

▲ 구스타프 클림트, 「Tree of Life」

종교사를 보았을 때 나무는 항상 성스러움을 나타내는 성물로 표현된다. 하늘을 향하여 높이 치솟은 형상, 무한히 반복되는 죽음과 재생의 생명력은 나무가 어떤 거룩한 실재를 표현하고 있다는 종교적 직관을 탄생시켰다. 세계적으로 널리 발견되는 나무에 대한 신앙은 나무 자체를 신격화한 것이라기보다는 거룩한 실재가 나무를 통하여 드러나게 되었다는 인식에서 비롯한다. 나무가 나타내는 거룩한 실재는 생명의 근원, 우주의 창조성, 우주의 중심, 지혜의 원천이 되는 신적 존재를 지칭하는데, 우주의 기원과 구조 및 삶의 근원을 상징한 나무를 생명의 나무라고 한다. 이는 우주목, 세계수, 중심축, 지혜의 나무라고도 불린다.

생명의 나무와 관련된 내용은 세계적으로 발견되는데, 인도의 오래된 문헌인 『우파니샤드』에서 우주는 하늘에 뿌리를 두고 땅 위에 가지를 드리운 거꾸로 서 있는 나무로 묘사되어 있다. 이 나무는 우주의 신 브라만을 상징한다. 한편 생명의 나무와 지혜의 나무는 공존하기도 한다. 기독교의 구약성서 창세기에는 에덴 동산의 한가운데에 두 나무가 있었다고 기록되어 있다.

우리나라의 대표적인 신화인 단군신화에는 환웅(桓雄)이 신단수(神檀樹) 아래로 내려와 인간을 다스렸다는 내용이 있다. 신단수는 태백산 꼭대기에서 하늘을 향해 솟아 있다. 태백산은 세계의 중심이며 신단수는 이 산의 정상에서 하늘과 맞닿은 채로 서 있다. 또한 웅녀는 신단수 아래에서 기도하여 사람으로 환생하며, 환웅과 혼인하여 단군을 낳기도 한다. 여기에서 알 수 있듯이 신단수는 신의 세계와 인간의 세계를 연결하는 축이자 생명력이 흐르는 통로이기도 하다. 결국 단군신화에 나오는 신단수는 세계의 중심과 생명의 원천을 동시에 상징한다고 볼 수 있다.

세계수의 개념을 중심으로 하는 신화나 민담의 유형에는 두 가지가 있다. 그 중 하나는 이 나무를 하늘과 땅을 연결하는 수직적인 중심으로 묘사하는 것이고, 다른 하나는 지구의 수평적인 중심에 있는 생명의 근원으로 표현하는 것이다. 성서의 용어를 빌리자면 전자는 지혜의 나무, 후자는 생명의 나무에 해당한다. 수직적인 지혜의 나무를 상징하는 전설들은 이 나무가 땅에서 하늘로 이어져 있다고 하며 이 나무를 신의 세계와 인간의 세계 간의 연결점으로 묘사했다. 또 신탁, 판결, 예언들이 그 나무 아래에서 이루어졌다고 표현했다. 수평적인 생명의 나무를 상징하는 전설들은 이 나무가 세계의 중심에 있고 초자연적인 수호자의 보호를 받는다고 전한다. 이 나무가 대지의 풍요와 생명을 만들어내는 근원이며 인간의 생명도 이 나무에서 받은 것이고 그 열매는 영원히 살 수 있는 생명력을 준다고 한다. 그래서 만일 이 나무가 잘리면 모든 풍요는 사라질 것이라고 한다.

옛사람들은 우주가 하나의 중심축에 꿰인 세 영역-천상, 지상, 지하-으로 연결되어 있다는 보편적인 우주관을 가지고 있었다. 그들에게 우주의 중심이자 각기 다른 세상의 이동 통로는 바로 생명의 나무로 불리는 우주목이었다. 왜냐하면 나무가 인간에게 신의 현존을 탁월하게 현시하는 존재였기 때문이다.

고대인들은 모든 나무들이 우주의 영혼들 중 하나를 소유하지만 몇몇 나무들은 최상의 영혼을 갖고 있다고 믿었다. 다른 나무들과 구별되는 희귀하고 신성한 나무들은 계시, 꿈이나 환영, 신탁, 나무를 만질 때 갑작스럽게 병이 낫는 것과 같은 일들과 결부되어 나무 기둥 아래에 희생 제물을 바치고 기도를 드리는 등 특별한 제의의 대상이 되었다. 물론 나무가 생과 사를 가로지르는 초월적 경건함 때문에 숭배의 대상이 된 것은 아니다. 인간은 나무가 벼락을 맞고 숲에 불이 나는 것을 보고 처음 불을 사용하게 되었다. 인간은 하늘로부터 신의 선물인 불을 받게 되었다고 생각하였고, 나뭇가지들을 비벼 불을 발화시키면서 나무를 불의 아버지라고 명명하였다. 어둠을 쫓는 불 외에도 나무에서 나온 장작과 석탄은 연료가 되었고, 식량을 익히는 데 사용되었다. 이렇게 헌신적이고 쓸모가 많은 나무는 신성(神性)의 상징이 되었던 것이다.

우리 역사의 일부가 된 귀화인들

세계화로 인한 외국인 유입의 증가, 국제결혼 급증 등으로 20세기 말부터 우리나라에 다문화 가족이 급속도로 늘어났다. 이런 다문화 가족은 최근에만 존재한 것일까? 우리나라 역사를 살펴보면 다른 나라 사람이었다가 우리나라 사람이 되어 가정을 꾸린 귀화인이 있었다.

#1. 과거제도를 정착시킨 쌍기

관리 선발의 원조라 할 수 있는 고려시대의 과거제도는 중국 출신 귀화인인 쌍기(雙冀)에 의해 처음 시작되었다. 고려 광종 시절인 956년 후주인(後周人) 쌍기는 사신인 설문우를 따라왔다가 병이 나 고려에 머물게 되었다. 당시 개혁 정치를 추진하던 광종은 쌍기와 대화를 나누면서 그 능력을 높이 사, 쌍기를 한림학사에 임명했다. 쌍기는 958년 과거제도를 실시할 것을 건의하였고, 그해 5월 처음 실시된 과거에서 지공거(시험을 주관하는 사람)를 맡았다. 외국 출신인 쌍기는 다른 대신들과 별다른 정치적 이해가 없었기에 고려 내부인이 쉽게 시행할 수 없는 제도를 실시할 수 있었다. 이는 광종의 개혁 정치와도 절묘하게 맞아 떨어져 우리나라 인재 등용의 새 문을 열게 되었다.

#2. 이성계와 의형제를 맺은 여진인 이지란

고려 후기인 1380년, 외적의 잦은 출몰로 고려 사회는 위기를 겪고 있었다. 그중에서도 장수 아지바투가 큰 위협이었는데, 이성계와 여진족 출신 이지란(李之蘭)은 황

▲ 이지란(1331~1402)

산대첩에서 아지바투를 제압하는 데 성공했다. 그들의 인연은 이성계의 고향과 밀접한 관련이 있다. 이성계의 고향은 영흥(지금의 함흥)으로, 여진족과 국경을 맞대고 있는 지역이었다. 이곳을 노리는 원나라 무장 출신인 나하추 세력을 진압하기 위해 이성계는 북방에서 남쪽으로 이주해 '쿠란투란티무르'와 우호 관계를 맺었다. 쿠란(古蘭)은 성씨, 투란(豆蘭)은 이름이며, 티무르(帖木兒)는 남자 이름에 붙은 존칭인데, 그는 이성계를 도우며 이씨의 성을 받았고 두란을 조선식 이름인 지란으로 바꾸었다. 이성계와 의형제를 맺을 정도로 돈독했던 이지란은 조선 건국을 도와 일등공신에 봉해지기도 했다.

#3. 일본군 선봉장에서 조선 장군으로 변신한 김충선

▲ 김충선(1571~1642)

1592년 발발한 임진왜란 당시 일본군 대장 가토 휘하에는 선봉장 사야가(沙也加)가 있었다. 그러나 며칠 후 사야가는 경상 병사 박진에게 귀순해 경주, 울산 등지에서 자신의 조총 제조 기술을 군중에 널리 가르쳐 전투에 활용하는 등 일본군의 침공을 막아내는 데 공을 세웠다. 사야가의 뛰어난 전공을 인정한 도원수 권율 등은 그에게 성명을 내려줄 것을 청했다. 결국 사야가는 모래 사(沙) 자에서 금을 유추해 김씨 성을 받았고, 바다를 건너왔다 하여 본관을 김해로 해 우리나라 사람으로 거듭나게 되었다. 김충선은 목사 장춘점의 딸과 결혼하여 살면서 향약을 마련하는 등 조선 사회에 동화된 생활을 했다.

이상에서 살펴본 바와 같이 우리 역사에는 조국을 떠나 우리나라에 들어와 큰 영향을 미친 역사적 인물이 다수 존재하였다. 귀화인은 단지 과거에만 살고 있는 것이 아니라 현재에도 계속 진행 중인 사안이라는 점에서 주목할 만하다. 세계 속에 이름을 떨칠 한국계 외국인과 외국 출신이지만 한국 국적으로 또 다른 역사를 만들어 갈 인물의 탄생을 기대해 본다.

－ 신병주(건국대 사학과 교수)

사회

제 II 부

실전 TEST **01** 사회 / 법률

[평가원 기출]

☑ 지문 분석 노트

① _____

A회사의 온라인 취업 사이트에 갑을 비롯한 수만 명의 가입자가 개인 정보를 제공하였다. 누군가 A회사의 시스템 관리가 허술한 것을 알고 링크 파일을 만들어 자신의 블로그에 올렸다. 이를 통해 많은 이들이 가입자들의 정보를 자유롭게 열람하였다. 이 사실을 알게 된 갑은 A회사에 사이트 운영의 중지와 *배상을 요구하였지만, A회사는 거부하였다. 갑은 소송을 검토하였는데, 받게 될 배상액에 비해 들어갈 비용이 적지 않다는 생각에 망설였다. 갑은 온라인 카페를 통해 소송할 사람들을 모았고 마침내 100명이 넘는 가입자들이 동참하게 되었다. 갑은 이들과 함께 ㉠공동 소송을 하여 A회사에 사이트 운영의 중지와 피해의 배상을 청구하였다.

② _____

공동 소송은 소송 당사자의 수가 여럿이 되는 소송을 말한다. 이는 저마다 개별적으로 수행할 수 있는 소송들을 하나의 절차에서 한꺼번에 *심리하고 진행할 수 있도록 배려하는 것으로서, 경제적이고 효율적으로 일괄 구제할 수 있다는 장점이 있다. 하지만 당사자의 수가 지나치게 많으면 한꺼번에 소송을 진행하기에 번거롭다. 그래서 실제로는 대개 공동으로 변호사를 선임하여 그가 소송을 수행하도록 한다. 또한 선정 당사자 제도를 이용할 수도 있는데, 이는 갑과 같은 이를 선정 당사자로 삼아 그에게 모두의 소송을 맡기는 것이다.

③ _____

위 사건에서 수만 명의 가입자가 손해를 입었지만, 배상받을 금액이 적은 탓에 대부분은 소송에 참여하지 않았다. 그리하여 전체 피해 규모가 엄청난 데 비하면, 승소해서 받게 될 배상금의 총액은 매우 적을 것이다. 이래서는 피해 구제도 미흡하고, 기업에 시스템을 개선하도록 하는 동기를 부여하지 못한다. 이를 해결할 방안으로 다른 나라에서 시행되는 집단 소송과 단체 소송 제도의 도입이 논의되어 왔다.

④ _____

집단 소송은 피해자들의 일부가 전체 피해자들의 이익을 대변하는 대표 당사자가 되어, 기업을 상대로 손해 배상 청구 등의 *소를 제기할 수 있도록 하는 방식이다. 만일 갑을 비롯한 피해자들이 공동 소송을 하여 승소한다면 이들만 배상을 받게 된다. 반면에 집단 소송에서 대표 당사자가 수행하여 이루어진 판결은 원칙적으로 소송에 참가하지 않은 사람들에게도 그 효력이 미친다. 그러나 대표 당사자는 초기에 고액의 소송 비용을 내야 하는 등의 부담이 있어 소송의 개시가 쉽지만은 않다.

⑤ _____

단체 소송은 법률이 정한, 전문성과 경험을 갖춘 단체가 기업을 상대로 침해 행위의 중지를 청구하는 소를 제기할 수 있도록 하는 제도이다. 위의 사례에서도 IT 관련 협회와 같은 전문 단체가 소송을 한다면 더 효과적일 수 있을 것이다. 하지만 단체 소송은 공익적 이유에서 인정되는 것이어서, 이를 통해 개인 피해자들을 위한 손해 배상 청구는 하지 못한다.

⑥ _____

최근에 ㉡우리나라도 집단 소송과 단체 소송을 제한적으로 도입하였다. 먼저 증권관련 집단소송법이 제정되어, 기업이 회계 내용을 허위로 공시하거나 조작하는 등의 사유로 주식 투자에서 피해를 입은 사람들은 집단 소송을 할 수 있게 되었다. 이후에 단체 소송도 도입되었는데, 소비자 분쟁과 개인 정보 피해에 한하여 소비자기본법과 개인정보 보호법에 규정되었다.

■ 주제 :

Words

• **배상** : 남의 권리를 침해한 사람이 그 손해를 물어 주는 일 • **심리** : 재판의 기초가 되는 사실 관계 및 법률 관계를 명확히 하기 위하여 법원이 증거나 방법 따위를 심사하는 행위 • **소(訴)** : 원고가 법원에 대하여 특정한 소송물의 정당성 여부를 심판하여 권리 보호를 허락하여 달라고 요구하는 신청

1 윗글의 내용 전개 방식에 대한 설명으로 가장 적절한 것은?

① 구체적인 사례를 제시하고 그와 관련되는 해결 방안과 한계를 설명하였다.
② 대립하는 원칙들 사이에 발생하는 문제를 검토하여 대안을 제시하였다.
③ 여러 유사한 개념들을 분석하고 해석하면서 하나의 이론 아래 통합하였다.
④ 이론적으로 설정한 가설에 대하여 현실적인 사례를 들어가며 논증하였다.
⑤ 문제 상황이 일어나게 된 근본 원인을 분석하여 일관된 해결책을 정립하였다.

2 윗글에 대한 이해로 적절하지 <u>않은</u> 것은?

① 선정 당사자 제도는 소송 당사자들이 한꺼번에 절차를 진행해야 하는 부담을 덜어줄 수 있다.
② 공동 소송은 다수의 피해자를 대신하여 대표 당사자가 소송을 수행한다는 점에서 공익적 성격을 지닌다.
③ 단체 소송에서 기업이 일으키는 피해를 중지시키려고 소를 제기할 수 있는 단체의 자격은 법률이 정한다.
④ 다수의 소액 피해가 발생한 사건이라도 피해자들은 공동 소송을 하지 않고 개별적으로 소송을 수행할 수 있다.
⑤ 일부의 피해자들이 집단 소송을 수행하여 승소하면 그런 소송이 진행되는지 몰랐던 피해자들도 배상받을 수 있다.

3 ㉠의 목적에 대한 설명으로 적절하지 <u>않은</u> 것은?

① 개인 정보의 침해가 계속 진행되는 것을 막고자 한다.
② 개인 정보를 철저히 관리하지 못한 책임을 묻고자 한다.
③ 개인 정보의 침해가 일어난 데 대한 배상을 받고자 한다.
④ 개인 정보를 판매한 데 대하여 경각심을 촉구하고자 한다.
⑤ 개인 정보의 침해를 당한 피해자들이 소송에 드는 비용을 절감하고자 한다.

4 ㉡의 결과로 볼 수 있는 것은?

① 포털 사이트의 개인 정보 유출로 피해를 입은 가입자들이 소를 제기하여 단체 소송을 할 수 있게 되었다.
② 기업의 허위 공시 때문에 증권 관련 피해를 입은 투자자들이 소를 제기하여 집단 소송을 할 수 있게 되었다.
③ 증권과 관련된 사건에서 피해자들은 중립적인 단체를 대표 당사자로 내세워 집단 소송을 수행할 수 있게 되었다.
④ 대기업이 출시한 제품이 지닌 결함 때문에 피해를 입은 소비자들이 소를 제기하여 집단 소송을 할 수 있게 되었다.
⑤ 소비자들이 기업에 손해 배상 청구의 소를 제기하였을 때 전문성 있는 소비자 협회가 대신 소송을 수행할 수 있게 되었다.

사회 / 문화 **02** 실전 TEST

[평가원 기출]

고대인들은 평상시에는 생존하기 위해 각자 노동에 힘쓰다가, 축제와 같은 특정 시기가 되면 함께 모여 신에게 •제의를 올리며 놀이를 즐겼다. 노동은 신이 만든 자연을 인간이 자신에게 유용하게 만드는 속된 과정이다. 이는 원래 자연의 모습을 훼손하는 것이기에 신에게 죄를 짓는 것이다. 이러한 죄를 씻기 위해 유용하게 만든 사물을 다시 원래의 상태로 되돌리는 집단적 놀이가 ⓐ바로 제의였다. 고대 사회에서는 가장 유용한 사물을 희생물로 바치는 제의가 광범하게 나타났다. 바친 희생물은 더 이상 유용한 사물이 아니기에 신은 이를 받아들였다. 고대인들은 신에게 바친 제물을 함께 나누며 모두 같은 신에게 속해 있다는 •연대감을 느꼈다.

고대 사회에서의 이러한 놀이는 자본주의 사회에 와서 많은 변화를 겪었다. 자본주의 사회는 노동을 합리적으로 조직하여 생산성을 극대화하고자 한다. 이를 위해 노동의 강도를 높이고 시간을 늘렸지만, 오히려 노동력이 •소진되어 생산성이 떨어지는 문제점이 발생하였다. 그래서 노동 시간을 축소하고 휴식 시간을 늘릴 필요가 있었다. 하지만 이 휴식 시간마저도 대부분 상품을 소비하는 과정으로 이루어진다. 예를 들어, 여행을 가려면 여행 상품을 구매하여 소비해야 한다. 이런 소비는 소비자에게는 놀이이지만 여행사에는 돈을 버는 수단이다. 결국 소비자의 놀이가 자본주의 시대에 가장 유용한 사물인 자본을 판매자의 손안에 가져다준다.

놀이가 상품 소비의 형식을 띠면서 놀이를 즐기는 방식도 변화한다. 과거의 놀이가 주로 직접 참여하는 형식으로 이루어졌다면, 자본주의 사회의 놀이는 대개 참여가 아니라 구경이나 소비의 형태로 이루어진다. 생산자가 이미 특정한 방식으로 소비하도록 놀이 상품을 만들어 놓았기 때문이다. 여행의 예를 다시 들면, 여행사는 여러 가지 여행 상품을 마련해 놓고 있고 소비자는 이를 구매하여 수동적으로 소비한다. 놀이로서의 여행은 탐구하고 창조하기보다는 주어진 일정에 그저 몸을 맡기면 되는 그런 것이 되었다.

그런데 이른바 디지털 혁명이 일어나면서 놀이에 자발적으로 직접 참여하여 즐기고자 하는 사람들이 늘어나고 있다. 이런 성향은 비교적 젊은 세대로 갈수록 더하다. 젊은 세대는 놀이의 주체가 되려는 욕구가 크다. 인터넷은 그런 욕구의 실현 가능성을 높여 준다. 인터넷의 주요 특성은 쌍방향성이다. 이는 텔레비전과 같은 대중 매체가 대다수의 사람들을 구경꾼으로 만들었던 것과 근본적으로 차이가 있다. 거의 모든 인터넷 사이트에서 사람들은 구경꾼이면서 참여자이며 수신자이자 송신자로 활동하며, 이러한 쌍방향적 활동 중에 참여자들 사이에 연대감이 형성된다.

✔ 지문 분석 노트

①

②

③

④

■주제 :

• **제의(祭儀)** : 제사의 의식 • **연대감** : 한 덩어리로 서로 연결되어 있음을 느끼는 마음 • **소진** : 점점 줄어들어 다 없어짐. 또는 다 써서 없앰.

1 윗글의 전개 방식에 대한 설명 중 가장 적절한 것은?

① 두 개념의 장단점을 비교하여 우열을 가리고 있다.

② 필자의 관점을 명시한 후 다른 관점과 비교하고 있다.

③ 다양한 경험적 사례를 바탕으로 개념의 타당성을 따지고 있다.

④ 서로 다른 두 이론을 통합하여 새로운 이론을 도출하고 있다.

⑤ 시대의 변화에 따른 중심 화제의 성격 변화를 서술하고 있다.

2 윗글의 내용과 일치하지 않는 것은?

① 고대 사회에서는 종교적 제의와 집단적 놀이가 결합되어 있었다.

② 고대 사회에서는 희생 제의를 통해 자연을 유용하게 만들려고 하였다.

③ 자본주의 사회에 들어서면서 휴식이 상품 소비의 성격을 띠게 되었다.

④ 자본주의 사회에서 놀이가 상품화되면서 놀이를 즐기는 방식도 변화되었다.

⑤ 인터넷의 쌍방향성은 놀이의 주체가 되려는 젊은 세대의 욕구 충족 가능성을 확대
   시켰다.

3 윗글과 관련하여 〈보기〉의 사례를 해석한 것으로 적절하지 <u>않은</u> 것은?

┤ 보기 ├

　회사원 A씨는 축구를 좋아한다. 최근 A씨는 근무 중 틈틈이 ㉠컴퓨터에 저장해 놓은 축구 경기 동영상을 즐겨 본다. 회사에서는 ㉡일 때문에 생긴 스트레스를 풀라고 이를 허용한다. 주말이나 휴일 아침에 A씨는 ㉢친구들과 모여 축구 시합을 하고, 저녁에는 ㉣경기장에 직접 가서 프로 축구 경기를 관람한다. 가끔 새벽에는 ㉤실시간으로 생중계되는 인터넷 축구 방송을 보면서 친구들과 댓글을 달며 같은 팀을 응원하기도 한다.

① ㉠은 쌍방향적 놀이 활동이라고 볼 수 있겠군.
② ㉡은 생산성을 떨어뜨리지 않기 위한 조치라 볼 수 있겠군.
③ ㉢은 자발적으로 놀이에 참여한 예라고 볼 수 있겠군.
④ ㉣은 놀이의 구경꾼으로서 활동하는 것이라 볼 수 있겠군.
⑤ ㉤은 친구들 사이의 연대감을 생기게 한다고 볼 수 있겠군.

4 문맥상 ⓐ의 의미와 가장 가까운 것은?

① 집에 도착하거든 <u>바로</u> 전화해 주십시오.
② 청소년의 미래는 <u>바로</u> 나라의 미래이다.
③ 마음을 <u>바로</u> 써야 복을 받는다고들 한다.
④ 우리는 국기를 <u>바로</u> 다는 방법을 배웠다.
⑤ 학생들은 모자를 <u>바로</u> 쓰고 단정히 앉았다.

실전 TEST 03 사회 / 경제

[평가원 기출]

☑ 지문 분석 노트

①

②

③

④

■주제 :

일반적으로 환율*의 상승은 경상 수지*를 개선하는 것으로 알려져 있다. 이를테면 국내 기업은 수출에서 벌어들인 외화를 국내로 들여와 원화로 바꾸기 때문에, 환율이 상승한 경우에는 외국에서 우리 상품의 외화 표시 가격을 다소 낮추어도 수출량이 늘 어나면 수출액이 증가한다. 동시에 수입 상품의 원화 표시 가격은 상승하여 수입품을 덜 소비하므로 수입액은 감소한다. 그런데 이와 같이 환율 상승이 항상 경상 수지를 개 선할 것 같지만 반드시 그런 것은 아니다.

환율이 올라도 단기적으로는 경상 수지가 오히려 악화되었다가 점차 개선되는 현상 이 있는데, 이를 그래프로 표현하면 J자 형태가 되므로 'J커브 현상'이라 한다. J커브 현상에서 경상 수지가 악화되는 원인 중 하나로, 환율이 오른 비율만큼 수입 상품의 가 격이 오르지 않는 것을 꼽을 수 있다. 이는 환율 상승 후 상당 기간 동안 외국 기업이 매출 감소를 우려해 상품의 원화 표시 가격을 바로 올리지 않기 때문이다. 또한 소비자 들의 수입 상품 소비가 가격 변화에 따라 줄어들기까지는 상당 기간이 소요된다. 그뿐 만 아니라, 국내 기업이 수출 상품의 외화 표시 가격을 낮추더라도 외국 소비자가 이를 인식하고 소비를 늘리기까지는 다소 시간이 걸린다. 그러나 J커브의 형태가 보여 주듯 이, 당초에 올랐던 환율이 지속되는 상황에서 어느 정도 시간이 지나 상품의 가격 및 물량의 조정이 제대로 이루어진다면 경상 수지가 개선된다.

한편, J커브 현상과는 별도로 환율 상승 후에 얼마의 기간이 지나더라도 경상 수지 의 개선을 이루지 못하는 경우도 있다. 첫째, 상품의 가격 조정이 일어나도 국내외의 상품 수요가 가격에 어떻게 반응하는가 하는 수요 구조에 따라 경상 수지는 개선되지 못하기도 한다. 수출량이 증가하고 수입량이 감소하더라도, ㉠경상 수지가 그다지 개 선되지 않거나 오히려 악화될 수도 있다는 것이다. 둘째, 장기적인 차원에서 ㉡수출 기업이 환율 상승에만 의존하여 품질 개선이나 원가 절감 등의 노력을 계속하지 않는 다면 경쟁력을 잃어 경상 수지를 악화시킬 수도 있다.

우리나라의 경우 환율은 외환 시장에서 결정되나, 정책 당국이 필요에 따라 간접적 으로 외환 시장에 개입하는 환율 정책을 구사한다. 경상 수지가 적자 상태라면 일반적 으로 고환율 정책이 선호된다. 그러나 이상에서 언급한 환율과 경상 수지 간의 복잡한 관계 때문에 환율 정책은 신중하게 검토되어야 한다.

* 환율 : 외화 1단위와 교환되는 원화의 양
* 경상 수지 : 상품(재화와 서비스 포함)의 수출액에서 수입액을 뺀 결과. 수출액이 수입액보다 클 때는 흑자, 작을 때는 적자로 구분함.

1 윗글에서 다루지 <u>않은</u> 내용은?

① 환율 상승에 따르는 수입 상품의 가격 변화
② 경상 수지 개선을 위한 고환율 정책의 필연성
③ 가격 변화에 대한 외국 소비자의 지체된 반응
④ 국내외 수요 구조가 경상 수지에 미치는 영향
⑤ 환율 상승이 경상 수지에 미치는 영향에 대한 일반적인 기대

2 윗글을 바탕으로 〈보기〉의 J커브 그래프를 해석한 내용으로 옳은 것만을 있는 대로 고른 것은?

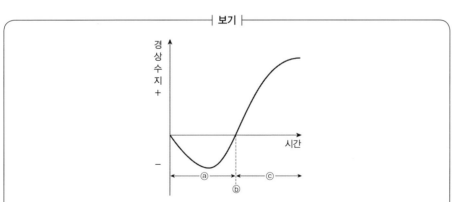

ㄱ. 수입 상품 가격의 상승 비율이 환율 상승 비율에 가까울수록 ⓐ의 골이 얕아진다.
ㄴ. 수출 기업의 품질 및 원가 경쟁력이 강화될수록 ⓐ 구간이 넓어진다.
ㄷ. ⓑ를 기점으로 하여 환율이 상승하게 된다.
ㄹ. ⓒ는 환율 상승을 통해 경상 수지 개선 효과가 나타나는 구간이다.

① ㄱ, ㄷ   ② ㄱ, ㄹ   ③ ㄴ, ㄷ
④ ㄱ, ㄴ, ㄹ   ⑤ ㄴ, ㄷ, ㄹ

3 ㉠의 이유로 가장 적절한 것은?

① 환율이 상승하면 국내외 상품의 수요 구조에 따라 수출 상품의 가격 조정이 선행될 수 있다.

② 환율이 상승하더라도 국내외 기업은 환율이 얼마나 안정적인지 관찰한 후 가격을 조정한다.

③ 환율이 상승하더라도 경우에 따라서는 국내외 상품 수요가 가격에 민감하지 않을 수 있다.

④ 가격의 조정이 신속하게 이루어질수록 국내외 상품 수요는 가격에 민감하게 반응한다.

⑤ 국내외 상품 수요가 가격에 얼마나 민감한지는 경상 수지의 개선 여부와는 무관하다.

4 ㉡에 대해 〈보기〉처럼 이해한다고 할 때, 밑줄 친 곳에 들어갈 말로 가장 적절한 것은?

┤ 보기 ├

_____ 더니, 수출 기업이 환율 상승만 믿고 경쟁력을 제고하기 위한 방책을 강구하지 않는다는 말이군.

① 감나무 밑에 누워 홍시 떨어지기를 바란다

② 소도 비빌 언덕이 있어야 비빈다

③ 가난 구제는 나라님도 어렵다

④ 원숭이도 나무에서 떨어진다

⑤ 말 타면 경마 잡히고 싶다

[평가원 기출]

현대 사회가 다원화되고 복잡해지면서 중앙 정부는 물론, 지방 자치 단체 또한 정책 결정 과정에서 능률성과 효과성을 우선시하는 경향이 커져 왔다. 이로 인해 전문적인 행정 담당자를 중심으로 한 정책 결정이 빈번해지고 있다. 그러나 지방 자치 단체의 정책 결정은 지역 주민의 의사와 무관하거나 배치되어서는 안 된다는 점에서 이러한 정책 결정은 지역 주민의 의사에 보다 부합하는 방향으로 보완될 필요가 있다.

행정 담당자 주도로 이루어지는 정책 결정의 문제점을 극복하기 위해 그동안 지방 자치 단체 자체의 개선 노력이 없었던 것은 아니다. 지역 주민의 요구를 수용하기 위해 도입한 '민간화'와 '경영화'가 대표적인 사례이다. 이 둘은 모두 행정 담당자 주도의 정책 결정을 보완하기 위해 시장 경제의 원리를 부분적으로 받아들였다는 점에서는 공통되지만, 운영 방식에는 차이가 있다. ㉠민간화는 지방 자치 단체가 담당하는 특정 업무의 운영권을 민간 기업에 위탁하는 것으로, 기업 선정을 위한 공청회에 주민들이 참여하는 등의 방식으로 주민들의 요구를 반영하는 것이다. 하지만 민간화를 통해 수용되는 주민들의 요구는 제한적이므로 전체 주민의 이익이 반영되지 못하는 경우가 많고, 민간 기업의 특성상 공익의 추구보다는 기업의 이익을 우선한다는 한계가 있다. ㉡경영화는 민간화와는 달리, 지방 자치 단체가 자체적으로 민간 기업의 운영 방식을 도입하는 것을 말한다. 주민들을 고객으로 대하며 주민들의 요구를 충족하고자 하는 것이다. 그러나 주민 감시나 주민자치위원회 등을 통한 외부의 적극적인 견제가 없으면 행정 담당자들이 기존의 *관행에 따라 업무를 처리하는 경향이 나타나기도 한다.

이러한 한계를 해소하고 지방 자치 단체의 정책 결정 과정에서 지역 주민 전체의 의견을 보다 적극적으로 반영하기 위해서는 주민 참여 제도의 활성화가 요구된다. 현재 우리나라의 지방 자치 단체가 채택하고 있는 간담회, 설명회 등의 주민 참여 제도는 주민들의 의사를 간접적으로 *수렴하여 정책에 반영하는 방식인데, 주민들의 의사를 더욱 직접적으로 반영하기 위해서는 주민 투표, 주민 소환, 주민 *발안 등의 직접 민주주의 제도를 활성화하는 방향으로 주민 참여 제도가 전환될 필요가 있다.

[A] 직접 민주주의 제도의 활성화를 통해 지역 주민들이 직접적으로 정책 결정에 참여하게 되면, 정책 결정에 대한 주민들의 참여가 지속적이고 안정적으로 이루어질 수 있다. 그리고 각 개인들은 지역 문제에 대한 관심이 높아지고 공동체 의식이 고양되는 효과도 기대된다. 또한 이러한 직접 민주주의 제도를 통해 전체 주민의 의사가 *가시적으로 잘 드러날 뿐만 아니라, 이에 따라 행정 담당자들도 정책 결정에서 전체 주민의 의사를 더 적극적으로 고려하게 된다. 아울러 주민들의 직접적인 참여를 통해 정책에 대한 지지와 행정에 대한 신뢰가 높아짐으로써 주민들이 정책 집행에 대해 적극적으로 협조하는 경향이 커지게 될 것이다.

✔ 지문 분석 노트

①

②

③

④

■주제 :

Words

• **관행(慣行)** : 오래전부터 해 오는 대로 함. 또는 관례에 따라서 함.　• **수렴** : 의견이나 사상 따위가 여럿으로 나뉘어 있는 것을 하나로 모아 정리함.　• **발안**
(發案) : 안(案)을 생각해 냄. 또는 그 안　• **가시적** : 눈으로 볼 수 있는. 또는 그런 것

1 윗글에 대한 설명으로 적절하지 <u>않은</u> 것은?

① 지방 자치 단체의 정책 결정 과정을 중앙 정부와 대비해서 기술하고 있다.

② 지방 자치 단체가 주민 참여 제도를 활성화해야 하는 이유를 제시하고 있다.

③ 지방 자치 단체가 채택하고 있는 주민 참여 제도의 종류를 제시하고 있다.

④ 지방 자치 단체가 직접 민주주의 제도를 활성화했을 때의 효과를 말하고 있다.

⑤ 지방 자치 단체가 자체적으로 도입하고 있는 정책 결정 방식의 개선 노력을 설명하고 있다.

2 ㉠과 ㉡에 대한 설명으로 적절하지 <u>않은</u> 것은?

① ㉠은 기업의 이익을 중시하여 전체 주민의 이익을 소홀히 할 우려가 있다.

② ㉡이 성공적으로 시행되려면 정책 결정 과정에 외부의 견제 장치가 필요하다.

③ ㉠과 ㉡은 모두 행정 담당자 주도의 정책 결정을 보완하기 위해 도입되었다.

④ ㉠과 ㉡은 모두 지방 자치 단체가 외부에 정책 결정권을 위임하는 방식이다.

⑤ ㉠과 ㉡은 모두 지방 자치 단체의 정책 결정에 지역 주민의 요구를 반영하기 위해 도입되었다.

3 [A]와 관련하여 〈보기〉를 이해한 것으로 가장 적절한 것은?

┤ 보기 ├

　　○○시는 지방 자치 단체의 운영 재원을 확충하기 위해 쓰레기 매립장 유치를 추진했다. 이에 대해 찬성 측은 재원 확충에 따라 지역 주민의 복지가 향상될 것이라고 주장한 반면, 반대 측은 지역의 환경오염 문제가 심화되어 삶의 질이 나빠질 것이라고 주장했다. 이에 ○○시는 해당 정책에 대해 주민 투표를 실시했는데, 주민의 80%가 투표에 참여했다. 투표 결과 52.5% 대 47.5%로 찬성이 많았으나, 반대하는 주민들이 투표 결과에 불복하여 주민 간에 반목이 심해졌다. 주민 간의 갈등이 심화되면서 해당 정책의 결정이 지연되어 행정에 대한 불신이 커졌고, 상당수의 주민들은 다른 정책에 대해서도 협조를 하지 않는 현상이 나타났다. 또한 주민 투표 제도에 대해서 회의를 느끼는 주민들이 다른 정책에 대한 주민 투표를 거부하는 일이 생기기도 했다.

① 찬성이 더 많은 투표 결과를 보니, 지역 주민들의 공동체 의식이 고양된다는 사실을 확인할 수 있군.

② 찬성 측과 반대 측의 견해가 대립하는 것을 보니, 행정에 대한 주민들의 신뢰가 높아진다는 사실을 확인할 수 있군.

③ 해당 정책의 결정이 지연되는 것을 보니, 정책 결정에 대한 주민들의 참여가 안정적으로 이루어진다는 사실을 확인할 수 있군.

④ 다른 정책에 대해서 주민 투표를 거부하는 일이 생기는 것을 보니, 정책에 대한 주민들의 지지가 높아진다는 사실을 확인할 수 있군.

⑤ 투표 결과를 수용하지 않는 주민들이 있는 것을 보니, 주민의 직접 참여에 의한 정책 결정인 경우에도 주민들이 비협조적인 경우가 있다는 사실을 확인할 수 있군.

제3자 효과 이론

다원적 무지*와 유사한 이론으로 '제3자 효과 (the third-person effect)' 이론이 있다. 이는 미디어 영역에서 발생하는 다원적 무지 현상의 하나로, 어떤 메시지에 접한 사람은 그 메시지의 효과가 자신이나 2인칭인 '너'보다는 전혀 다른 '제3자'에게 강하게 작용할 것이라고 보는 경향을 의미한다. 즉, '그들'이 받는 영향은 과대평가하고, '우리'가 받는 영향은 과소평가한다는 것이다.

1945년 2월 미국 해병대는 도쿄에서 약 1,200킬로미터 떨어진 이오지마 섬의 작은 화산섬을 점령했다. 당시 일본군은 이오지마 섬에 주둔하고 있던 흑인 사병과 백인 장교로 편성된 부대에 흑인 병사들에게 투항하라는 내용을 담은 전단을 살포했다. 그런데 실제로 그 전단의 내용에 영향을 받은 것은 흑인 병사들이 아니라 백인 장교들로, 이들은 그 전단의 내용에 영향을 받은 흑인 사병들의 탈주가 우려되어 이튿날 부대를 철수하게 했다. 프린스턴대학의 사회학자 필립스 데이비슨은 제2차 세계대전에 관한 기록을 검토하면서 이 사건에 주목하게 되었는데, 이게 바로 커뮤니케이션의 제3자 효과 이론이 나오게 된 배경이다.

이 이론은 오늘날 프로파간다*나 정치 영역뿐만 아니라 다양한 분야에 적용되고 있는데, 그간의 연구에 따르면 제3자 효과는 특히 전문적 지식을 갖춘 엘리트나 정책 결정권자들에게 나타날 가능성이 높다고 한다. 정치 지도자나 종교 지도자가 다른 의견에 대해 검열 또는 박해를 가하는 것도 이 같은 제3자 효과를 두려워하기 때문이다.

여러 실험 결과에 따르면, 미디어의 메시지가 자신에게 이익이 되느냐 아니냐가 제3자 효과의 유무를 결정하는 관건이 된다고 한다. 즉, 자신에게 부정적인 결과를 초래하는 메시지에 대해서는 자신보다 다른 사람들이 많은 영향을 받을 것이라고 예상하지만, 긍정적 효과를 가지는 메시지에 대해서는 그것이 자신들에게 미친 효과와 비슷하게 다른 사람들에게도 영향을 끼칠 것이라고 본다는 것이다. 미디어의 폭력 묘사 규제, 술담배 광고 규제 등 부정적인 것으로 간주되는 것에 대한 규제가 이루어질 수 있는 심리적 배경에는 바로 이러한 제3자 효과가 자리 잡고 있다.

리처드 펄로프는 제3자 효과가 발생하는 이유를 남보다 자신을 좋게 보는 인간의 본성 때문이라고 설명했다. 미디어로부터 영향을 받았다고 인정하는 것은 잘 속는다는 것을 인정하는 것과 마찬가지일 수 있다. 자신은 미디어 효과로부터 약하지 않고 다른 사람들은 미디어 효과에 약하다고 가정함으로써 사람들은 자아를 긍정적으로 유지하면서 다른 사람들보다 우월하다는 신념을 재확인하게 된다는 것이다. 그는 또 다른 이유로 예측하기 어려운 사건을 통제하려는 욕구를 들었다. 우리는 우리 자신이 매스미디어로부터 영향을 받지 않는다는 가정 하에, 미디어가 점령한 이 세상에 적응하면서 미디어를 이용하고 만족을 얻으며 우리 삶에 미디어를 통합할 수 있다고 생각한다는 것이다.

* 다원적 무지 : 어떤 사건이나 이슈에 대한 소수의 의견을 다수의 의견이라고 잘못 인식하거나 그 반대로 다수의 의견을 소수의 의견으로 잘못 인식하는 것
* 프로파간다(propaganda) : 어떤 것의 존재나 효능 또는 주장 따위를 남에게 설명하여 동의를 구하는 일이나 활동. 주로 사상이나 종교적 가르침 따위의 선전을 말함.

— 강준만, 『감정독재』

● 단락 요지 ●

1문단 : 제3자 효과 이론의 개념

2문단 : 제3자 효과 이론이 나오게 된 배경

3문단 : 제3자 효과가 나타날 가능성이 높은 대상

4문단 : 제3자 효과에 의한 부정적인 것에 대한 규제

5문단 : 제3자 효과가 발생하는 이유

● Quiz ●

1. 제3자 효과 이론에 따르면 사람들은 부정적인 결과를 초래하는 메시지가 자신보다 다른 사람들에게 더 영향을 미친다고 생각한다. (○, ×)
2. 제3자 효과가 발생하는 이유는 남보다 자신을 [   ] 보는 인간의 본성과 예측하기 어려운 사건을 [   ]하려는 욕구 때문이다.

정답 : 1. ○ 2. 좋게, 통제

특허법

84세의 나이로 세상을 뜬 토머스 에디슨은 평생 동안 1,300여 종의 특허를 획득한 천재 발명왕이다. 그러나 우리는 성공한 에디슨은 알고 있지만 실패한 에디슨에 대해서는 잘 알지 못한다.

우리나라 말 중에 '청기와 장수'라는 것이 있다. 옛날에 청기와 굽는 법을 어떤 사람이 알아냈지만 혼자 이익을 독차지하기 위해 아무에게도 방법을 알려주지 않고 죽는 바람에 후세에 그 비법이 전해지지 못했다는 이야기에서 비롯된 말이다. 이처럼 한국 사회에서는 비법이나 비방과 같은 지식 정보가 사회적으로 공개·전승되는 법이 없었다. 혹자는 그것이 바로 산업화에 실패하고 기술의 낙후를 불러온 잘못된 민족성의 하나라고 말하기도 한다. 하지만 만약 '특허법'이라는 지식 정보에 대한 재산권을 인정하는 사회적 장치가 없었다면 서구 사회라고 한들 '청기와 장수'가 없었겠는가.

에디슨이 그 많은 발명과 특허를 낼 수 있었던 것은 개인의 재능 때문만이 아니라, 지식정보를 소중히 여기고 그것을 개인의 재산권으로 인정해준 '프로 패턴트(Pro Patent)'라는 정책이 있었기 때문이다. 웬만한 지식인들도 미국 연방헌법 제1조에 특허법이 명시되어 있다는 사실을 모른다. 하지만 미국이 영국에서 독립하자마자 제정한 1788년의 미연방헌법 제1조 8항 8절에는 특별한 지식을 이용하여 발명한 물건에 대해 일정 기간 동안 국가가 이익을 보장해 주는 특허법이 명시되어 있다.

대부분의 사람들은 링컨 대통령이 흑인 노예 해방의 아버지라는 것을 잘 알고 있지만, 그가 특허 정책의 아버지라는 사실은 잘 모른다. 링컨은 프로 패턴트 정책을 추구했을 뿐만 아니라, 그 스스로가 특허를 획득한 최초의 대통령이었다. 남북 전쟁이 일어났을 때 초기에 열세였던 북군이 남군을 꺾고 승리할 수 있었던 것도 많은 발명가들이 특허권을 존중하는 링컨 편에 서서 신무기를 개발해 주었기 때문이다. 이로 인해 연발식 라이플총이나 지뢰와 같은 신문기로 무장한 북군이 남군의 군사력을 궤멸시킬 수 있었다.

지적 재산권을 인정하는 특허법을 가장 처음 실시한 나라는 이탈리아였다. 1474년 베네치아공화국에서는 '발명자 조례'를 만들어 10년 간 기술 상품을 독점 발매할 수 있도록 하였다. 이를 통해 지식 정보가 모여들면서 이탈리아는 결국 르네상스의 발원지가 되어 세계를 이끌 수 있게 되었다. 그 뒤 이 법을 도입한 것은 영국이었다. 영국은 1624년 이 법을 바탕으로 '전매 조례'를 제정하여 영국인과 외국인을 가리지 않고 평등하게 적용하였다. 이로써 존 케이의 고속 직조기나 제임스 와트의 증기 기관을 비롯한 역사적 발명품이 차례로 등장하게 되었고, 영국은 산업혁명을 일으킨 나라가 되었

▲ 존 케이의 고속 직조기

다. 그리고 이어 법을 도입한 나라가 바로 미국이었고, 미국에서 이 법이 꽃을 피우면서 에디슨을 배출하고, 20세기의 산업 사회를 주도하는 여러 시스템을 낳았다.

이러한 사회·역사적 배경 덕분에 에디슨은 성공할 수 있었다. 인류 최초로 소리를 축적하여 자본화할 수 있는 기계를 만들어낸 사람이 공식적으로는 에디슨으로 알려져 있다. 그러나 이보다 앞서 그 원리와 이론, 그리고 실험기기를 만들어 낸 사람은 포노그래프(Phonograph)라는 장치를 만들어낸 프랑스 인쇄 식자공 레옹 스코트였다. 마찬가지로 프랑스의 샬 크로도 에디슨의 포노그래프 원리와 거의 같은 내용을 담은 논문「청각에 의해 인식된 형상의 기록과 재생 방법」을 1877년 4월 30일 프랑스 과학 아카데미에 제출했지만, 1년 넘게 개봉되지 않고 다음해 11월에야 발표되는 바람에 에디슨이 특허권을 얻은 후 거의 1년 뒤에 뒷북을 친 꼴이 되고 말았다.

▲ 에디슨의 축음기

– 이어령,「디지로그」

갖고 있는 것은 놓치기 싫다

코넬(cornell)대학 학생들에게 그 학교 로고가 박혀있는 머그잔을 나눠 주고 학생들 사이에서 어떻게 거래가 이루어지는지 실험해 보았다. 우선 한 강의실 안의 학생들 중 무작위로 반을 골라 머그잔을 하나씩 나눠 준다. 다음에는 학생들에게 그것을 자세히 들여다보고 자신에게 어느 정도의 가치가 있는지 생각해 보게 한다. 그리고 그 머그잔을 받은 사람과 받지 못한 사람 사이에서 교환이 이루어지는지 여부를 실험해 본다. 교환이 이루어지는 기본적 규칙은 보통의 상품이 거래되는 것과 전혀 차이가 없다. 즉, 머그잔을 갖지 못한 사람이 최대한으로 지불할 용의가 있는 금액이 머그잔을 갖고 있는 사람이 최소한으로 받아야겠다는 금액보다 더 크면 둘 사이에 교환이 이루어지는 것이다.

그런데 실험 결과 이상한 현상이 발견되었다. 머그잔을 갖고 있는 사람이 최소한 받아야겠다고 말하는 금액은 갖고 있지 않은 사람이 최대한으로 내겠다는 금액보다 더 큰 것으로 나타났기 때문이다. 머그잔을 갖고 있는 사람들이 최소한 받아야겠다는 금액과 머그잔을 갖지 않은 사람들이 최대한 내겠다는 금액의 차이는 거의 두 배에 가까웠다.

왜 이런 현상이 나타났을까? 이는 어떤 물건을 갖고 있는 사람이 그것을 포기하는 것을 꺼려하기 때문이다. 따라서 상대적으로 더 높은 금액을 받아야만 그 물건을 넘겨주겠다는 태도가 나온 것이다. 행태경제학자들은 이런 현상이 나타나게 만드는 이유가 부존 효과(endowment effect)*에 있다고 말한다. '부존'은 소유하고 있다는 것을 뜻한다고 생각하면 된다. 또한 행태경제학자들은 이것이 지금 갖고 있는 것을 잃어버리는 것을 특히 싫어하는 사람들의 손실 기피적인 태도와 밀접한 관련이 있는 것으로 해석한다. 자신이 갖고 있는 머그잔을 잃어버리는 것이 싫기 때문에 높은 가격을 주어야만 팔겠다는 태도를 보인다는 것이다.

장사를 하는 사람들은 이 부존 효과를 이용하여 이윤을 더 크게 만드는 수완을 발휘하기도 한다. 살면서 돈은 나중에 지불해도 되니까 어떤 물건을 우선 써 보라는 권유를 받아 본 적이 있을 것이다. 혹은 케이블 TV 회사로부터 영화까지 볼 수 있는 비싼 패키지를 석 달 동안 일반 요금에 써 보라는 제의를 받아 본 적도 있을 수 있다. 과연 그 장삿속이 무엇일까? 이들은 행태경제 이론이라는 말을 들어 본 적도 없겠지만, 이 이론을 적절하게 이용하여 이윤을 더 크게 만들고 있다.

이들이 그와 같은 제의를 통해 노리고 있는 것은 부존 효과를 만들어 내는 것이다. 예를 들어 어떤 운동 기구에 12만 원의 가격표가 붙어 있는데 소비자는 10만 원까지만 낼 용의가 있다고 하자. 그렇다면 그는 운동 기구를 사지 않기로 결정할 것이다. 가게 주인은 사지 않겠다고 돌아서는 그를 붙잡고 늘어지면서 아무 조건 없이 한 달만 써 보라고 권한다. 그런데 그 물건을 써 보는 과정에서 부존 효과가 발생해 소비자는 이제 13만 원까지 낼 용의를 갖게 되었다. 한 달 후 그는 물건을 되돌려 주지 않고 12만 원을 내기로 결정한다. 케이블 TV 회사나 가게 주인이 노리는 것이 바로 이러한 효과이다. 따라서 아무 조건 없이 써 보라는 권유를 액면 그대로 믿어서는 안 된다.

* 부존 효과 : 어떤 물건을 갖고 있는 사람은 그것을 갖고 있지 않은 사람에 비해 그 가치를 더 높게 평가하는 경향
— 이준구, 『36.5℃ 인간의 경제학』

● 단락 요지

1문단 : 코넬대 학생들을 대상으로 한 실험 과정

2문단 : 코넬대 학생들을 대상으로 한 실험 결과

3문단 : 부존 효과와 손실기피적인 태도

4문단 : 장사에 이용되는 부존 효과

5문단 : 부존 효과를 이용한 장사의 예

● Quiz

1. 행태경제학자들은 부존 효과가 손실 기피적인 태도와 밀접한 관련이 있는 것으로 생각한다. (○, ×)

2. 물건을 우선 써 보라고 하는 것은 부존 효과를 이용한 장사라고 볼 수 있다. (○, ×)

정답 : 1. ○ 2. ○

헌법에 나타나지 않은 권력

헌법은 시대의 거울이다. 그러나 시대의 모든 현상을 구체적인 문헌으로 반영하는 것은 아니다. 또 헌법에 근거를 둔 권력만이 현실의 권력은 아니다. 만일 몬테스키외가 무덤에서 나와 다시 자신의 명저 『법의 정신』의 개정판을 낸다고 가정해 보자. 국가 권력을 입법, 사법, 행정으로 삼분해 각각의 기관에게 소임을 맡기고 서로 감시, 견제하도록 해야만 나라 전체의 힘의 균형이 이루어지고, 이러한 균형에서 사회 발전이 담보된다는 것이 그가 주장한 삼권분립론의 요지다. 그러나 그의 이론은 공적 부문에 한정된 것으로, 제도 권력이 나라 전체 힘의 총합과 다름없었던 시절의 이론이었다. 시민 사회가 발전하고 사적 영역이 공적 영역을 압도하는 현상을 보이는 오늘날에는 국가 기관 밖에 엄연히 존재하는 권력이 있다. 몬테스키외도 이 점을 인정해야 할 것 같다. 자본주의와 자유민주주의가 융성함에 따라 국가 권력 이외의 다른 종류의 힘을 가진 세력이 등장해 국민 생활에 큰 영향을 미치게 된 것이다. 그 대표적인 예가 자본 권력과 언론 권력이다.

입법·행정·사법을 합친 제도 권력과 자본, 언론을 합쳐 새로운 삼권분립의 주체라고 부르며, '신삼권분립론'이라는 말이 탄생하기도 했다. 이러한 자본과 언론, 그리고 제도 권력 사이에도 견제와 균형의 원리가 적용되어야 한다. 제도 권력과 자본 권력이 밀착하면 부패와 비리가 발생하고, 언론이 정부와 밀착하면 국민에게 정확한 정보를 제공할 수 없기 때문이다. 그리고 언론과 자본이 결합하면 언론은 기업의 이익을 대변하는 경향을 띠게 된다. 영리 추구를 목적으로 하는 순수한 사적 권력인 자본 권력에 대해서는 경제 활동의 규제를 통해 공익성을 강요하게 된다.

그러나 언론 권력은 특수하다. 언론은 국민의 여론을 선도하고, 중요한 판단의 자료를 제공해 준다는 점에서 공적인 성격을 강하게 띤다. 언론의 중요한 역할은 건전한 비판을 통해 제도 권력과 자본 권력을 감시하고 견제하는 데 있다. 그런 의미에서 볼 때 언론은 정보 권력이라고 말할 수 있다. 흔히 매스미디어를 '제4의 신분(권력)'이라고 부르는 이유도 여기에 있다. 저널리즘이 존재하는 이유는 진실 전달을 통해 주권자로서의 시민에게 적정한 정보를 제공함에 있다. 원론적으로 매스미디어는 민주 사회에서 시민의 역할을 강화한다. 그러나 사실상 언론은 시민과는 별개의 독자적인 권력을 향유할 수 있고, 언론의 횡포는 "언론을 소유한 자만이 언론의 자유를 보장받는다."는 냉소적인 비판을 적절히 대변한다. 시장과 권력을 통제하기 위한 수단인 언론의 적절한 역할이 무엇인가는 사회 전체의 과제로 남아 있다. 21세기 초에 들어와서는 인터넷 언론 매체와 개인의 무분별한 언론 행위가 종래의 언론의 자유가 예상하지 못한 새로운 문제를 야기하고 있기도 하다.

– 안경환, 『법과 사회와 인권』

단락 요지

1문단 : 국가 기관 밖에 존재하는 권력인 자본 권력과 언론 권력

2문단 : 신삼권분립론 – 제도 권력, 자본, 언론

3문단 : 언론 권력의 특징

Quiz

1. 몬테스키외는 『법의 정신』에서 입법, 사법, 행정의 힘의 균형이 이루어져야 사회 발전을 이룰 수 있다고 주장했다. (○, ×)
2. 언론은 민주사회에서 [   ]의 역할을 강화하기도 하지만 [   ]과는 별개로 독자적인 권력을 가질 수도 있다.

정답 : 1. ○ 2. 시민

결과로부터 어떻게
원인을 예측할 수 있는가?
– 베이즈 정리

성공하든 실패하든, 어떤 일이 일어
나려면 반드시 원인이 있기 마련이다.
어떤 일의 원인을 밝힐 때 활용하는 것으
로 '베이즈 정리'라는 것이 있다. 베이즈
정리란 18세기 영국의 목사이자 수학자였
던 토머스 베이즈(1701~1761)가 작성한
논문에서 비롯된 이론이다. 베이즈 정리가
편리한 것은, 결과로부터 원인을 도출해낼 수
있기 때문이다. 예를 들어 의사는 환자에게서
나타나는 병의 다양한 증상을 종합적으로 살피
면서 증상의 원인을 추측한다. 발열, 가래, 콧물,
두통 등의 증상이 있으면 감기에 걸렸을 가능성
이 높다는 진단을 내리는 것처럼 말이다.

베이즈 정리는 이런 추측을 확률적으로 확인하는
방법이다. 예를 들어 설명하면 다음과 같다. A상자
에는 검은 구슬 3개와 하얀 구슬 1개가 들어 있다. B
상자에는 검은 구슬 1개와 하얀 구슬 3개가 들어 있
다. 겉으로만 봐서는 두 상자를 구분할 수 없다. 한쪽
상자에서 구슬 1개를 꺼낼 때 그 구슬이 검은 구슬이면,
그 상자가 A일 확률을 구해보자. 상자에서 구슬을 꺼내
기 전에는 A든 B든 어느 것이 선택되든지 그 확률은 모두
2분의 1이다. 그런데 상자에서 꺼낸 구슬이 검은 구슬이
면, 그 구슬을 꺼낸 상자가 A인 확률과 B인 확률은 변한다.
결론부터 말하면, 검은 구슬을 꺼낸 상자가 A일 확률은 4분
의 3이다. 이것은 A상자에 검은 구슬이 많이 들어 있기 때문
에 직감으로도 이해하기 어렵지 않다.

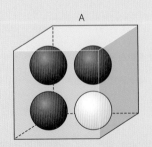 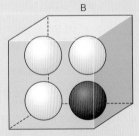

A상자에서 검은 구슬을 꺼낼 확률

(A상자에서 검은 구슬을 꺼낼 확률) + (B상자에서 검은 구슬을 꺼낼 확률)

$$= \frac{\frac{1}{2} \times \frac{3}{4}}{(\frac{1}{2} \times \frac{3}{4}) + (\frac{1}{2} \times \frac{1}{4})} = \frac{3}{8} \div \frac{1}{2} = \frac{3}{4}$$

베이즈 정리는 인터넷 시대에 접어들면서 스팸 메일을 구별
하는 기술에 널리 사용되면서 다시 한번 유명세를 탔다. 베이
즈 정리를 활용한 스팸 메일 분류 소프트웨어를 '베이즈 필터'
라고 부르기도 한다. 이 베이즈 필터를 사용하면, 이용자는
사전에 메일의 내용을 파악한 결과를 이용해 스팸 메일을
더욱 정확하게 구분해낼 수 있다. 스팸 메일에서 자주 사
용되는 단어나 표현을 모은 데이터베이스를 만들어서, 여
기에 해당되는 단어나 표현이 담긴 메일을 스팸 메일로
구분한다. 이 방법은 일반 메일에 대해서도 동일하게 적
용된다.

이렇게 구축된 데이터베이스에 근거하여 도착한 메
일의 내용을 분석한다. 이때 '베이즈 정리'를 이용한
확률에 기초해서, 방금 수신한 메일이 스팸 메일인
지 아니면 일반 메일인지를 가려내는 것이다. 예를
들어, 지금까지 받은 메일에서 '무료'라는 단어가
들어 있는 메일은 스팸 메일일 가능성이 높았다.
하지만 '무료' 단어가 있다고 하더라도 일반 메일
에서 자주 사용되는 단어가 많이 포함되어 있다
면, 그 메일이 스팸 메일이 아닐 수 있다는 점
도 잊지 말아야 한다. 확률이란 그렇게 될 가
능성을 수치로 산정한 것일 뿐이지, 그것이
아무리 높다고 해도 결코 진리가 되는 것은
아니기 때문이다.

베이즈 정리가 나온 지 250년이나 됐고
최근 여러 문제를 해결하는 데 자주 쓰이
고는 있지만 이에 대한 비판은 여전하
다. 베이즈 정리는 사전 정보가 확실한
것일 때만 성립하는 것인데 실제 상황
에서는 이 정보가 100% 확실한 경우
가 별로 없기 때문이다. 그럼에도 최
근 빅 데이터 과학에 베이즈 정리가
점점 더 많이 적용되고 있다. 데이
터(사전 정보)가 100% 확실한 게
아니더라도 그 자체의 정보량이
많아지면 이를 통계적으로 해석
해 베이즈 정리로 처리할 수 있
다는 것이 밝혀지고 있기 때문
이다.

– 노구치 데츠노리, 「숫자의 법칙」

다이아몬드가 물보다 비싼 이유

여러분은 가끔 이런 생각을 해 본 적이 있을 것이다. 우리가 늘 마시는 공기는 돈을 한 푼도 내지 않고 무한정으로 마실 수가 있는데 그저 멋을 내기 위해서만 쓰이는 다이아몬드나 금은 왜 그렇게 비쌀까? 공기는 우리들이 살아가는 데 없어서는 안 되는 것이지만 값을 치르지 않는다. 반면에 없더라도 우리의 생활에 별다른 불편을 주지 않는 다이아몬드나 금의 값은 너무 비싸다. 이 문제 때문에 고민을 한 사람은 여러분뿐만이 아니다. 영국 경제학자인 아담 스미스도 그 문제를 해결하기 위해 골머리를 앓았던 사람 중의 한 명이다.

아담 스미스는 궁리에 궁리를 한 끝에 이런 결론을 내렸다. 세상에 존재하는 모든 재화는 갖고 있는 사용 가치와 교환 가치가 다르다는 것이다. 그에 따르면 물은 사용 가치는 높지만 다른 것과 바꿀 수 있는 교환 가치가 낮기 때문에 값이 싸다. 그에 반해 다이아몬드나 금은 사용 가치는 별로 없지만 교환 가치가 높아서 비싸다는 것이다. 경제학에서는 이 문제를 하나의 재화에 서로 다른 두 가지의 가치가 존재한다는 의미로 '가치의 역설'이라고 부른다. 하지만 아담 스미스가 살던 시대가 지나자 이 문제에 대해 다르게 생각하는 학자들이 나오게 된다. 즉 자원의 값을 결정하는 것은 총효용이 아니라 한계 효용*이라는 것이다.

그럼 다이아몬드와 물의 한계 효용에 대해서 생각해 보자. 어떤 재화에 대한 소비가 늘어날수록 그 재화 한 단위가 주는 만족감은 점차 줄어들게 된다. 이것을 우리는 '한계 효용 체감의 법칙'이라고 한다. 이제 다이아몬드와 물의 존재량에 대해 생각해 보자. 여러분들도 물이 다이아몬드에 비해 상대적으로 그 존재량이 훨씬 많다는 것은 알고 있을 것이다. 보통 때 물은 우리 주위에 충분히 많기 때문에 만족스러울 정도로(한계 효용이 0이 될 정도로) 마실 수 있다. 하지만 다이아몬드의 존재량은 그렇지 않기 때문에 만족스러울 정도로 가질 수가 없다. 즉 존재량이 적기 때문에 한계 효용이 0이 되기도 전에 다이아몬드의 공급이 끝나버려 물처럼 한계 효용이 0이 될 때까지 쓸 수 없는 것이다. 물과 다이몬드의 한계 효용을 나타낸 그림을 살펴 보자.

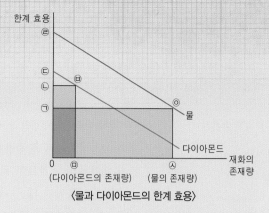

〈물과 다이아몬드의 한계 효용〉

그림에서 보면 다이아몬드의 존재량이 '0~ⓜ'밖에 되지 않는 반면에 물의 존재량은 '0~ⓐ'만큼이나 된다. 그리고 각각의 존재량에서의 한계 효용은 각각 '0~ⓛ'와 '0~ⓙ'이다. 우리는 이 그림에서 다이아몬드의 한계 효용이 물보다 크다는 것을 알 수 있다. 하지만 실제로 우리가 다이아몬드와 물에 대해 느끼는 만족감, 즉 총효용은 두 부분의 면적을 비교해 봤을 때 물이 다이아몬드보다 훨씬 더 크다는 것을 알 수 있다. 그러므로 어떤 재화를 사용함으로써 느끼는 전체적인 만족감은 총효용으로 표시되고, 그 가격은 한계 효용에 의해 결정되는 것을 알 수 있다. 이것은 다이아몬드뿐만 아니라 다른 상품도 마찬가지이다.

— 박상률 · 곽옥미, 『경제는 나의 힘』

* 한계 효용 : 일정한 종류의 재화가 잇따라 소비될 때 최후의 한 단위로부터 얻어지는 심리적인 만족도

• 단락 요지 •

1문단 : 비싼 다이아몬드의 값에 대한 의문

2문단 : 가격에 영향을 미치는 사용 가치와 교환 가치

3문단 : 한계 효용으로 본 물과 다이아몬드

4문난 : 만속감에 영향을 미치는 총효봉과 가격에 영향을 미치는 한계 효용

• Quiz •

1. 아담 스미스는 한계 효용에 의해 가격이 결정된다고 보았다.
   (○, ×)

2. 어떤 재화에 대한 소비가 늘어날수록 그 재화 한 단위가 주는 만족감은 점차 줄게 되는데, 이를 □□□□□□□이라고 한다.

정답 : 1. × 2. 한계 효용 체감의 법칙

실전 TEST 05 사회 / 법률

☑ 지문 분석 노트

①

②

③

④

⑤

우리나라는 로마법의 영향을 받은 *성문법 위주의 대륙법 체제를 따르는 국가이다. 따라서 국회를 ⓐ통과하여 만들어진 법률들이 논리정연하게 법전에 수록되어 있다. 과거 대부분의 국가들이 로마법을 따라 이러한 ㉠대륙법 체제를 갖출 때 유일하게 로마법을 받아들이지 않은 나라가 바로 영국이다. 영국은 자국의 전통적이고 토속적인 법제도를 ⓑ고수했는데, 이것이 바로 '코먼 로(common law)'이다. 이 코먼 로 법제는 성문법을 반대한다. 왜냐하면 법의 기본 원칙은 의회가 제정한 법률 속에서 발견되는 것이 아니라, 법원의 구체적인 판결에서 발견된다고 믿기 때문이다.

㉡코먼 로 법제에서 법은 *판례법 속에서 찾을 수 있다. 이 법제에서는 재판을 할 때 해당 사건과 비슷한 사건에 대한 판결이 있다면, 그 판결에서 적용한 법 원칙에 따른다. 이것이 바로 '선판례 구속의 원칙'이다. 이외에도 코먼 로 법제에는 섬나라 영국의 독특한 지방법을 ⓒ모태로 한 고유한 법 제도가 있다. 주민이 일종의 재판관으로서 재판에 일부 참여하는 *배심 제도 같은 것이 그것이다. 이 코먼 로 법제는 영국이 자국의 법제를 식민지에 이식하여 광범위한 지역으로 퍼져나갔다. 따라서 미국, 캐나다, 오스트레일리아, 뉴질랜드 등 오늘날 영어를 공용어로 쓰는 나라는 거의 이를 채택했다고 보아도 무방할 정도이다. 그래서 코먼 로 법제는 영미법제라고도 불린다.

영미법제는 대륙법보다 훨씬 더 상세하고 실제적이어서 법에 대한 대중의 이해가 높고, 국회의 입법 절차를 기다릴 필요가 없이 선판례에 의한 판결이 이루어지므로 변화하는 현실에 신속하게 ⓓ대응할 수 있다. 그러나 무엇이 법인가를 알기 위해서는 대륙법제처럼 법전을 펼쳐드는 것이 아니라 수백, 수천 권의 판례집을 뒤져야 할 정도로 모호한 법제이기도 하다. 또한 오늘날과 같은 복잡한 사회를 규율하기 위해서는 그만큼 많은 분량의 법령이 필요하기 때문에 정리를 해 두지 않으면 혼란에 빠지기 쉽다.

반면 대륙법 체제는 법이 무엇인가를 법전에 명료하게 제시하므로 영미법제보다 정확하다고 할 수 있다. 또한, 누구나 법률에 접근할 수 있다는 점에서 영미법제보다 민주적이고 발전적인 제도이며, 판사의 판결을 통해 과도한 입법권을 행사하지 못하도록 견제하는 기능을 갖추었다는 장점을 지닌다. 하지만 변화하는 현실에 신속히 대응하기 어렵고, 추상적인 *공리공론에 치우칠 수도 있는 제도이다.

나라별로 분리되어 발전해 온 두 법제는 오늘날 서로 상대방 법제의 장점을 받아들이면서 융합하고 있다. 예를 들면 대륙법제 국가에서는 성문법 못지않게 법원의 판례를 중시하게 되었다. 즉 판례에 따라 새로운 법 원리가 정립되고, 이것이 새로운 법이 되는 경우가 늘고 있다. 오늘날 우리나라에서도 판례를 익히지 않고 법전 속의 법률만 공부한다는 것은 반쪽짜리 공부에 불과할 정도이다. 영미법제를 따른 국가에서도 특히 상거래와 관련된 문제를 다룰 때에는 거의 성문법을 적용하고 있다. ㉢촌각을 다투는 비즈니스 거래에서 거래 당사자 간의 합의를 위한 명확한 규칙이 없다면, 상거래가 제대로 이루어질 수 없기 때문이다. 이와 같은 성문법의 필요성 때문에 미국은 1950년대에 상거래의 전 분야를 포함하는 통일상법전을 제정하였고, 그 이후에도 크고 작은 성문법을 계속 만들고 있다. 즉 미국에서는 상거래와 관련해서는 판례보다 법전을 우선적으로 보게 된 것이다.

■ 주제 :

Words

• **성문법(成文法)** : 문자로 적어 표현하고, 문서의 형식을 갖춘 법 • **판례법(判例法)** : 판례의 누적에 의하여 성립한, 법 규범으로서 성문화되지 아니한 법. 판례란 법원에서 동일하거나 비슷한 소송 사건에 대하여 행한 재판의 선례(先例)를 말한다. • **배심 제도(陪審制度)** : 법률 전문가가 아닌 일반 국민 가운데서 선출된 배심원으로 구성된 배심에서 기소나 심판을 하는 제도 • **공리공론(空理空論)** : 실천이 따르지 아니하는, 헛된 이론이나 논의

1 윗글에 대한 설명으로 적절한 것을 〈보기〉에서 골라 묶은 것은?

┤ 보기 ├

㉮ 구체적인 예를 들어 개념을 알기 쉽게 설명하고 있다.
㉯ 제도에 대한 관점 차이로 인해 발생하는 문제를 설명하고 있다.
㉰ 각 제도의 장점과 단점을 제시하여 특징을 정리하고 있다.
㉱ 현상의 원인에 대한 물음을 던지고 그에 대한 답을 제시하고 있다.

① ㉮, ㉯   ② ㉮, ㉰   ③ ㉮, ㉱
④ ㉯, ㉰   ⑤ ㉯, ㉱

2 ㉠과 ㉡에 대한 이해로 적절하지 않은 것은?

① ㉠은 ㉡에 비해 명료하고 정확하므로 법에 대한 대중의 이해가 높은 체제이다.
② ㉡은 법의 기본 원칙이 법원의 구체적인 판결에서 발견된다고 믿는 법 체제이다.
③ ㉡은 ㉠에 비해 변화하는 현실에 신속하게 대응하여 판결을 내릴 수 있는 체제이다.
④ ㉠은 의회가 제정한 법률을 따르므로 ㉡에 비해 추상적인 공리공론에 치우칠 수도 있다.
⑤ ㉠은 사회를 규율하는 법률의 내용이 법전에 제시되어 있으므로 누구나 법에 접근할 수 있다.

3 윗글을 읽은 학생이 〈보기〉의 프로그램 소개를 보고 내릴 수 있는 판단으로 적절하지 않은 것은?

─┤ 보기 ├─

- **프로그램** : 시사기획 ○○ "기로에 선 국민참여재판"
- **방송 일시** : △△월 □□일 밤 10시
- **기획 의도** : 국민참여재판은 일반 시민이 배심원으로 형사재판에 참여해 유무죄 판단을 한 뒤, 판사에게 평결의 결과와 형량에 대한 의견을 권고하는 일종의 배심 제도이다. 우리나라는 '국민의 형사재판 참여에 관한 법률'에 따라 2008년 1월부터 시범적으로 이 제도를 실시하고 있으며, 그 수는 해마다 증가하는 추세이다. 국민참여재판의 최대 강점은 공판중심주의, 즉 배심원들이 보는 앞에서 검사와 피고인, 변호인이 증거만을 놓고 공방을 벌이며, 이를 통해 유·무죄를 판단한다는 점이다. 이 때문에 그간 사법 불신의 원인으로 지목됐던 전직 판·검사 출신 변호사에 대한 특혜나 '유전무죄, 무전유죄(돈이 있을 경우 무죄로 풀려나지만 돈이 없을 경우 유죄로 처벌받는다는 말)' 논란은 차단된다. 반면에 일반인의 사법 참여가 가져올 문제점도 제기되고 있다. 이에 본 프로그램은 국민참여재판의 효과와 문제점을 합리적인 시각으로 분석해 보고자 한다.

① '국민참여재판'은 대륙법제에 코먼 로 법제를 일부 융합한 제도라고 볼 수 있겠군.
② '국민참여재판'은 영국이나 미국과 같은 국가의 법 제도를 참고하여 제정되었겠군.
③ '국민참여재판'은 법전에 근거한 판결이 제대로 이루어지지 않는 경우를 보완하기 위한 제도로군.
④ '국민참여재판'은 로마법의 영향을 받아 국민들을 법률적 판결에 참여하게 하는 민주적인 제도로군.
⑤ '국민참여재판'과 유사한 법 제도가 과거 영국의 식민지였던 국가들에 존재할 수 있겠군.

4 ⓐ~ⓔ의 문맥적 의미를 살려 문장을 만들 때, 적절하지 않은 것은?

① ⓐ : 내년도 예산안이 예산 결산 상임 위원회를 통과하였다.
② ⓑ : 그 선수는 경기 내내 1위를 고수하여 금메달을 획득하였다.
③ ⓒ : 고향에서 보낸 유년 시절의 경험은 내 인격 형성의 모태가 되었다.
④ ⓓ : 이번에 작품을 발표한 두 작가의 작품 경향은 대응되는 면이 많다.
⑤ ⓔ : 어제는 촌각을 지체할 수 없는 상황이 갑자기 발생하였다.

사회 / 경제 **06** 실전 TEST

생산자 이론에서는 '한계생산력 *체감의 법칙'이 중요한 역할을 한다. 이 법칙은 '인구는 식량에 비해서 급속하게 증가한다.'는 영국의 경제학자 맬서스의 '인구법칙'의 근거로 널리 알려져 있다. 인구가 늘어나는 만큼 식량을 생산하면 되는데 무엇이 문제가 되는 것일까? 맬서스의 주장에 따르면 땅은 제한되어 있기 때문에 노동력 투입량이 증가하는 것만큼 생산이 늘지는 않는다고 한다. 이 견해를 일반화하면 한계생산력 체감의 법칙이 된다. 즉 다른 생산 요소의 투입량을 일정하게 유지하는 가운데 어느 한 생산 요소의 투입량을 지속적으로 증가시키면 총생산은 증가하지만, 마지막으로 투입된 생산 요소 한 단위가 추가적으로 가져오는 생산의 최종적 증분, 즉 한계생산은 점차 감소한다는 것이다.

토지를 자본의 한 형태로 간주할 경우 생산 요소는 자본과 노동으로 나눌 수 있다. 자본의 투입량을 고정시킨 채 노동의 투입량을 늘려나가면 총생산은 증가하지만 마지막으로 투입한 노동 한 단위가 만들어 내는 한계생산물은 점차 감소한다. 반대의 경우에도 마찬가지이다. 그러면 생산자는 자본과 노동의 투입량을 어떻게 조합해야 주어진 비용으로 생산을 최대화할 수 있을까? 이를 그림으로 나타내 보자.

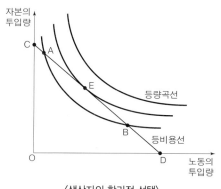

〈생산자의 합리적 선택〉

가로축과 세로축은 어떤 상품을 생산하는 데 들어가는 생산 요소의 양을 표시한 것이다. 특정한 생산량을 얻기 위해 생산자가 선택할 수 있는 모든 자본량과 노동량의 조합을 나타낸 것을 '등량곡선'이라고 한다. 등량곡선은 원점에서 멀수록 더 많은 생산량을 나타낸다. 생산자는 서로 다른 생산 요소를 투입해서 최대의 생산량을 얻으려 한다. 노동과 자본은 대체 투입할 수 있으며, 생산량에 아무런 변화를 주지 않으면서도 노동과 자본을 대체할 경우 그 대체 비율은 등량곡선 상의 한 점에 접하는 접선의 ⓐ기울기로 표현할 수 있다.

생산자는 언제나 더 많은 노동과 자본을 결합해서 더 많은 생산량을 얻기 원하지만 현실적으로 예산의 제약을 받는다. 예산제약선은 생산자가 동원할 수 있는 화폐의 전부로 자본을 구입할 경우인 점 C와 노동자만을 고용할 경우인 점 D를 잇는 직선이다. 예산제약선을 생산자 이론에서는 '등비용선'이라고 한다. 생산자는 현실의 제약 아래서 최대의 생산을 추구한다. 따라서 생산자는 등량곡선이 접하는 점 E에서의 노동량과 자본량의 조합을 선택함으로써 이러한 목적을 달성할 수 있다. 이 등량곡선보다 높은 곳에 있는 등량곡선은 예산 제약 때문에 도달할 수가 없다. 점 A나 B에서는 똑같은 비용

☑ 지문 분석 노트

①

②

③

④

을 쓰고도 점 E에서보다 생산량이 적다. 제시된 등비용선 위에서는 점 E가 원점에서 가장 먼 등량곡선에 도달하게 하며, 이 점에서 주어진 비용으로 최대의 생산량을 얻게 된다. ㉠이것은 소비자가 주어진 예산으로 최대의 *효용을 얻기 위해 두 재화의 소비량을 결정해야 할 때 부딪치는 문제와 똑같은 성격을 갖고 있다.

이를 통해 우리는 임금이 오르거나(노동력의 가격 인상) 국제 원유 가격이 오를 경우(자본재의 가격 인상) 등비용선이 어떻게 이동하는지, 그 결과 최대한의 생산을 얻기 위한 생산자의 노동력에 대한 수요나 자본의 투입이 어떻게 변화하는지 등을 예측해 볼 수 있다.

⑤
■주제 :

Words

• 체감(遞減) : 등수를 따라서 차례로 덜어 감. • 효용(效用) : 인간의 욕망을 충족시킬 수 있는 재화의 효능

1 윗글에 쓰인 설명 방법으로 가장 적절한 것은?

① 현상의 원인을 살핀 후, 다양한 해결 방안을 모색하고 있다.
② 용어의 개념을 정의한 후, 이와 관련된 이론을 언급하고 있다.
③ 두 관점의 장단점을 비교한 후, 절충되는 안을 소개하고 있다.
④ 물음을 던진 후, 구체적인 사례를 들어 주장을 뒷받침하고 있다.
⑤ 전문가의 말을 인용한 후, 중심 개념의 변천 과정을 규명하고 있다.

2 윗글의 내용과 일치하지 않는 것은?

① 생산자의 생산의 증대에 대한 욕구는 현실적인 제약을 받는다.
② 일정한 생산량을 유지하면서 노동과 자본을 서로 대체하는 것은 불가능하다.
③ 맬서스는 제한된 땅 때문에 노동력의 투입만큼 식량의 생산이 늘지 않는다고 보았다.
④ 자본의 투입량을 고정시킨 후 노동의 투입량을 늘려나가면 노동의 한계생산물은 점차 감소한다.
⑤ 하나의 생산 요소 투입량을 일정하게 유지하면서 다른 생산 요소의 투입량을 증가시키면 총생산은 늘어난다.

3 〈보기〉를 ⊙의 사례라고 할 때, 윗글을 바탕으로 이해한 내용으로 적절하지 <u>않은</u> 것은?

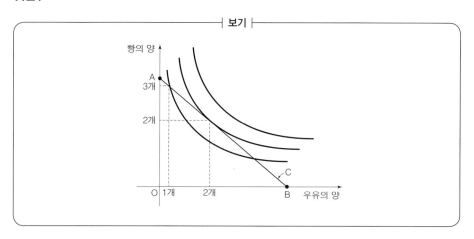

① C는 예산의 제한을 받고 있는 것을 나타낸다.

② C가 원점에서 멀리 이동할수록 더 많은 효용을 얻게 된다.

③ 빵과 우유를 각각 2개씩 구입하는 것이 최대의 효용을 얻는 것이다.

④ 만약 A가 고정된 상태에서 우유 값이 내린다면 B는 오른쪽으로 이동하게 된다.

⑤ 빵 3개와 우유 1개를 구입하는 것은 빵과 우유를 각각 2개씩 구입했을 때보다 효용 이 떨어진다.

4 〈보기〉를 참고할 때, @와 단어 형성 방식이 같은 것은?

─┤ 보기 ├─

@의 '기울기'는 어근 '기울−'과 접사 '기'가 결합한 것으로 볼 수 있다. 이런 점을 고려해 보면, '기울기'는 접미사가 결합한 파생어라고 할 수 있다.

① 맨손　　　　② 코웃음　　　　③ 지우개

④ 헛소문　　　　⑤ 어깨동무

실전 TEST 07 사회 / 복지

✔ 지문 분석 노트

① ___

___

② ___

③ ___

④ ___

　초기의 사회 복지는 장애인, 고아, 노약자 등 자립하기 어려운 이웃을 돕는 민간의 자선 활동을 중심으로 형성되었으나, 점차 국가의 역할이 키져 왔다. 사회 복지의 필요성에 대한 인식이 확대되어 감에 따라 불규칙적이고 단절적인 민간 자선 활동만으로는 사회 복지가 필요한 계층이나 집단에 지속적이고 체계적인 원조를 제공할 수 없었기 때문이다. 국가 주도의 복지 활동은 창의성과 유연성이 민간 주도 활동에 비해 떨어지지만, 복지 프로그램이 법과 제도를 통해 집행되므로 복지 활동이 안정적으로 지속되며 모든 국민을 포괄하는 보편적인 복지 프로그램을 진행하기 쉽다. 국가 주도의 복지 활동을 사회 보장 제도라고 부르는데, 공공˙부조, 사회 보험, 사회 수당, 사회 복지 서비스가 이에 해당한다.

　공공 부조는 빈곤 계층이 국가가 인정한 최저 수준 이상의 생활 상태를 유지할 수 있도록 국가가 공식적으로 지원하는 내용과 절차를 규정한 제도이다. 이를 위한 ˙재원(財源)은 국가의 일반 조세로 마련하는데, 대상자는 지원 받은 것을 나중에 갚거나 이자를 지불해야 하는 의무가 없는 대신 빈곤 여부에 대한 조사를 받아야 한다. 공공 부조는 빈곤한 계층에 한정해 금품이나 무료 혜택을 제공하는 선별주의적 복지 제도로, 제한된 재원으로 도움이 가장 필요한 사람들을 집중적으로 지원할 수 있다는 강점이 있다. 그러나 빈곤 여부를 조사하는 과정에서 도움을 받는 계층과 도움을 주는 계층을 분리함으로써 사회 통합에 부정적 영향을 미치기 때문에 사회 보장 제도 중 권리성이 가장 취약하다는 약점이 있다.

　사회 보험은 보험 방식을 이용해 위험에 대처하는 예방적 복지 프로그램이다. 공공 부조가 현재 빈곤한 사람들을 위한 대책이라면 사회 보험은 실업, 질병, 산업 재해 등의 예상치 못한 사회적 위험이 닥친 상황에서도 정상적인 생활이 가능하도록 지원하여 빈곤을 예방하고자 한다. 그래서 사회 보험 대상자는 특별한 계층이나 집단으로 제한되지 않고 국민 전체인 경우가 일반적이므로 보편주의적 복지 제도라고 한다. 사회 보험은 개인의 필요에 따라 선택적으로 가입할 수 있는 것이 아니라, 국가가 제정한 사회 보험 관련법에 따라 강제적으로 가입해야 한다. 국가가 법을 통해 강제로 적용하는 제도이므로, 필요한 재원이 가입자가 낸 보험료로 충당되지 않는 경우에는 국가의 일반 조세로 이를 충당하게 된다.

　사회 수당은 경제적 형편을 지원의 기준으로 삼는 공공 부조와 달리 특정한 인구 범주에 해당하는 사람에게 현금 급여를 제공하는 복지 제도이다. 예컨대 법으로 정한 특정 연령 이상의 모든 노인, 또는 특정 연령 이하의 아동에게 빈곤의 여부나 사회 보험 납입 실적을 따지지 않고 소정의 금액을 지급하는 것이다. 보편주의적 복지 제도의 성격을 띠지만, 수혜자는 특정한 인구 집단으로 한정되는 경향이 있다. 이러한 사회 수당

제도가 등장한 배경에는 빈곤 여부를 조사하는 과정에서 발생하는 부정적 낙인 효과를 제거하려는 목적이 있다. 사회 수당은 수혜자가 빈곤한 대상자로 한정되지 않기 때문에 재원 확보에 현실적인 어려움이 있지만, 혜택을 사회 구성원으로서의 당연한 권리로 누리게 한다는 점에서 사회 보장 제도 중 가장 권리성이 높다고 할 수 있다.

마지막으로 사회 복지 서비스는 현금이 아닌 서비스 형태로 지원이 이루어지는 모든 사회 복지 제도를 통칭한다. 과거의 복지 국가에서는 의료, 보육, 장애인 재활 등의 복지 서비스를 국가가 직접 제공하는 방식을 선호했지만, 이제 서비스는 민간에서 제공하고 그 비용은 국가가 지원하는 방식으로 바뀌고 있다. 특히 최근에는 서비스 이용 증서를 제공하는 일명 바우처(voucher) 방식이 활발하게 적용되고 있다. 바우처 방식이란 사회 복지 수혜자가 민간에서 제공하는 특정 사회 서비스를 구매할 수 있도록 정부가 그 비용의 일부 또는 전체를 지원한다는 내용의 서비스 이용권인 바우처를 수혜자에게 지급하는 것이다. 바우처 제도는 이용자의 선택권을 통한 배분적 효율성과 서비스 공급자의 경쟁을 통한 생산적 효율성을 모두 높일 수 있다는 장점이 있다.

⑤

■ 주제 :

Words

• **부조(扶助)** : 남을 거들어서 도와주는 일 • **재원(財源)** : 재화나 자금이 나올 원천

1 윗글을 통해 알 수 있는 내용으로 적절하지 않은 것은?

① 사회 보장 제도는 국가 주도의 복지 활동으로 법과 제도를 통해 집행된다.

② 최저 생활 수준 이하에 속하는 사람들은 사회 보험 대신 공공 부조에 가입해야 한다.

③ 사회 수당은 사회 보험과 달리 수혜 대상자가 국가가 지정한 특정 집단으로 제한된다.

④ 공공 부조는 빈곤 계층의 생활 수준을 국가가 인정한 일정 수준 이상으로 유지하기 위한 제도이다.

⑤ 국가 주도의 복지 활동에 비해 민간 주도의 복지 활동이 지원 대상자의 범위를 유연하게 설정할 수 있다.

2 윗글을 바탕으로 〈보기〉를 이해한 것으로 적절하지 <u>않은</u> 것은?

─── 보기 ───

- 갑 : 생계 곤란으로 인해 최저 생계비에 해당하는 공공 부조 급여를 받고 있음.
- 을 : 근무하던 회사에서 실직한 후 새 직장을 구하는 기간 중에 실업 급여를 받고 있음.
- 병 : 만 65세가 되면서부터 노인 수당의 수혜자에 해당되어, 노인 수당을 받기 시작하였음.

① 갑, 을, 병은 모두 법을 통해 집행되는 국가 주도의 복지 활동의 수혜자이군.
② 갑은 국가의 지원을 받는 과정에서 빈곤한지 여부에 대한 조사 절차를 거쳤겠군.
③ 을이 받는 실업 급여는 국가의 일반 조세와 을이 다니던 회사에서 절반씩 충당하겠군.
④ 병이 사는 국가는 만 65세 이상의 모든 노인에게 병이 받는 것과 같은 수당을 지급하겠군.
⑤ 갑보다 병이 더 권리성이 높은 사회 보장 제도를 적용받고 있다고 할 수 있겠군.

3 〈보기〉를 참고할 때, 바우처 에 대한 반응으로 적절하지 <u>않은</u> 것은?

─── 보기 ───

　정부는 산모·신생아도우미, 노인돌보미, 중증장애인 활동보조 등 보건 복지 서비스 분야 4개 사업에 바우처 제도를 도입해 대상 국민들에게 서비스 이용권을 지급하고 있다. 과거에는 쿠폰 형식의 종이 바우처를 사용했으나, 이용권 지급이 늘어나면서 이용권의 지불과 결제, 정산을 전산화한 전자식 바우처 시스템을 도입하였다. 이로 인해 바우처 사용 절차가 전산화되어 서비스 이용과 공급이 편리해졌다. 또한 바우처 사용 내역 모니터링을 통해 바우처 부정 사용을 차단하고, 사용 내역을 분석하여 사회 복지 활동의 방향에 대한 정보를 얻을 수 있게 되었다.　　　－ ○○일보

① 바우처 제도의 도입으로 복지 서비스 수요자의 선택권이 강화되었겠군.
② 전자식 바우처 제도는 정부의 복지 예산을 투명하게 집행하는 데에 도움이 되겠군.
③ 바우처 제도는 기존에 민간에서 담당하던 사회 복지 활동을 억제하고 이를 국가가 대체하고자 하는 제도이군.
④ '산모·신생아도우미'에 대한 바우처는 해당 사회 구성원에게 서비스 형태로 지원되는 일종의 사회 수당이라고 할 수 있겠군.
⑤ 국가는 바우처 사용 내역에 대한 분석을 통해 향후 바우처 지원 규모 및 지원 대상자를 결정하는 데에 도움을 받을 수 있겠군.

현대 소비사회에서 대중은 상품 소비를 통해 자신의 욕구를 충족하면서 자기만족을 느낄 수 있다고 생각하며 끊임없이 소비를 추구한다. 보드리야르는 이러한 성향을 '소비 이데올로기'라고 말했는데, 대중은 소비 이데올로기 속에서 자본이 부추기는 욕구 생산의 논리에 서서히 빠져든다. 자본주의적 소비사회에서 기업은 새로운 상품을 개발할 뿐만 아니라, 광고를 통해 새로운 상품이 소비되도록 끊임없이 대중의 욕구를 불러일으키고 또 증대시킨다.

광고는 자신을 사회의 주체인 것처럼 생각하게 만드는 전략인 '호명'을 통해 개인을 소비의 주체로 구성해낸다. 광고에 의해 호명된 개인은 광고가 마련해주는 주체의 위치에 자신을 들여놓는다. 예를 들어, 스마트폰 광고에 '이것을 사용하는 당신은 정보를 스마트하게 이용할 줄 아는 특별한 전문가'라는 메시지를 보내온다면, 이를 보는 소비자들은 그 제품을 구매해 사용함으로써 스마트한 정보의 지배자가 되고 싶다는 욕망을 가지게 될 것이다. 그리고 이러한 욕구를 충족할 때만이 자신을 남들에게 보여 줄 수 있고 또 진정한 자기만족을 느낄 수 있다고 생각하게 될 것이다.

물론 대중이 자신 앞에 던져지는 광고의 메시지를 모두 수용하는 것은 아니다. 오히려 무시하거나 거부하면서 광고가 던지는 소비 이데올로기에 저항하기도 한다. 그러나 대중을 단순한 상품 소비자로 여기며 상품에 대한 현실적 정보만을 제공하는 전략에 비해, 호명을 함으로써 개인을 소비 주체로 구성하는 전략은 소비자에게 광고의 메시지를 실현하는 순간 자신이 살아 있고 주목받는 존재라는 환상을 갖게 하여 소비에 저항하기 어렵도록 만든다. 이러한 광고 효과는 자본가에게는 더 많은 이윤을 가져다 주지만, 대중에게는 충동적 소비를 확산시켜 *상품물신주의와 *황금만능주의에 빠져들게 할 가능성도 있다.

한편, '기호가치'를 강조하는 보드리야르는 소비자들이 선택하고 욕망하는 대상은 광고에 등장하는 상품 자체가 아니라 광고를 통한 기호라는 점이 문제라고 지적한다. 광고는 현실의 어떤 물건을 단순히 소개하는 것이 아니라 어떤 이미지를 보여 주고 이것이 현실에 존재하는 물건의 실제 모습이라고 믿게 한다. 이를 통해 이미지는 현실보다 더 큰 힘을 가지게 된다. 대중들은 현실의 실제 물건보다는 광고 속의 이미지를 믿게 되고, 이를 현실의 대상에게 *투사한다.

이러한 과정은 광고를 통해 현실과 재현 사이의 관계가 역전되는 결과를 가져온다. 현실이 모방을 통해 재현되는 것이 아니라 재현을 통해 현실을 확인하는 *전복적인 현상이 발생하는 것이다. 이처럼 모방을 통해 만들어진 이미지를 '시뮬라크르(simulacre)'라고 하며, 모방 현실이 실제 현실을 압도하는 현상을 '극사실성'이라고 부른다. 이러한 과정을 통해 대중은 매체 속의 이미지에 흡수되어 원본과 사본, 현실과 이미지를 구

☑ 지문 분석 노트

1️⃣

2️⃣

3️⃣

4️⃣

5️⃣

분할 수 없게 되고, 나아가 가상을 현실로 믿게 된다. 예를 들어 1990년 이라크의 쿠웨이트 침공에 대응하여 미국을 비롯한 다국적군이 이라크를 공격한 걸프전쟁이 있었다. 보드리야르는 이 전쟁이 TV 이미지에 의한 것이었을 뿐 대중들은 실제 전쟁을 경험할 수도 알 수도 없다고 주장했다. 이처럼 *모사, 모방 현실, 시뮬라크르가 실제 현실을 능가한 영향력을 갖게 되는 문화적 조건 속에서 실제 현실, 즉 사회와 사회적인 것은 점차 영향력을 ⓐ잃게 된다는 것이다.

■주제 :
_____

Words

• **상품물신주의** : 상품이 초자연적인 힘을 발휘하여 인간을 지배한다는 주의 • **황금만능주의** : 돈을 가장 소중한 것으로 여겨 지나치게 돈에 집착하는 주의 = 배금주의, 물질만능주의 • **투사(投射)** : 어떤 상황이나 자극에 대한 해석, 판단, 표현 따위에 심리 상태나 성격이 반영되는 일 • **전복(顚覆)** : ① 차나 배 따위가 뒤집힘. ② 사회 체제가 무너지거나 정권을 뒤집어엎음. • **모사(模寫)** : 원본을 베끼어 씀.

1 윗글을 통해 알 수 있는 내용으로 적절하지 않은 것은?

① 자본주의적 소비사회에서 광고는 현실과 재현 사이의 관계를 역전시킬 수 있다.
② 대중은 소비를 통한 자기만족을 추구하지만 소비 이데올로기에 저항하는 경우도 있다.
③ 현대 소비사회에서 광고는 대중의 소비 욕구를 불러일으키고 증대시키는 역할을 한다.
④ 광고에 의해 호명된 개인은 자신을 소비의 주체라고 여기며 소비 욕망을 가지게 된다.
⑤ 대중은 광고를 통해 새로운 상품의 실제 모습을 보고 소유하려는 욕구를 가지게 된다.

2 윗글에 나타난 '보드리야르'의 관점으로 가장 알맞은 것은?

① 현대 사회에서 시뮬라크르의 확산은 대중의 소비 욕구를 증대시켜 개인을 생산하고 소비하는 자본주의의 주체로 격상시키는 효과를 불러온다.
② 현실이 모방을 통해 재현되는 현상은 극사실성의 감소로 이어져 현실과 이미지를 구분하지 못하고 가상을 현실로 믿는 대중을 양산할 수 있다.
③ 현대 자본주의 사회에서 이미지는 현실보다 더 큰 힘을 지니게 되며 대중은 시뮬라크르에 기대어 합리적인 소비를 할 수 있는 능력을 얻게 된다.
④ 광고를 통해 실제 현실이 모방 현실을 압도하게 되면 대중은 매체 속의 이미지에 흡수되고 이미지를 현실의 대상에게 투사하여 소비 욕구를 충족시키게 된다.
⑤ 현실과 재현의 관계 역전은 시뮬라크르가 실제 현실을 능가하는 영향력을 갖게 되는 문화적 조건을 형성하므로 실제 현실이 영향력을 잃게 된다는 문제를 유발한다.

3 윗글을 참고하여 〈보기〉의 두 광고에 대해 추론한 내용으로 적절하지 <u>않은</u> 것은?

─────┤ 보기 ├─────

(가) 높은 연비와 편안한 승차감으로 사랑받아 온 □□자동차!
    20○○년 실시한 안정성 평가에서 최고점을 획득했습니다.
    □□자동차가 경제성과 안전성을 동시에 지켜드립니다.

(나) 당신이 타는 차가 당신의 가치를 결정합니다.
    우아한 승차감과 고품격 디자인의 △△자동차!
    이 차를 타는 순간, 당신의 삶이 업그레이드됩니다.

① (가)는 (나)에 비해 대중을 단순한 상품 소비자로 여기는 관점에서 만든 광고로군.
② (나)는 (가)에 비해 개인을 소비의 주체로 구성하는 전략을 적극적으로 활용하였군.
③ (나)를 접한 사람들은 △△자동차를 타면 자신이 주목받는 존재가 된다는 환상을 가지게 되겠군.
④ (가), (나)를 모두 접한 사람은 (가)의 메시지에 저항하는 데 더 큰 어려움을 느낄 확률이 크군.
⑤ (가), (나)는 모두 개인들의 소비 욕구를 불러일으켜 기업의 이윤을 극대화하려는 의도에서 제작된 것이겠군.

4 〈보기〉는 '잃다'의 의미 학습을 위해 활용한 사전의 일부분이다. ⓐ의 문맥적 의미와 가장 가까운 것은?

─────┤ 보기 ├─────

잃다 「동사」
[1] 【…을】
「1」 가졌던 물건이 자신도 모르게 없어져 그것을 갖지 아니하게 되다. ………… ㉠
        ⋮
「4」 어떤 사람과의 관계가 끊어지거나 헤어지게 되다. …………………… ㉡
        ⋮
「7」 의식이나 감정 따위가 사라지다. ……………………………… ㉢
「8」 어떤 대상이 본디 지녔던 모습이나 상태를 유지하지 못하게 되다. ………… ㉣
        ⋮
「10」 같이 있거나 같이 길을 가던 사람을 놓쳐 헤어지게 되다. ………………… ㉤

① ㉠   ② ㉡   ③ ㉢   ④ ㉣   ⑤ ㉤

(가) 마키아벨리는 이전의 사상가들과 달리 정치를 도덕과 분리하여 사고하였다. 플라톤 이후 서양의 정치사상가들은 정치를 도덕의 아래에 있는 것으로 보았으며, 사회를 도덕적인 곳으로 만드는 것이 정치의 사명이라고 생각했다. 하지만 마키아벨리는 정치는 도덕과는 별개의 영역으로, 한 국가를 잘 운영하고 유지하는 능력이라고 믿었다. 그는 특히 갑작스런 정치 변동에 대한 유연한 대응을 가장 훌륭한 정치적 능력이라고 믿었다.

(나) 마키아벨리는 정치 변동의 본질이 어떤 법칙 아래서 발생하는 것이 아니라 항상 우연한 사건들에서 비롯된다고 생각했다. 그리고 이러한 우연한 정치 변동에 능숙하게 대처하기 위해서는 덕의 속성인 비르투가 중요하다고 보았다. 비르투는 포르투나*를 극복할 수 있는 힘으로, 비르투를 잘 길러서 남보다 우수한 비르투를 ⓐ발휘할 수 있는 사람이 지도자의 재목이며, 개인이든 국가든 우수한 비르투를 가졌을 때 불운을 최소화하거나 번영할 수 있다고 생각했다. 예를 들어, 홍수로 인해 강이 범람한 경우 우수한 비르투를 가지고 있는 사람은 실패를 거듭하면서도 강에 둑을 쌓고, 강이 ⓑ범람하는 것을 막도록 노력할 것이기 때문이다.

(다) 마키아벨리가 운명에 대항하는 비르투를 중시했었던 이유는 역사적으로 그가 살았던 시기의 이탈리아 도시 상업 국가들이 주변국과 교황의 간섭 아래 항상 그 정치 체제의 유지에 위협을 느끼고 있었기 때문이다. 또한 이런 현실을 운명으로 ⓒ수용하는 이탈리아 인들의 태도도 이유가 되었다. 외교관으로서 이런 국내외 현실을 ⓓ간파하고 있던 마키아벨리는 정치 변동과 변화하는 환경에 능숙하게 대처하며 시민들의 결속을 강화시키는 것이야말로 정치의 역할이라고 본 것이다.

(라) 마키아벨리는 자신이 살던 공화국인 피렌체가 °메디치가의 군주정으로 넘어가자, 군주가 권력을 유지하고 이탈리아 도시 국가를 결집시킬 수 있는 방법을 담은 ㉠『군주론(The Prince)』을 써 메디치가에 바쳤다. 이 책에서 가장 논쟁이 된 것은 군주가 필요에 따라 간계, 속임수, 폭력과 같은 사악한 수단을 사용할 필요가 있다는 조언이었다. 마키아벨리가 이런 수단을 강조한 것은 군주정 아래에서 °인민들이 국가보다는 자신의 이익을 추구하려는 성향을 강하게 보인다고 믿었기 때문이다. 이런 이익의 추구는 예측할 수 없는 정권의 정복이나 군주의 시해라는 우연한 정치 변동으로까지 이어지기 때문에, 마키아벨리는 이런 사태를 미리 예견하여 방지하고 시민들을 단합시키기 위해서는 군주가 강력한 정치 지도력으로 인민들의 자기 이익 추구 성향을 잠재울 필요가 있다고 생각했다.

(마) 마키아벨리가 권력을 ⓔ획득하기 위해 사악한 수단을 쓰라고 한 것은 도덕이 의미가 없다는 것이 아니라, 정치적 안정을 위해서는 어떤 부분에서 악덕을 행할 필요도 있

다는 의미이다. 또한 그는 군주가 도덕적으로 보여서 더 많은 지지를 얻게 된다면 군주는 도덕적으로 행동하는 것처럼 보일 필요가 있다고 보았다. 이처럼 마키아벨리에게 도덕은 정치를 운영하는 하나의 수단이지 정치가 지향하는 목적이 아니었다.

* 포르투나(fortuna) : 초자연적인 힘, 운, 호의, 도움, 상황 조건 등의 의미를 포함하지만 여기서는 우연한 정치 변동을 상징한다.

■주제 :
_____
_____
_____

Words
_____

• **메디치가(Medici家)** : 르네상스 시기의 이탈리아의 명가(名家). 피렌체의 지배자로 13세기 말부터 동방 무역과 금융업으로 번성하였으며, 문예를 보호 · 장려하여 르네상스에 크게 공헌하였다. 군주, 교황 등을 배출하였으나 18세기에 단절되었다. • **인민(人民)** : 국가나 사회를 구성하고 있는 사람들. 대체로 지배자에 대한 피지배자를 이른다.

1 (가)~(마)에 대한 설명으로 적절하지 않은 것은?

① (가) : 마키아벨리의 사상적 특징을 대조적으로 드러내고 있다.
② (나) : 마키아벨리가 강조하고자 했던 바를 예를 들어 뒷받침하고 있다.
③ (다) : 마키아벨리의 사상에 영향을 미친 역사적, 사회적 원인을 분석하고 있다.
④ (라) : 마키아벨리의 저서에 담긴 그의 생각을 구체적으로 제시하고 있다.
⑤ (마) : 마키아벨리의 주장이 가진 한계를 언급하며 글을 마무리하고 있다.

2 윗글의 마키아벨리 의 생각으로 적절하지 않은 것은?

① 정치 변동은 항상 우연한 사건으로 인해 발생한다.
② 우수한 비르투를 가진 사람은 불운을 최소화할 수 있다.
③ 도덕과 정치는 같은 것이 아니므로 분리해서 생각해야 한다.
④ 인민들은 군주정 아래에서 국가보다 자신의 이익을 추구하려 한다.
⑤ 주변국 및 교황과의 협력을 통해 시민들의 결속력을 약화시켜야 한다.

3 ㉠에 부합하는 것을 〈보기〉에서 모두 고른 것은?

┤ 보기 ├

ㄱ. 국가는 통제와 조종을 통하여 부강을 꾀할 수 있다. 그러기 위해서 군주는 백성을 제재해야 한다.

ㄴ. 자기 몸을 닦은 뒤에 집안을 다스릴 수 있고 집안을 다스린 뒤에 나라를 다스릴 수 있으니 이것은 천하에 통하는 이치다.

ㄷ. 나라를 다스리는 자는 은밀한 술수를 마다하지 않아야 하며, 백성을 다스릴 수 있는 단호한 권력을 가져야 권력이 침해당하는 일이 없다.

ㄹ. 정치는 올바름이다. 지도자가 앞장서서 바르게 하면 그 누가 감히 바르지 않게 하겠는가? 군자의 덕은 바람이요, 소인의 덕은 풀이니, 풀 위에 바람이 불면 풀은 반드시 눕는다.

① ㄱ, ㄴ   ② ㄱ, ㄷ   ③ ㄷ, ㄹ

④ ㄱ, ㄴ, ㄷ   ⑤ ㄴ, ㄷ, ㄹ

4 문맥상 ⓐ~ⓔ와 바꿔 쓰기에 적절하지 않은 것은?

① ⓐ : 해낼   ② ⓑ : 흘러넘치는

③ ⓒ : 받아들이는   ④ ⓓ : 꿰뚫고

⑤ ⓔ : 얻기

정부의 조세 정책의 원칙 중 하나가 공평 과세, 즉 조세 부담의 공평한 분배이기 때문에 정부는 누구에게 얼마의 조세를 부과할 것인가를 매우 중요하게 생각한다. 정부가 걷는 세금 중 소득세는 모든 소득자가 납세 의무자로, 개인의 소득에 따라 인적 사정을 반영하여 각종 세금 공제를 실시하고, 여러 소득을 종합하여 *누진세율에 따라 과세함으로써 공평 과세를 실현하는 조세이다.

소득세는 원칙적으로 과세 소득 산정의 기초를 개인의 신고에 두고 있어서 납세자의 협력 없이는 *세원(稅源)을 포착하기 어려우므로 탈세와 조세 마찰*이 유발될 가능성이 높다. 이를 미연에 방지하고 조세 수입을 안정적으로 확보하기 위한 조세 징수 방법이 원천징수 제도이다. 원천징수 제도란 소득 또는 수입 금액을 지급받는 자(원천납세 의무자)가 내야 할 세금을, 지급하는 자(원천징수 의무자)가 정부 대신 징수하는 제도를 말한다. 근로소득의 경우, 고용주가 근로자에게 근로소득을 지급할 때에 법이 정하는 바에 따라 소득세를 원천징수하고 이를 과세 관청에 납부한다. 그러나 사업소득은 원천징수가 불가능하므로, 여전히 사업소득자 본인의 신고를 바탕으로 소득세를 부과한다.

그렇다면 원천징수의 대상인 근로소득세는 어떻게 정해지는 것일까? 소득이 있고 그 소득을 벌기 위한 필요 경비의 지출이 있으면, 총소득에서 지출한 필요 경비만큼을 차감한 금액인 종합소득과세표준에 대하여 일정 세율의 소득세를 부과하는 것이 기본 흐름이다. 그러나 필요 경비 지출액을 매월 입증하고 계산하는 것이 너무 번거롭기 때문에, 원천징수 의무자는 일단 국세청에서 정한 간이세액표에 따라 근로자의 필요 경비 지출에 대한 고려 없이 간이 소득세를 계산하고 이를 원천납세 의무자의 급여에서 공제한다.

그런데 간이세액표를 통한 소득세의 계산은 개인이 처한 인적 사정을 고려하지 않은 것이므로, 개인의 조세 부담 능력, 즉 담세력(擔稅力)을 적정하게 측정한 것이라고 보기는 어렵다. 이를 보완하기 위해 근로 소득자에 대한 연말정산 절차가 존재한다. 연말정산이란 법령에서 정한 세금 공제를 반영하여 계산한 최종소득세(결정세액)에서 이미 납부한 간이소득세(원천징수액)를 제한 뒤, 더 낸 세금을 환급해 주거나 덜 낸 세금을 더 징수하는 절차를 말한다. 세금공제의 방식에는 소득공제와 세액공제가 있다. 소득공제는 소득에서 공제 대상 금액을 빼고 남은 금액에 소득세율을 곱하여 세금을 계산하는 방식이고, 세액공제는 계산된 세금(산출세액)에서 공제 대상 금액을 미리 차감함으로써 아예 세금 자체를 깎아주는 방식이다.

근로소득자라면 누구나 연말정산에서 근로소득공제가 적용되며, 또한 부양가족 등을 고려한 인적 공제, 교육비, 의료비, 주택 자금 등 필요 경비 지출을 감안한 특별 공

☑ 지문 분석 노트

① _____

② _____

③ _____

④ _____

⑤ _____

제를 추가로 받게 되는데 구체적인 공제 내역은 개인이 처한 상황에 따라 달라진다. 특히 연소득에 따라 공제 혜택에 차등을 둠으로써, 근로소득이 높을수록 소득세율은 높아지는 반면에 근로소득공제율은 낮아져서 근로소득공제액이 적어지고 또 공제를 받을 수 있는 금액의 한도도 줄어든다. 이같은 연말정산을 통해 저소득 납세 의무자의 납세 부담은 줄어들고 고소득 납세 의무자의 납세 부담은 늘어나게 되어 결과적으로 연말정산이 ㉠소득세의 누진적 성격을 강화하는 셈이 된다. 이는 사회적으로 소득 계층 간 수직적 재분배를 유도하는 측면이 있으나, 근로소득자와 사업소득자 간의 세금 부담 불공평 문제에 대한 논란을 야기하고 있다.

■ 주제 :

＊ 조세 마찰 : 조세 부담에 대한 납세자의 불만 표출 등으로 인해 집행상 어려움이 있는 상황

Words

• 누진세율(累進稅率) : 과세 대상의 수량이나 가격이 증가함에 따라 점차 증가하도록 정한 세율. 소득세, 상속세 등에 적용한다. • 세원(稅源) : 조세가 부과되는 원천이 되는 소득이나 재산

1 윗글을 이해한 내용으로 적절하지 않은 것은?

① 소득세율에 따라 소득공제로 인한 세액이 증감될 수 있다.

② 근로소득은 사업소득에 비해 세원의 투명성을 확보하는 것이 쉽다.

③ 고용주는 원천징수 방법에 따라 자신의 소득세 납세 의무를 이행한다.

④ 공제 항목이 동일하다면 저소득 근로자가 고소득 근로자에 비해 공제 혜택이 클 것이다.

⑤ 연말정산 결과 결정세액에서 간이소득세를 뺀 값이 (+)이면 차액을 추가로 납부해야 한다.

2 윗글을 바탕으로 〈보기〉를 이해한 내용으로 적절하지 <u>않은</u> 것은?

├ 보기 ├

　다음은 회사원 A씨의 20○○년 모의 연말정산 결과이다. 미혼이며, 부양가족이 없는 A씨는 기본 공제만을 받았으며, 연간 지출한 각종 필요 경비에 대해 추가로 특별 공제를 받았다.

총급여	55,000,000	…… ⓐ
원천징수액	3,300,000	…… ⓑ
근로소득공제	12,000,000	…… ⓒ
소득공제 계	9,000,000	…… ⓓ
종합소득과세표준*	34,000,000	
산출세액	4,020,000	
세액공제 계	1,200,000	…… ⓔ
결정세액	2,820,000	

* 종합소득과세표준 : 총급여에서 근로소득공제와 소득공제를 차감하여 계산한 금액

① ⓐ가 증가함에 따라 ⓐ에 적용되는 근로소득공제율이 높아지므로 ⓒ도 같이 커진다.
② ⓑ의 증가나 감소는 최종소득세를 계산할 때 영향을 미치지 않는다.
③ ⓐ에서 ⓒ와 ⓓ만큼을 차감한 금액에 대해서 소득세를 부과한다.
④ 만일 A씨에게 부양가족이 있다면 ⓓ 또는 ⓔ가 늘어날 것이다.
⑤ 모의 연말정산 결과 A씨는 48만 원을 환급받게 될 것이다.

3 ㉠에 해당하는 사례로 적절한 것을 〈보기〉에서 모두 고른 것은?

├ 보기 ├

ㄱ. 특별 소득공제, 특별 세액공제를 신청하지 않은 경우에는 근로소득자는 12만 원, 사업소득자 7만 원을 일괄 세액공제한다.
ㄴ. 의료비, 교육비와 기부금의 세액공제율은 15%이나, 연금저축과 퇴직연금에 대해서는 납입금 통합 400만 원 한도에 대해서만 12%를 세액공제한다.
ㄷ. 총급여가 5천 5백만 원 이하인 경우에는 근로소득 세액공제가 최대 66만 원까지 가능하나, 7천만 원을 초과하는 경우에는 50만 원~63만 원 한도에서만 세액공제를 받을 수 있다.
ㄹ. 총급여 7천만 원 이하의 근로소득자에 대해서만 월세 금액의 10%를 750만 원 한도로 세액공제한다. 단, 이자, 배당 등을 합산한 금융 소득 금액이 4,000만 원을 초과하면 적용 배제한다.

① ㄱ, ㄴ　　　② ㄱ, ㄷ　　　③ ㄴ, ㄷ　　　④ ㄴ, ㄹ　　　⑤ ㄷ, ㄹ

SNS와 인정 투쟁

인간은 사회적 동물이라는 특성으로 인해 남들이 나를 인정해 주는 맛에 세상을 산다. 삶은 남들의 인정을 받기 위한 투쟁, 줄여서 '인정 투쟁(struggle for recognition)'의 연속이라고 해도 과언이 아니다. 미국의 철학자이자 심리학자인 윌리엄 제임스가 지적했듯이, '인간의 행동을 지배하는 가장 기본적인 원리는 다른 사람의 인정에 대한 갈구'이다. 인정 투쟁은 그 목표가 권력의 획득이 아니라 인정의 획득이라는 점에서 권력 투쟁과는 다르다. 그렇지만 여기서 한 가지 의문이 생긴다. 우리의 삶이 권력 투쟁과는 다른 인정 투쟁이라면, 세상이 살벌한 약육강식(弱肉强食)의 전쟁터가 되어야 할 이유가 무엇이란 말인가?

인간이 갖고 있는 욕망 중에는 '대등 욕망'과 '우월 욕망'이 있는데, 우월 욕망이 왜곡된 형태로 나타나는 '지배 욕망'으로 변질될 경우, 서로를 인정하는 평화 공존은 깨진다. 이와 관련하여 미국 교육자 로버트 풀러는 다음과 같이 주장한다.

"사람들이 진정으로 원하고 또 필요로 하는 것은 남을 지배하는 것이 아니라 그들에게 인정을 받는 것이다. 인정은 유한한 자원이 아니라 무한정 만들어낼 수 있는 자원이다. '당신을 알아가는 게임'은 제로섬 게임, 즉 내가 얻는 만큼 너는 잃고 그 반대도 마찬가지인 게임이 아니다. 오히려 수학에서 말하는 비제로섬 게임, 즉 양측 모두 처음보다 더 좋은 결말을 맞이할 수 있는 게임이다."

세상이 그렇게만 된다면 더할 나위 없이 좋겠지만, 풀러의 꿈은 이루어지기 어려울 것 같다. 이른바 '인정의 통속화'가 인정 투쟁을 타락시키고 있기 때문이다. 인정의 통속화가 극한까지 진행되면, 인정은 마음대로 권력을 휘두를 수 있는 자리를 차지했다는 것과 동의어가 된다. 인정받았음이 타인의 '눈에 들었다'와 동일하게 느껴지는 한, 사람은 눈도장을 찍을 수 있는 권력을 지닌 사람과 눈도장을 구걸하는 사람으로 양분되기 마련이다. 이때 권력이 소수의 사람들에게 국한되지는 않는다. 권력의 주체는 나의 주변사람들이거나 이름 없는 대중일 수도 있다.

그렇게 통속적으로 변질된 '인정'이 적나라하게 펼쳐지는 공간이 바로 SNS(Social Networking Service)이다. SNS가 활성화되기 전에는 자기 과시를 하려면 사람들을 직접 만나야 했고, 적절한 타이밍을 잡는 노력이 필요했다. 하지만 SNS는 그런 번거로움을 일시에 해소시켜 준 '혁명'이나 다를 바 없어 '인정 욕구'에 굶주린 사람들은 SNS에 중독되지 않고 견디기 어렵다. 이와 관련해 한 영화 평론가는 SNS에 이런 글을 올렸다.

"우리는 모두 자기 인생의 주인공이고 싶다. 그러려면 청중이, 관객이 필요하다. SNS는 사람들에게 서로가 인생의 주인공임을 말하고, 서로의 청중이 되어주는 곳이기도 하다. 그러나 누구도 진짜 주인공이 아니고, 누구도 진짜 청중이 아닌 곳이기도 하다."

SNS가 '온라인 인정 투쟁'의 장으로 활용되는 것은 전 세계적인 현상이다. 2013년 8월 미국 미시간 대학 연구팀의 조사에 따르면, SNS를 더 오래 사용하는 사람일수록 삶에 대한 만족도가 더 떨어지는 것으로 나타났다. 왜 그럴까? '상대적 박탈감' 때문이다. 대개 SNS에는 직장에서의 성공담이나 귀여운 아기 사진, 멋진 여행 등 행복한 순간을 올리기 때문에 그런 걸 보면 화가 나거나 외로움을 느껴 결국 행복감도 떨어지게 된다는 것이다. 결국 타인에게 인정 받기 위해 자신을 다른 사람과 비교하며 경쟁을 하게 되어 또 다른 스트레스를 받게 할 수도 있다. 미국의 신화학자 조지프 캠벨은 "우리가 더 없는 행복을 느끼기 위해서는 다른 사람이 나를 어떻게 생각할까 하는 생각을 내려놓아야 한다."고 말한다. 그리고 우리 사회에서도 인정의 기준을 다양화하려는 노력이 필요하다.

– 강준만, 「생각의 문법」

왜 성공한 사람 중에는 괴짜가 많을까?

'매버릭(maverick)'이라는 단어는 일반적인 사람들과 다르게 생각하고 행동하는 사람, 개성이 강하고 독립적인 사람을 의미한다. 이 단어는 새뮤얼 매버릭(Samuel Maverick)이라는 사람에게서 유래되었는데, 그는 1800년대 중반 텍사스 주의 농장주였다. 다른 모든 농장주들이 자기 소유의 소에 표시를 할 때 그는 소에 아무런 표시를 하지 않았다. 그래서 이웃 사람들은 아무 표시도 되어 있지 않은 소를 두고 '매버릭네 소'라고 하였다. 훗날 그의 이름은 소유권 표시가 되어 있지 않은 가축 전체를 의미하는 말이 되었고, 더 나아가 보편적인 의견에 맞서는 사람, 개성이 강한 사람, 독립적인 사람을 뜻하는 단어가 되었다.

우리 주변에서도 심심찮게 매버릭을 만난다. 매버릭들은 모두가 '예'라고 할 때 '아니오'라고 하는 사람들이다. 그들은 세상의 반대편에 서서 보편적인 아이디어, 의견, 가치관을 비판하고 남다르게 생각하며 유별나게 행동하는데, 사회의 다양성 측면에서 이러한 매버릭들은 꼭 필요한 존재이다. 다양한 구성원들이 존재하는 사회일수록 그들은 더 역동적으로 변화하고 시대의 변화에 유연하게 대처할 수 있기 때문이다. 하지만 정작 매버릭으로 사는 사람들의 삶은 남들과 다른 길을 택한 까닭에 불편한 점이 많다. 경제적인 면에서는 어떨까? 평범한 사람과 매버릭 중 누가 더 돈을 많이 벌지는 오래 고민할 필요가 없는 문제처럼 보인다. 그렇지만 경제학자의 생각은 다르다. 의외로 매버릭으로 사는 게 합리적일 때가 많기 때문이다.

'남녀평등'이라는 보편적 사상을 예로 들어보자. 모든 인터넷, 텔레비전, 신문, 라디오, 잡지에서 남녀평등 사상을 환영하고 널리 알려 정치적으로 올바른 사상이라며 대중들의 동의를 얻는다. 이렇게 모두가 남녀평등을 당연하게 여길 때 갑자기 한 사람이 나타나 '남녀평등이 웬말이냐? 여자는 집에서 애나 키우고 살림이나 해야 한다.'고 주장한다. 그러면 모든 미디어의 시선은 그에게 쏠리고, 사람들은 뉴스, 토크쇼, 인터뷰, 신문 기사에 등장하는 그 사람을 집중적으로 공격하게 된다.

이 사람이 누가 봐도 문제가 될 것이 분명한 발언을 당당하게 펼친 이유는 뭘까? 지배적인 의견에 반대되는 주장을 펼치는 사람은 확실히 자극적이므로, 토크쇼에 초대되고 언론에 노출될 확률이 크며 이름을 널리 알린 만큼 돈을 벌 기회도 많아진다. 결과적으로 그 사람은 시장 경제에 적합한 행동을 하였다. 즉 틈새시장을 발견한 것으로, 시장에서 지금까지 아무도 차지하지 않았던 숨어 있는 공간을 찾아낸 것이다.

이러한 매버릭 전략이 통하는 가장 큰 이유는 이 전략에 걸려드는 소수의 무리가 항상 있기 때문이다. 시장 경제 아래에서 수요는 반드시 공급을 찾게 되어 있다. 물론 수요가 충분히 명확하게 표현되어야 가능한 일이다. 이 법칙은 상품에 대한 수요뿐만 아니라, 의견에 대한 수요에서도 적용된다. 오늘도 우리 주변의 매버릭들은 시장 경제의 과제를 수행하여 주머니를 채우고 있다. 매버릭 전략에 이름을 제공한 새뮤얼 매버릭 역시 이 전략으로 한몫 챙겼다. 소에 표시를 하지 않은 덕분에 사람들은 표시가 안 된 소를 모두 그의 것으로 생각했다. 아무도 없는 영역을 누구보다 먼저 찾아서 깃발을 꽂는 것이야말로 가장 쉽게 돈을 버는 방법이다.

— 하노 벡, 『경제학자의 생각법』

바겐헌팅(bargain hunting)

기업 가치와 주가 간의 격차가 큰 주식을 찾아 사들이는 투자 전략. 역사적인 투자가 존 템플턴은 바겐헌팅 기법으로 1930년 대공황, 제2차 세계대전 등 모든 투자자들이 비관론에 빠져 있을 때 과감하게 투자하여 엄청난 수익을 거뒀다. 그는 경기가 가장 나쁠 때, 가장 최악의 업종을 집중적으로 매수하는 방식을 즐겨 사용했다. 일종의 매버릭 전략이었다고 할 수 있다.

지도를 그린 두 가지 방법
– 메르카토르 투영법과
페터스 투영법

회화의 원근법과 더불어 지도의 투영법은 가장 대표적인 '재현' 방법이다. 계산 가능한 범위 내의 축척이 사용된 지도로 지구를 재현하고, 원근법을 이용해 입체적으로 보이는 그림을 그릴 수 있게 되면서부터 인류 역사는 질적으로 다른 차원으로 발전했지만 문제가 없는 것은 아니었다.

'곰 한 마리가 A 지점에서 출발해 남쪽으로 1킬로미터 걸어간다. 그리고 그곳에서 방향을 바꿔 동쪽으로 1킬로미터 간다. 그리고 거기서 또 방향을 바꿔 북쪽으로 1킬로미터 걸어갔다. 그랬더니 출발점인 A 지점에 다시 도착하게 되었다. 이 곰은 무슨 색일까?' 난센스 퀴즈가 아니다. 수학자 폴리아(G. polya)가 진지하게 낸 문제이다. 답은 '흰색의 북극곰'이다. 그러나 이 문제에서 중요한 것은 곰의 색이 아니다. 남쪽으로 1킬로미터, 동쪽으로 1킬로미터, 북쪽으로 1킬로미터를 갔는데, 출발점으로 다시 돌아갔다는 사실이다. 지구가 둥근 입체가 아니라 평면이라고 생각하는 맹점을 걸고 넘어지는 문제이다.

우리는 습관적으로 지구가 평면이라고 생각한다. 3차원의 지구를 2차원 평면에 옮겨놓은 지도 때문이다. 인공위성에서 찍은 지구의 둥근 사진도 3차원이 아니다. 2차원의 둥근 원일 뿐이다. 지도 투영법의 전제가 되는 유클리드 기하학은 애초부터 3차원 공간에는 적용할 수 없는 것이었다. 유클리드가 생각하는 공간이란 비어 있고, 어느 방향으로나 질적으로 동일하며 평평하다. 따라서 공간을 원, 삼각형, 평행선, 수직선으로 단순화해 계산하는 것이 가능하다고 생각한다. 그러나 지구와 같은 구면체를 평면에 정확히 투영하는 것은 절대 불가능하다. 1820년대 독일의 수학자 가우스(C. F. Gauss)는 지구의 모양을 왜곡하지 않고 고정된 축척으로 평면에 옮길 수 없다는 것을 수학적으로 증명했다. 그러나 앞의 '북극곰 퀴즈'가 보여주듯 유클리드의

기하학적 사고는 오늘도 여전히 우리의 일상을 지배하고 있어 세계 지도가 실제의 세계를 정확하게 반영하고 있다는 착각을 한다.

지도에 나타난 면적은 실제 면적과 큰 차이가 있는데, 이는 투영법 자체의 문제이다. 우리 눈에 익숙한 대서양 중심의 지도는 대부분 네덜란드의 메르카토르가 만든 '메르카토르 투영법'에 기초하고 있다. 이 방식으로 그려진 지도를 보면 유럽 대륙이 실제보다 훨씬 크게 그려져 있다. 유럽 대륙의 실제 크기는 남아메리카 대륙의 절반에 불과하지만 두 배의 크기로 그려져 있다. 이를 처음으로 비판한 사람은 독일의 역사학자 아르노 페터스(Arno Peters)였다. 그는 1973년 전 세계 기자들을 모아 놓고, 메르카토르식 투영법에 의한 지도를 유럽 중심주의와 식민지의 잔재라고 비판했다. 페터스가 제기한 메르카토르식 투영법의 가장 큰 문제는 지도에 나타난 적도의 위치였다. 지도상 중심선이 되어야 할 적도가 중심보다 훨씬 아래쪽에 놓여 있기 때문이다. 그 대신 유럽 대륙을 지나는 위선이 지도의 중심에 오도록 되어 있다. 메르카토르식 지도의 좌우 중심선도 유럽 대륙을 지나도록 되

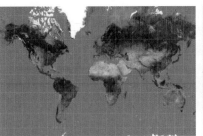 

〈메르카토르 투영법에 기초한 지도〉　　　　〈페터스 투영법에 기초한 지도〉

어 있어 유럽 대륙이 과도하게 부각되고, 아프리카 대륙과 남아메리카 대륙은 엄청나게 축소되어 버린 것이다.

반면 '페터스 투영법'은 모든 대륙의 크기를 정확하게 반영한 '정적도법(equal-area projection)'에 기초하고 있으며, '면적 충실도'는 페터스 투영법의 핵심이다. 그 결과 페터스 투영법에 기초한 지도를 보면 유럽 대륙의 면적은 거의 절반으로 축소되고, 아프리카 대륙과 남아메리카 대륙의 면적은 한눈으로 확인할 수 있을 만큼 커졌다. 그러나 면적을 정확히 나타내기 위해 페터스가 도입한 방법도 그리 완벽한 것은 아니었다. '면적 왜곡'을 고치기 위해 서로 길이를 늘이고 가로 폭을 줄인 페터스의 지도에 '형태 왜곡'이라는 또 다른 결함이

나타난 것이다. 즉, 남반구 지역들은 실제보다 길고 가늘게 나타나고, 캐나다 지역과 아시아 지역은 압축되어 뚱뚱해 보이게 되었다. 지리학자와 현역 지도 제작자들은 앞다퉈 이 지도에 대해 공격을 퍼부었다. 특히 독일지도제작협회는 "구면을 평면에 왜곡 없이 완벽하게 투영하기란 불가능하다"는 수학적 증명을 언급하며 "페터스 지도는 세계의 모습을 왜곡해 전달하기 때문에 결코 현대적인 지도가 아니며, 우리 시대의 세계적, 경제적, 정치적 관계를 여러모로 보여 주지도 못한다."고 비난했다. 결국 페터스의 지도는 투영법의 한계를 세상에 알렸지만, 또 다른 왜곡 논란을 유발하고 말았다.

— 김정운, 「에디톨로지」

● **단락 요지**

1문단 : 재현을 통한 지도의 투영법

2문단 : 지구를 평면으로 인식하는 사람들

3문단 : 지도가 실제 세계를 정확히 반영한다는 착각

4문단 : 유럽이 과도하게 부각된 메르카토르 투영법

5문단 : 형태 왜곡의 결함을 지닌 페터스 투영법

● **Quiz**

1. 가우스는 지구의 모양을 왜곡하지 않고 평면에 옮길 수 있다는 것을 증명했다. (○, ×)
2. 페터스가 메르카토르 투영법의 가장 큰 문제점으로 지적한 것은 지도에 나타난 _____였다.

정답 : 1. × 2. 적도의 위치

경주 최 부잣집을 생각한다

그 유명한 경주의 최 부잣집 가훈은 이렇다. 첫째, 과거는 보되 진사(進士) 이상의 벼슬은 하지 마라. 둘째, 재산은 만석 이상 모으지 마라. 셋째, 과객을 후하게 대접하라. 넷째, 흉년에 땅을 사지 마라. 다섯째, 며느리들은 시집온 후 3년 동안은 무명옷만 입도록 하라. 여섯째, 사방 백 리 안쪽에 굶어 죽는 사람이 없게 하라는 것 등이다.

진사는 일명 생진(生進)으로 부르기도 하는데, 조선 시대에 생원과 진사를 뽑았던 소과(小科)의 종장(終場)에 급제한 것을 일컫는다. 생원이란 권력을 가진 사람이라기보다는 신분상 선비로서 사회적 공인을 받는다는 의미가 컸다. 이를테면 생진과보다 더 높은 과거에 급제하여 권세의 자리에 있게 되면, 그것은 마치 작두 날 위에 서 있는 것과 같이 언제 어디서 횡액을 당할지 모르기 때문에 벼슬이란 꿰차고 있을 것이 못 된다는 뜻일 것이다. 그리고 시집온 며느리들이 3년 동안 무명옷으로 견디라는 것은 집안 살림을 도맡아 할 여인들이 일찍부터 근검절약 정신에 길들여지지 않으면 머지않아 집안 살림이 거덜 나기 때문이다.

경주 최 부잣집이 300년 동안 부잣집으로 지탱했고, 살벌하기 그지없던 6·25 때도 아무런 피해 없이 집안을 건사할 수 있었던 것은 많을 때는 하루에 백여 명의 과객이 묵을 때도 없지 않았던 적선 때문이었다. 흉년에 땅을 산다는 것은 정당하고 떳떳한 거래를 하기가 어렵기 때문에 절대로 저질러선 안 되는 일이었다. 경주 최 부잣집의 역사는 전 재산을 대학 설립에 헌납하면서 마감하게 되지만, 그들이 남긴 크나큰 귀감은 아마도 우리의 역사에 아로새겨질 것이다.

요즘처럼 소유하고 있는 사람들이 죄인처럼 취급되는 세상에서 최 부잣집의 가훈은 다시 한번 곱씹어볼 가치를 지닌다. 가난한 사람 편에 서서 주먹을 불끈 쥐고 휘두르면, 무슨 말을 하건 설득력이 있어 보이고 그가 올곧은 사람으로 보이기 마련이다. 그래서 사람들은 의식적으로 부자보다 가난한 사람들의 편에 서기를 좋아한다. 정치가들은 입만 열면 소외 계층을 얘기하고 전략적으로 양극화를 얘기해서 인기몰이를 하려 한다. 그런데도 그것을 속 시원하게 해결할 방안을 제시하고 해결하는 능력에서는 게으르거나 미치지 못한다. 그리고 그 양극화가 어떠한 연유로 말미암아 언제 어디서부터 비롯되었는지 그 원인을 따지고 진단하는 일에는 전혀 관심이 없어 보인다.

경주 최 부잣집에서 생진과 이상의 과거에는 응시하지 말라는 가훈을 지켜온 것도 권력이 부와 동일하다는 판단에서 비롯된 것이다. 권력을 가진 자는 어떤 특권 의식도 가져서는 안 된다. 자기 스스로에게 자신이 누구이며 어떤 특권을 가졌다는 것을 생각조차 말아야 국민이 따른다.

— 김주영(소설가)

혼합헌법

정치 체제의 '삼분법'에 대한 연구는 아리스토텔레스의 '혼합헌법' 또는 '혼합정체' 이론에서 찾아볼 수 있다. '혼합'이란 군주(monarchy), 귀족(aristocracy), 그리고 민주(democracy)라는 요소가 합쳐진 것이다. 아리스토텔레스에 따르면 이 세 가지 요소는 곧 '1인', '소수인', '다수인'의 권력이라고 볼 수 있고, 민주제와 귀족정은 빈곤과 부에 따라 구별되는 것으로, 가난한 이들이 통치하는 것이 바로 민주제이다. 플라톤과 아리스토텔레스는 모두 순수한 민주적 정치 체제를 가장 이상적이지 않은 것으로 보았으나, 다수인의 적대감을 완화하기 위해 혼합정체 내에 '민주'를 위한 몫을 허용하는 것에는 반대하지 않았다. 고대 그리스 정치 철학의 지혜를 종합하면서, 고대 로마의 정치가 키케로는 혼합정체의 정수를 다음과 같이 설명했다.

"신민에 대한 군주의 부애(父愛), 정무를 논의하는 귀족의 지혜, 그리고 자유에 대한 인민의 갈망을 하나의 용광로에 융합하되, 인민의 자유는 귀족의 의지가 실현될 수 있는 범위 내에서만 허용해야 한다."

아리스토텔레스의 혼합헌법 이론의 요지는 '1인에 의한 통치(왕정 또는 군주정)', '소수인에 의한 통치(귀족정)' 그리고 '다수인에 의한 통치(민주제)'의 가장 이상적인 균형 상태를 모색하는 데에 있다. 그는 정치 체제의 삼분법에 관한 연구를 창시했으며, '귀족정'과 '민주제'의 계급적 구성을 명확히 밝혔다. 그러나 아리스토텔레스의 삼분법은 기본적으로 정태적인 분류법으로, 정치 체제의 변화 발전에 대한 동태적 고찰이 결여되어 있다.

아리스토텔레스보다 조금 늦은 시기의 인물로, 그리스에서 로마로 추방당했던 역사학자 폴리비우스는 군주정, 귀족정, 그리고 민주제가 순환하며 반복되는 법칙에 대해 한층 진전된 논의를 전개했다. 이를 간략히 정리하면 다음과 같다.

군주정은 애초에 유능한 지도자가 건설하지만, 이후 그 계승자가 종종 쉽게 부패하여 '참주제'*로 퇴화한다. 그러면 귀족들이 앞장서서 민중을 거느리고 참주제를 전복하여 소수인에 의한 통치, 즉 귀족정을 건설한다. 그러다가 귀족의 후예들이 독단과 횡포를 일삼으면서 귀족정은 '과두제'*로 퇴화되고, 이에 평민들이 분기하여 귀족정을 뒤집어엎고 민주제를 건설한다. 그리고 민주제에서 군중들이 점차 서로를 존중하지 않게 되면 무정부 상태가 초래되고, 결국 군주정이 이를 대신해서 질서를 회복하게 된다. 이로써 새롭게 '군주정-귀족정-민주제'의 순환이 시작되는 것이다.

폴리비우스는 이를 감안하여 군주정과 귀족정과 민주제의 결합이야말로 '가장 좋고 가장 안정적인 정치 체제'라고 강조하였다. 그는 혼합헌법의 원리에 정통했던 대표적인 인물로 고대 스파르타의 입법자인 리쿠르고스를 꼽았다. 스파르타에는 주로 전쟁을 책임지는 두 명의 왕이 있었고, 덕망이 높은 60세 이상의 귀족 28명으로 구성된 원로회의 '게루시아(Gerousia)'가 왕을 감독했다. 또한 전체 남성 시민으로 구성되는 '시민회의'가 관리를 선출했다. 그런데 스파르타에서는 시민회의의 일반 구성원들에게 귀족들의 발언을 들을 권리만 있을 뿐 발언권이 없었다. 하지만 모든 이해 당사자들을 다 고려하는 이런 혼합헌법은 스파르타에 800년 동안의 안정을 가져다주었다.

* 참주제(僭主制): 고대 그리스에서 비합법적인 방법으로 정권을 장악하면서 정치적 영향력을 확산시킨 독재 정치 체제
* 과두제: 적은 수의 우두머리가 국가 최고 기관을 조직하여 행하는 독재적인 정치 체제
　　　－ 추이즈위안, 『프티부르주아 사회주의 선언』

신상품을 히트시키는 조건

"21세기는 혁신의 노예가 됐다!" 스마트폰과 컴퓨터는 말할 것도 없고, TV, 냉장고, 세탁기 할 것 없이 신상품을 내놓으면서 '기술 혁신'이란 꼬리표를 달지 않은 것들이 없다. 심지어 혁신은 디지털 신상품에만 국한하지 않는다. 정치도, 경제도, 교육도, 예술도 혁신하지 않으면 도태된다는 강박 관념에 사로잡혀 있다. 이제 혁신은 하나의 이데올로기가 된 듯하다.

1962년 미국 스탠포드 대학교 출신 사회학자 에버리트 M. 로저스(1931~2004)는 혁신이 어떻게 확산되어 나가는지를 사회문화적인 관점에서 연구하였다. 즉, 혁신이 언제 발

생하고 어떤 과정을 통해 사회 체계 속으로 스며드는지를 분석하였다. 혁신이란 개인이나 채택 단위들이 새롭다고 인식하는 아이디어나 사물을 의미하는데, 기술적 우월성만으로는 혁신이 확산되지 않는다고 한다. 객관적으로 새롭다는 것보다 수용 주체, 이를테면 신상품 소비자가 새롭게 인식하는 자세가 더 중요하다는 것이다. 아울러 혁신의 특성에 따라 그 기술이나 제품이 수용 주체에게 채택되는 속도가 달라진다고 한다.

로저스는 혁신 기술이 채택되는 시간에 따라 소비자를 5개 군으로 나누었다. 전체의 2.5%는 이노베이터(innovator, 혁신가), 13.5%는 얼리 어답터(early adopter, 초기 소비자), 얼리 머조리티(early majority, 전기 일반 소비자)와 레이트 머조리티(late majority, 후기 일반 소비자)가 각각 34%, 래가드(laggard, 최후 소비자)는 16%를 차지한다. 이 중 래가드는 기존에 써오던 물건을 더 이상 사용하는 것이 곤란해질 때까지 신상품 구입을 완강하게 미루기 때문에 혁신 제품의 '최후의 승부처'라고도 불린다.

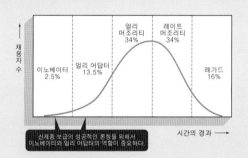

로저스는 이노베이터(2.5%)와 얼리 어답터(13.5%)의 합산 수치인 16% 소비자군에게 상품을 집중적으로 노출하는 것이 시장 확대에 결정적인 역할을 한다고 주장한다. 즉, 보급률 16% 달성이 신상품을 성공적으로 론칭하는 일종의 분기점이 된다는 것이다. 이 때문에 로저스의 '혁신확산론'을 가리켜 '보급률 16% 이론'이라고도 한다.

그렇다면 신상품이 보급률 16%만 달성하면 곧바로 히트할까? 미국 실리콘밸리 출신 컨설턴트 제프리 무어는 1991년에 '캐즘(chasm)'이란 말을 빗대어 반드시 그렇지만은 않다고 반박하였다. 지질학 용어인 캐즘은 건너기 어려운 지층 사이의 깊은 골을 뜻한다. 제품이 아무리 훌륭해도 일반 소비자(얼리 머조리티)가 사용하기까지 넘어야 하는 침체기가 존재한다는 것이다. 제품 출시 초기에는 혁신성을 중시하는 소수 소비자(얼리 어답터)가 어느 정도 시장을 주도한다. 하지만 그 이후에는 실용성을 중시하는 일반 소비자(얼리 머조리티)가 중심이 되는 주류 시장으로 옮아가야 하는데, 그렇지 못한 경우가 많다는 것이다. 얼리 어답터와 얼리 머조리티 사이에서 매출이 급감하거나 정체 현상을 보이기도 하는데, 오히려 보급률 16%를 달성한 뒤부터 마치 높은 장벽이라도 만난 것처럼 판매가 지지부진해지기도 한다는 것이다. 결국 제프리 무어가 언급한 캐즘이라는 골을 뛰어넘을 수 있어야 진정한 혁신이 완성되는 것이라고 할 수 있다.

— 노구치 데츠노리, 『숫자의 법칙』

이노베이터 (혁신가)	새로운 상품이나 서비스를 본인 스스로 알아서 구입하거나 이용함. 새로운 것을 매우 좋아하는 사람들로, 상품의 편리성은 그다지 중요하게 여기지 않음.
얼리 어답터 (초기 소비자)	유행에 민감하고 정보 수집력도 있으며, 구매 상황을 스스로 판단함. 상품의 편리성을 중시하며, 다른 소비자에게 막대한 영향력을 행사함. 신상품 보급의 열쇠 같은 존재
얼리 머조리티 (전기 일반 소비자)	신중하지만 새로운 것에 관심이 많고, 얼리 어답터로부터 영향을 많이 받음. 신상품 보급의 매개자 같은 존재
레이트 머조리티 (후기 일반 소비자)	신상품에 그다지 관심이 없고, 해당 상품을 구매하는 사람들이 많아야만 물건을 구입함. 흔히 '추종자(팔로어)'로 불림.
래가드 (최후 소비자)	새로운 것에 보수적이며 유행에도 관심이 없어 신상품을 거의 사지 않음. 끝까지 구매하지 않는 사람도 있음.

● 단락 요지

1문단 : 하나의 이데올로기가 된 혁신

2문단 : 로저스가 말하는 혁신의 의미

3문단 : 5개의 소비자군의 특징

4문단 : 로저스의 '혁신확산론'

5문단 : 진정한 혁신이 되기 위해 넘어야 할 캐즘

● Quiz

1. 기술적 우월성만으로도 혁신은 확산될 수 있다. (○, ×)
2. 혁신 제품의 '최후의 승부처'라고 불리는 소비자군은 무엇인가?

정답 : 1. ×   2. 래가드

왜 우리는 감정으로 의견을 결정하는가?

미국의 한 대형 금융회사의 최고투자책임자는 어느 날 수천만 달러를 들여 포드자동차 주식을 사들였다. 이유는 단 하나, 최근 모터쇼를 갔다가 그곳에서 강한 인상을 받았기 때문이다. 포드자동차 주식에 대한 분석이나 평가는 없었다. 단지 자동차를 좋아하고, 포드를 좋아하였으며, 포드자동차 주식을 보유한다는 생각을 좋아하였기에, 자신의 직관에 따라 그런 결정을 내린 것이다.

이는 대니얼 카너먼이 그의 저서 『생각에 관한 생각』에서 자신이 직접 겪은 일이라며 '감정 휴리스틱(affect heuristic)'의 사례로 소개한 내용이다. '휴리스틱'이란 무엇인가? 이는 '발견하다'는 뜻을 가진 그리스어 'heutiskein'에서 나온 말로, 어떤 문제의 답을 경험 법칙, 경험에 의한 추측, 직관적 판단, 정형화한 생각, 상식, 시행착오 등의 방법을 사용해 구하는 것을 말한다. 우리말로는 간편법, 간편 추론법, 추단법, 어림법, 편의법 등으로 다양하게 번역되며, 휴리스틱의 반대는 논리적으로 풀어나가면 정확한 해답을 얻을 수 있다는 개념인 '알고리즘(algorithm)'이다. 알베르트 아인슈타인은 1921년 노벨물리학상 수상 논문에서 휴리스틱을 '불완전하지만 도움이 되는 방법'이라는 의미로 사용하기도 했다.

휴리스틱은 행동 경제학의 핵심 개념으로, 카너먼은 엄연히 객관적 사실이 존재하는데도 사람들이 단순히 자신의 고정관념이나 관습 등을 통해 내리는 불완전하고 비합리적인 판단이라고 설명하였다. 즉, 휴리스틱은 인간이 스스로 생각하는 것보다 훨씬 비합리적인 존재임을 증명해 주는 근거인 것이다.

휴리스틱은 특히 기업의 의사 결정 과정과 관련해서 많이 사용된다. 현실적으로 기업은 정보의 부족과 시간 제약으로 완벽한 의사 결정을 할 수 없기 때문이다. 모든 변수와 조건을 검토할 수 없는 상황에서 휴리스틱 접근법은 어느 정도 불가피하다. 휴리스틱 접근법을 사용하면 어떤 상황을 분석할 때 초기 단계에서는 모든 변수를 고려하지 않고 중요 변수만을 분석하고 점차 변수의 범위를 넓혀감으로써 오류의 가능성을 줄일 수 있다.

휴리스틱의 한 종류인 '감정 휴리스틱'은 미국 오리건 대학의 심리학자 폴 스로빅이 제안한 것으로, 사람들의 기분이나 감정이 세상에 대한 그들의 믿음을 결정하게 만들어버리는 것을 말한다. 예컨대 우리는 암이라는 단어를 들으면 보통 두려워하고 엄마라는 단어를 들으면 따뜻함이나 보살핌을 떠올리는데, 이런 감정 작용은 사람들의 의사 결정에 큰 영향을 끼친다. 그래서 광고에는 감정 휴리스틱을 유발하는 문구들이 흘러넘치기 마련이다. 새로움을 강조하는 '뉴(new)', 자연적 느낌을 주는 '내추럴(natural)', 남다른 가치를 지녔다는 느낌을 주는 '프리미엄(premium)'이나 '골드(gold)', 의미 있는 행복을 추구하는 느낌을 주는 '웰빙(well-being)' 등을 쉽게 찾아볼 수 있다.

이러한 감정 휴리스틱은 한국 특유의 정(情) 문화와 연결지어 생각할 수 있다. 정은 사회적 인간관계에서 관여된 사람들 사이에 애착과 친밀감을 만들어주는 사회 관계적 원자재라고 정의할 수 있다. 서양의 사회 관계를 개인주의적이라고 할 때, 한국은 관계주의적이며 타인과의 관계에서 자신을 규정하면서 자신의 가치를 발견한다. 이런 문화는 정치적 판단이나 의사 결정이 감정 휴리스틱에 의해 지배될 가능성을 높여준다.

— 강준만, 『감정 독재』

● 단락 요지 ●

1문단 : 한 최고투자책임자가 포드자동차 주식을 산 이유

2문단 : 휴리스틱의 의미

3문단 : 행동 경제학의 핵심 개념인 휴리스틱

4문단 : 기업의 의사 결정 과정에서 사용되는 휴리스틱

5문단 : 감정 휴리스틱과 사례

6문단 : 한국의 정(情) 문화와 감정 휴리스틱

● Quiz ●

1. 어떤 문제의 답을 경험 법칙, 직관적 판단, 정형화된 생각, 상식, 시행 착오 등의 방법을 사용해 구하는 것을 ☐☐☐☐이라 한다.
2. 휴리스틱과 반대되는 개념은 ☐☐☐☐이다.

정답 : 1. 휴리스틱 2, 1. 알고리즘(algorithm)

1등급을 향한 국어 문제집
SUMMA CUM LAUDE

예술 제 **III** 부

실전 TEST 01 예술 / 미술

[평가원 기출]

☑ 지문 분석 노트

①

②

③

④

⑤

■ 주제 :

　먹으로 난초를 그린 묵란화는 사군자의 하나인 난초에 관념을 투영하여 형상화한 그림으로, 여느 사군자화와 마찬가지로 군자가 마땅히 지녀야 할 품성을 담고 있다. 묵란화는 중국 북송 시대에 그려지기 시작하여 우리나라를 포함한 동북아시아 문인들에게 널리 퍼졌다. 문인들에게 시, 서예, 그림은 나눌 수 없는 하나였다. 이런 인식은 묵란화에도 이어져 난초를 칠 때는 글씨의 획을 그을 때와 같은 붓놀림을 구사했다. 따라서 묵란화는 문인들이 인문적 교양과 감성을 드러내는 수단이 되었다.

　추사 김정희가 25세 되던 해에 그린 ⊙〈석란(石蘭)〉은 당시 청나라에서도 유행하던 전형적인 양식을 따른 묵란화이다. 화면에 공간감과 입체감을 부여하는 잎새들은 가지런하면서도 완만한 곡선을 따라 늘어져 있으며, 꽃은 소담하고 정갈하게 피어 있다. 도톰한 잎과 마른 잎, 둔중한 바위와 부드러운 잎의 대비가 돋보인다. 난 잎의 조심스러운 선들에서는 단아한 품격을, 잎들 사이로 핀 꽃에서는 고상한 품위를, 묵직한 바위에서는 ˚돈후한 인품을 느낄 수 있으며 당시 문인들의 공통적 이상이 드러난다.

　평탄했던 젊은 시절과 달리 김정희의 예술 세계는 49세부터 장기간의 유배 생활을 거치면서 큰 변화를 보인다. 글씨는 맑고 단아한 서풍에서 추사체로 알려진 자유분방한 서체로 바뀌었고, 그림도 부드럽고 우아한 화풍에서 쓸쓸하고 ˚처연한 느낌을 주는 화풍으로 바뀌어 갔다.

　생을 마감하기 일 년 전인 69세 때 그렸다고 추정되는 ⓒ〈부작란도(不作蘭圖)〉는 이러한 변화를 잘 보여 준다. ˚담묵의 거친 갈필*로 화면 오른쪽 아래에서 시작된 몇 가닥의 잎은 왼쪽에서 불어오는 바람을 맞아, 오른쪽으로 뒤틀리듯 구부러져 있다. 그중 유독 하나만 위로 솟구쳐 올라 허공을 가르지만, 그 잎 역시 부는 바람에 속절없이 꺾여 있다. 그 잎과 평행한 꽃대 하나, 바람에 맞서며 한 송이 꽃을 피웠다. 바람에 꺾이고, 맞서는 난초 꽃대와 꽃송이에서 세파에 시달려 쓸쓸하고 황량해진 그의 처지와 그것에 맞서는 강한 의지를 느낄 수 있다. 우리는 여기에서 김정희가 자신의 경험에서 느낀 세계와 묵란화의 표현 방법을 일치시켜, 문인 공통의 이상을 표출하는 관습적인 표현을 넘어 자신만의 감정을 충실히 드러낸 세계를 창출했음을 알 수 있다.

　묵란화에는 종종 심정을 적어 두기도 했다. 김정희도 〈부작란도〉에 '우연히 그린 그림에서 참모습을 얻었다'고 적어 두었다. 여기서 우연히 얻은 참모습을 자신이 처한 모습을 적절하게 표현하는 것이라 한다면 이때 우연이란 ˚요행이 아니라 오랜 기간 훈련된 감성이 어느 한 순간의 계기에 의해 표출된 필연적인 우연이라고 해야 할 것이다.

* 갈필 : 물기가 거의 없는 붓으로 먹을 조금만 묻혀 거친 느낌을 주게 그리는 필법

Words _____

• **돈후** : 인정이 두텁고 후하다.   • **처연** : 기운이 차고 쓸쓸하다.   • **담묵** : 동양화에서 사용하는 묽은 먹물. 또는 그런 먹빛   • **요행** : 뜻밖에 얻는 행운

1 윗글에 대한 설명으로 가장 적절한 것은?

① 구체적인 작품을 사례로 제시하며 작가의 삶과 작품 세계를 설명하고 있다.

② 후대 작가의 작품과의 비교를 통해 작품에 대한 이해를 확장하고 있다.

③ 특정한 입장을 바탕으로 작가와 작품에 대한 역사적 논란을 소개하고 있다.

④ 다양한 해석을 근거로 들어 작품에 대한 통념적인 이해를 비판하고 있다.

⑤ 대조적인 성격의 작품을 예로 들어 예술의 대중화 과정을 분석하고 있다.

2 윗글의 내용과 일치하지 <u>않는</u> 것은?

① 문인들은 사군자화를 통해 군자의 덕목을 드러내려 했다.

② 묵란화는 그림의 소재에 관념을 투영하여 형상화한 것이다.

③ 유배 생활은 김정희의 서체와 화풍의 변화에 영향을 주었다.

④ 묵란화는 중국에서 기원하여 우리나라에 전래된 그림 양식이다.

⑤ 김정희는 말년에 서예의 필법을 쓰지 않고 그리는 묵란화를 창안하였다.

3 ㉠, ㉡에 대한 이해로 적절하지 <u>않은</u> 것은?

① ㉠에서 완만하고 가지런한 잎새는 김정희가 삶이 순탄하던 시절에 추구하던 단아한
   품격을 표현한 것이다.

② ㉠에서 소담하고 정갈한 꽃을 피워 내는 모습은 고상한 품위를 지키려는 김정희의
   이상을 표상한 것이다.

③ ㉡에서 바람을 맞아 뒤틀리듯 구부러진 잎은 세상의 풍파에 시달린 김정희의 처지
   를 형상화한 것이다.

④ ㉡에서 홀로 위로 솟구쳤다 꺾인 잎은 지식을 추구했던 과거의 삶과 단절하겠다는
   김정희 자신의 의지가 표현된 것이다.

⑤ ㉠과 ㉡에 그려진 난초는 김정희가 자신의 인문적 교양과 감성을 표현하기 위해 선
   택한 소재이다.

4 〈보기〉를 바탕으로 할 때 윗글에 나타난 김정희의 예술 세계에 대해 이해한 내용으로 적절하지 <u>않은</u> 것은?

┤ 보기 ├

예술 작품의 내용은 형식에 담긴다. 그러므로 감상자의 입장에서 보면 형식으로써 내용을 알게 된다고 할 수 있고, 내용과 형식이 꼭 맞게 이루어진 예술 작품에서 감동을 받는다. 따라서 형식에 대한 파악은 예술 작품을 이해하는 데 핵심적인 요소가 된다. 예술 작품의 형식은 그것이 속한 문화 속에서 형성되어 온 것이다. 이 형식을 이해하고 능숙하게 익히는 것은 작가에게도 매우 중요한 일이다. 예술 창작이란 아무 것도 없는 것에서 어떤 사물을 창조하는 것이 아니라, 문화적 축적 속에서 새롭게 의미를 찾아 형식화하는 것이기 때문이다. 결국 전통의 계승과 혁신의 문제는 예술에서도 오래된 주제이다.

① 전형적인 방식으로 〈석란〉을 그린 것은 당시 문인화의 전통을 수용한 것이겠군.
② 추사체라는 필법을 새롭게 창안했다는 것은 전통의 답습에 머무르지 않았음을 의미하는군.
③ 〈부작란도〉에서 참모습을 얻었다고 한 것은 의미가 그에 걸맞은 형식을 만난 것이라 할 수 있겠군.
④ 시와 서예와 그림 모두에 능숙했다는 것은 여러 가지 표현 양식을 이해하고 익힌 것이라 할 수 있겠군.
⑤ 〈부작란도〉에서 자신만의 감정을 드러내는 세계를 창출했다는 것은 축적된 문화로부터 멀어지려 한 것이라 할 수 있겠군.

예술 / 사진 **02** 실전 TEST

[평가원 기출]

프레임(frame)은 영화와 사진 등의 시각 매체에서 화면 영역과 화면 밖의 영역을 구분하는 경계로서의 틀을 말한다. 카메라로 대상을 포착하는 행위는 현실의 특정한 부분만을 떼어 내 프레임에 담는 것으로, 찍는 사람의 의도와 메시지를 내포한다. 그런데 문, 창, 기둥, 거울 등 주로 사각형이나 원형의 형태를 갖는 물체들을 이용하여 프레임 안에 또 다른 프레임을 만드는 경우가 있다. 이런 기법을 '이중 프레이밍', 그리고 안에 있는 프레임을 '이차 프레임'이라 칭한다.

이차 프레임의 일반적인 기능은 크게 세 가지로 구분할 수 있다. 먼저, 화면 안의 인물이나 물체에 대한 시선 유도 기능이다. 대상을 틀로 에워싸기 때문에 시각적으로 강조하는 효과가 있으며, 대상이 작거나 구도의 중심에서 벗어나 있을 때도 존재감을 부각하기가 용이하다. 또한 프레임 내 프레임이 많을수록 화면이 다층적으로 되어, 자칫 밋밋해질 수 있는 화면에 깊이감과 입체감이 부여된다. 광고의 경우, 설득력을 높이기 위해 이차 프레임 안에 상품을 위치시켜 주목을 받게 하는 사례들이 있다.

다음으로, 이차 프레임은 작품의 주제나 내용을 암시하기도 한다. 이차 프레임은 시각적으로 내부의 대상을 외부와 분리하는데, 이는 곧잘 심리적 단절로 이어져 구속, 소외, 고립 따위를 *환기한다. 그리고 이차 프레임 내부의 대상과 외부의 대상 사이에는 정서적 거리감이 ⓐ조성(造成)되기도 한다. 어떤 영화들은 작중 인물을 문이나 창을 통해 반복적으로 보여 주면서, 그가 세상으로부터 격리된 상황을 암시하거나 불안감, 소외감 같은 인물의 내면을 시각화하기도 한다.

마지막으로, 이차 프레임은 '이야기 속 이야기'인 액자형 서사 구조를 지시하는 기능을 하기도 한다. 일례로, 어떤 영화는 작중 인물의 현실 이야기와 그의 상상에 따른 이야기로 구성되는데, 카메라는 이차 프레임으로 사용된 창을 비추어 한 이야기의 공간에서 다른 이야기의 공간으로 들어가거나 빠져나온다.

그런데 현대에 이를수록 시각 매체의 작가들은 ㉠이차 프레임의 *범례에서 벗어나는 시도들로 다양한 효과를 끌어내기도 한다. 가령 이차 프레임 내부 이미지의 형체를 식별하기 어렵게 함으로써 관객의 지각 행위를 방해하여, 강조의 기능을 무력한 것으로 만들거나 서사적 긴장을 유발하기도 한다. 또 문이나 창을 봉쇄함으로써 이차 프레임으로서의 기능을 상실시켜 공간이나 인물의 *폐쇄성을 드러내기도 한다. 혹은 이차 프레임 내의 대상이 그 경계를 넘거나 파괴하도록 하여 호기심을 자극하고 대상의 운동성을 강조하는 효과를 낳는 사례도 있다.

☑ 지문 분석 노트

①

②

③

④

⑤

■주제 :

Words

• **환기** : 주의나 여론, 생각 따위를 불러일으킴. • **범례** : 예시하여 모범으로 삼는 것 • **폐쇄성** : 태도나 생각 따위가 꼭 닫히거나 막히어서 외부와 통하지 않는 성질

1. 윗글의 내용과 일치하지 <u>않는</u> 것은?

① 작가의 의도는 현실을 화면에 담는 촬영 행위에서도 드러난다.

② 이차 프레임 내에 또 다른 프레임을 만들 수도 있다.

③ 이차 프레임의 시각적 효과는 심리적 효과로 이어지기도 한다.

④ 이차 프레임 내부의 인물과 외부의 인물 사이에는 일체감이 형성된다.

⑤ 이차 프레임은 액자형 서사 구조의 영화에서 이야기 전환을 알리는 데 쓰이기도 한다.

2. 윗글을 바탕으로 〈보기〉를 이해한 내용으로 가장 적절한 것은?

| 보기 |

　　1950년대 어느 도시의 거리를 담은 이 사진은 ㉠자동차의 열린 뒷문의 창이 우연히 한 인물을 테두리 지어 작품의 묘미를 더하는데, 이는 이중 프레이밍의 전형적인 사례이다.

① ㉠로 인해 화면이 평면적으로 느껴지는군.

② ㉠가 없다면 사진 속 공간의 폐쇄성이 강조되겠군.

③ ㉠로 인해 창 테두리 외부의 풍경에 시선이 유도되는군.

④ ㉠ 안의 인물은 멀리 있어서 ㉠가 없더라도 작품 내 존재감이 비슷하겠군.

⑤ ㉠가 행인이 들고 있는 원형의 빈 액자 틀로 바뀌더라도 이차 프레임이 만들어지겠군.

3 ㉠의 사례로 보기 어려운 것은?

① 한 그림에서 화면 안의 직사각형 틀이 인물을 가두고 있는데, 팔과 다리는 틀을 빠져나와 있어 역동적인 느낌을 준다.

② 한 영화에서 주인공이 속한 공간의 문이나 창은 항상 닫혀 있는데, 이는 주인공의 폐쇄적인 내면을 상징적으로 보여 준다.

③ 한 그림에서 문이라는 이차 프레임을 이용해 관객의 시선을 유도한 뒤, 정작 그 안은 실체가 불분명한 물체의 이미지로 처리하여 관객에게 혼란을 준다.

④ 한 영화에서 주인공이 앞집의 반쯤 열린 창틈으로 가족의 화목한 모습을 목격하고 계속 지켜보는데, 이차 프레임으로 사용된 창틈이 한 가정의 행복을 드러내는 기능을 한다.

⑤ 한 영화는 자동차 여행 장면들에서 이차 프레임인 차창을 안개로 줄곧 뿌옇게 보이게 하여, 외부 풍경을 보여 주며 환경과 인간의 교감을 묘사하는 로드 무비의 관습을 비튼다.

4 문맥상 ⓐ와 바꾸어 쓸 수 있는 말로 가장 적절한 것은?

① 결성(結成)되기도   ② 구성(構成)되기도

③ 변성(變成)되기도   ④ 숙성(熟成)되기도

⑤ 형성(形成)되기도

실전 TEST 03 예술 / 건축

☑ 지문 분석 노트

①

②

③

④

⑤

대형 건축물 없이도 뛰어난 문명을 꽃피웠던 그리스 시대와 르네상스 시기 건축의 공통점은 인본주의를 바탕으로 삼았다는 점이다. 이 시기에는 사람의 행복이 모든 학문과 기술의 목표였으며 건물 *부재들의 위치와 규모 등도 모두 인체를 기준으로 결정되었다. 건물의 크기인 스케일이 인체 크기의 배수로 환원될 수 있는 규모를 ㉠휴먼 스케일이라고 하는데, 이는 건물을 구성하는 여러 요소들이 인체의 크기와 적절한 조화를 이루며 각각의 사용 기능을 암시할 때 구현된다. 또한 건물을 사용하는 과정에서 인체에 대한 끊임없는 연상 작용이 일어날 때 사람들은 체험적 휴먼 스케일적 느낌을 갖게 된다.

서양에서 휴먼 스케일은 휴머니즘을 기본 *사조로 삼은 고전주의 건축물에서 주로 사용됐다. 실제로 서양 고전 건축에서는 인체의 비례 체계를 모방한 척도를 문법적 규칙으로 만들어 통용했다. 예를 들어 고전 건축의 완성을 이룩했던 그리스 인들은 네 개의 손가락 폭이 모여 손바닥 길이가 되고, 다시 네 개의 손바닥 길이가 모여 하나의 발바닥 길이가 되고, 여섯 개의 발바닥 길이가 모여 신장이 된다는 인체 비례 체계를 찾아냈다. 또 인체 각 부위의 길이를 지칭하는 단어를 *도량형 단위로 쓰기도 했다.

그리스 신전에서도 기둥을 비롯한 각 부재의 크기에 인체의 비례 체계가 적용되었다. 인체에서는 손가락 폭이 비례 체계를 형성하는 출발점이듯 그리스 신전에서는 기둥의 반지름이 그런 역할을 했다. 기둥의 반지름만 정해지면 신전의 모든 부재의 크기는 기둥 반지름의 배수로 표시되었다. 남성의 몸을 본떠 만들었다는 도리스 양식에서는 기둥과 기둥 사이의 간격이 기둥 반지름의 네 배로, 기둥의 높이는 열네 배로 정해졌다. 그리고 여성의 몸을 본떠 만든 이오니아 양식에서는 이보다 좀 더 *세장(細長)한 여섯 배와 열여덟 배의 척도가 쓰였다. 이와 같은 휴먼 스케일의 법칙은 고전 건축이 대표적인 건축 양식이었던 18세기까지 비교적 엄격하게 지켜지며 사용되었다. 요즘에도 고전 건축의 권위를 따르는 일부 서양 건축가들은 숫자 대신 휴먼 스케일 척도를 사용하기도 한다.

한국 전통 건축 또한 이와 유사한 특징을 보이는데, 서양과는 달리 인체의 척도를 체험적 대상으로 보았다. 한국의 전통 건축물들이 아담하고 편안하게 느껴지는 이유는 사람들이 건물 앞에 섰을 때 그 크기를 인체의 크기로 환원하여 가늠할 수 있기 때문이다. 크기의 차이에서 오는 이질감이 적기 때문에 그만큼 건물이 친숙하게 느껴지는 것이다.

툇마루는 한국 전통 건물만이 갖는 휴먼 스케일의 뛰어난 예이다. 툇마루는 보통 사람의 무릎 높이이다. 무릎은 *슬하(膝下)라든가 '무릎을 맞대고' 혹은 '무릎을 꿇다' 등의 표현에서 알 수 있듯이 인체 가운데에서도 특별한 의미를 지닌 부위이다. 즉, 무릎을 굽히면 더 이상 서 있지 않은 상태가 되는 것처럼, 무릎은 사람이 서 있는지 아닌지를 결정하는 기준이 된다. 툇마루는 무릎을 굽히고 걸터앉으면 딱 알맞은 높이이다. 그러면서도 서 있는 상태와 유사한 눈높이를 유지하게 한다. 툇마루를 오르내리면서 사람들은 무릎이라는 자신의 신체에 대한 연상을 하루에도 여러 번 하게 된다. 이처럼 툇마루는 사용자가 무릎에 특별한 신경을 쓰게 만드는 동시에 서 있는 상태의 느낌도 갖게 함으로써 신체에 대한 이중의 연상 작용을 일으킨다.

■주제 : _____

Words

• **부재(部材)** : 구조물의 뼈대를 이루는 데 중요한 요소가 되는 여러 가지 재료 • **사조(思潮)** : 한 시대의 일반적인 사상의 흐름 • **도량형(度量衡)** : 길이, 부피, 무게 따위의 단위를 재는 법 • **세장(細長)하다** : 가늘고 길다. • **슬하(膝下)** : 무릎의 아래라는 뜻으로, 어버이나 조부모의 보살핌 아래. 주로 부모의 보호를 받는 테두리 안을 이른다.

1 윗글에 대한 설명으로 가장 적절한 것은?

① 유사한 사례를 나열하여 대상의 장단점을 설명하고 있다.
② 대상의 시대별 변화 양상을 비교하며 그 특징을 설명하고 있다.
③ 현상이 일어나게 된 배경을 제시하고 그 원인을 설명하고 있다.
④ 기존 이론과 대비되는 사례를 소개하며 특정 현상을 설명하고 있다.
⑤ 핵심적인 용어의 개념을 정의하고 구체적인 예를 들어 설명하고 있다.

2 윗글의 내용을 이해한 것으로 적절하지 않은 것은?

① 르네상스 시대에 세워진 건축물들은 인본주의를 바탕으로 하고 있다.
② 툇마루를 사용하는 사람들은 무릎이라는 신체에 대해 연상 작용을 하게 된다.
③ 서양의 고전 건축을 계승한 건축가들은 건축을 인체의 체험적 대상으로 보았다.
④ 그리스 신전의 각 부재에는 그리스 인들이 찾아낸 인체 비례 체계가 적용되었다.
⑤ 한국의 전통 건축물들에서는 인체와 크기의 차이에서 이질감이 적어 친숙감을 느낄 수 있다.

3 ⊙의 예로 적절하지 않은 것은?

① 한옥의 문은 사람 키보다 약간 작아 문을 드나들면서 몸을 수그리게 하여 자신의 몸에 대해 각성하게 한다.

② 장곡사 하대웅전은 주변 건물들을 인지할 수 있는 범위 안에서 마당을 만들어 그 안에 머무는 사람이 편안함을 느낄 수 있게 한다.

③ 원으로 설계된 캄피돌리오 광장은 중심을 향하는 집중성과 둘레를 향하는 확산성을 동시에 갖고 있어 광장의 중심에 서 있는 사람이 세상의 중심에 서 있는 느낌을 받게 한다.

④ 라파엘로가 지은 키지 예배당은 투시도법을 이용해 로마 제국이라는 거대 공간을 사람 크기에 맞게 조절함으로써 나를 초점으로 삼아 전체 공간을 한눈에 파악할 수 있게 한다.

⑤ 건물과 건물 사이의 뜰인 한국의 중정은 상대방의 얼굴 표정을 읽으며 육성으로 대화할 수 있으면서도 너무 가깝지 않아 개인의 프라이버시를 보호할 수 있는 규모로 조성되어 있다.

4 윗글의 주요 개념을 적용하여 〈보기〉를 이해한 내용으로 적절하지 않은 것은?

| 보기 |

독일의 도시 '칼스루에'는 전후 재건과 1975년 구도심의 재개발 과정에서 건물의 높이, 외관, 형태 등이 철저히 규제되었다. 주차 공간의 배치, 자전거 도로, 녹지 및 도로의 건설이 모두 인간의 감각에 적합하도록 재건되었다. 대부분의 건물과 도로를 인간에 초점을 맞추어 인간에게 부담을 주지 않게 만들어서 집안을 거니는 듯한 편안함을 느끼게 하였다. 따라서 이곳은 인간을 근본적으로 생각하는 도시 계획이 실천된 도시임을 알 수 있다.

① '칼스루에'의 재건과 재개발에는 인본주의적인 사상이 밑바탕이 되었겠군.

② '칼스루에'의 주차 공간 및 녹지 등은 휴먼 스케일을 적용하여 지어졌겠군.

③ '칼스루에'를 보니 휴먼 스케일은 도시 계획으로 확장해 적용할 수도 있겠군.

④ '칼스루에'에 있는 건물에 대한 규제는 고전 건축에 대한 반감에서 시작되었겠군.

⑤ '칼스루에'의 도로는 인체의 크기로 환원하여 가늠할 수 있는 크기로 만들었겠군.

온음계 시스템(diatonic tonal system)은 17, 18세기에 발전하여 지금까지 음악의 지배적인 작곡 방식으로 통용되고 있다. 일반적으로 온음계 시스템 하에서는 어떤 음들이 동시에 화음으로 연주되어야 하는지, 그리고 어떤 음들이 각각 다른 것들에 따라와야 하는지에 관한 규칙이 정해져 있다. 온음계 시스템의 주요 구성 방식은 ㉠협화음과 ㉡불협화음의 대립이다. 특정한 음계 내에서 서로 어울리는 음들이 결합되면 독립적으로 존재할 수 있는 편안한 협화음을 만들어 낸다. 만약 선택된 음계의 음이 아닌 음을 연주하거나 허용된 특정 간격이 아닌 음의 조합이 연주되면, 충돌하고 대립하는 느낌을 ⓐ빚어내는 불협화음이 된다. 온음계적인 관습에 의하면 이러한 불협화음은 혼자서는 존재할 수 없으며 반드시 협화음으로 *귀결되어야 한다.

19세기를 거치면서 작곡가들은 점차 많은 불협화음을 작품 속에 포함시켰으며 불협화음에서 다시 협화음으로 되돌아가는 시간적 간격도 점차 늘려갔다. 쇤베르크도 초기 활동기에는 불협화음을 많이 쓰긴 했어도 온음계적인 조성 체계를 ⓑ따랐다. 하지만 1911년 음악회에서 연주된 〈현악 4중주 op.10〉과 〈세 개의 피아노 곡 op.11〉은 온음계적인 조성 체계를 무시하며 작품의 고유한 내적 논리에만 의지하고 있는데, 그의 이러한 기존 작곡법에서의 이탈이 추상화가 ㉢칸딘스키에게 깊은 인상을 남겼다.

쇤베르크는 자신의 저서 『화성론』에서 불협화음과 협화음 간의 본질적인 구분은 없으며 불협화음이란 단지 '좀 멀리 떨어진 협화음'이라고 설명하면서 더 이상 협화음과 불협화음을 구분하지 않는 불협화음의 해방이 이루어졌다고 말했다. 이러한 설명은 배음(overtone) 체계에 대한 쇤베르크의 고유한 이해에 기초하고 있는데, 그는 『화성론』의 앞부분에서 이에 대해 ⓒ다루고 있다.

배음이란 한 음을 울렸을 때 동시에 울리는 진동수가 정배수인 음들로, 한 음이 울리면 강하게 울리는 배음들이 이 바탕음과 함께 울리며 좀 더 약한 배음들이 뒤따르게 된다. 쇤베르크에 의하면 뒤에 울리는 희미하게 감지되는 배음들은 우리의 귀에 생소하게 느껴지는 반면, 좀 더 강하게 울리는 배음들은 우리의 귀에 익숙하게 느껴진다. 즉, 우리의 귀에 익숙한 강하게 울리는 배음들의 계열이 함께 울릴 때 협화음이 되며, 이후의 약하게 울리는 배음들이 불협화음을 만든다는 것이다. 따라서 쇤베르크에 따르면 전통적인 방식의 협화음과 불협화음의 구분은 근본적인 차이가 아니라 단지 상대적인 익숙함의 차이이다. 이는 단순히 음악을 분석하는 귀가 멀리 떨어진 배음을 얼마나 친숙하게 받아들이는가에 ⓓ달려 있는 문제일 뿐, 협화음과 불협화음을 대립적인 개념으로 이해해서는 안 된다는 것이 그의 생각이다.

이렇게 협화음과 불협화음이 더 이상 반대 개념이 아니고 민감성의 문제라면 작곡에서 음들을 연결하고 조합하는 데 있어서 그 어떤 제한도 존재하지 않게 된다. 이를 바탕으로 쇤베르크는 어떤 하나의 조를 중심으로 ⓔ두지 않고 온음계적 체계에 있어서 기본이 되는 7음 대신에 12음 중 그 어떤 음들의 조합이라도 사용될 수 있으며 독립적으로 자유롭게 쓰일 수 있는 *무조(無調) 음악을 만들었다.

Words

• 귀결(歸結) : 어떤 결말이나 결과에 이름. 또는 그 결말이나 결과 • 무조(無調) 음악 : 악곡의 중심이 되는 조성(調性)이 없는 음악

1 윗글의 내용과 일치하지 않는 것은?

① 온음계 시스템은 음악의 지배적인 작곡 방식이다.
② 한 음이 울릴 때 약한 배음부터 점차 강한 배음 순으로 울린다.
③ 쇤베르크는 『화성론』에서 불협화음의 해방에 관한 생각을 밝혔다.
④ 19세기 이후의 작곡가들은 작품 속에 불협화음을 많이 포함시켰다.
⑤ 쇤베르크는 온음계적 체계와 달리 12음을 조합하여 화음으로 사용하였다.

2 ㉠과 ㉡에 대한 설명으로 적절하지 않는 것은?

① 온음계 시스템에서는 ㉠과 ㉡을 대립적인 관계로 본다.
② 온음계 시스템에서 ㉡은 반드시 ㉠으로 귀결되어야 한다.
③ 쇤베르크는 ㉠과 ㉡의 차이가 상대적 익숙함의 차이라고 생각하였다.
④ 쇤베르크는 ㉠과 ㉡은 모두 독립적으로 자유롭게 사용할 수 있다고 보았다.
⑤ 쇤베르크는 ㉠과 ㉡이 음계 사이의 간격 때문에 본질적으로 구분된다고 보았다.

3 〈보기〉는 ⓒ과 관련된 설명이다. 윗글을 바탕으로 〈보기〉를 이해한 내용으로 적절한 것은?

---| 보기 |---

　　칸딘스키는 쇤베르크의 음악을 극찬하면서, 우리 시대의 화음은 기하학적인 방법을 통해 발견될 수 없고 비기하학적이고 비논리적인 방식으로 이루어져야 한다고 주장하였다. 그는 회화의 구성도 색채나 형태가 재현되는 대상에 종속되는 것이 아니라 자유로이 독립적으로 사용될 수 있다고 보았다. 또한 당대의 회화적 구성은 외관적으로는 캔버스 위에 무작위로 흩어져 서로 간에 아무런 관계가 없는 요소들로 이루어진 것처럼 보이지만 무의식중에 영혼에 의해 파악될 수 있는 숨겨진 유형의 것이라고 설명하였다. 그리고 그는 이것이 회화에 있어서 미래의 화성론이라고 언급하였다.

① 칸딘스키는 협화음과 불협화음이 어울릴 수 없다고 보았겠군.
② 칸딘스키는 쇤베르크의 음악에서 숨겨진 유형이 있음을 느꼈겠군.
③ 칸딘스키는 불협화음이 회화에 있어서 미래의 화성론이라고 보겠군.
④ 칸딘스키는 온음계 시스템이 회화에서의 비논리적인 방식이라고 생각했겠군.
⑤ 칸딘스키는 쇤베르크의 음악의 조성 체계가 기하학적인 방법을 따르고 있다고 여기겠군.

4 ⓐ~ⓔ의 문맥적 의미를 살려 문장을 만들었을 때, 적절하지 <u>않은</u> 것은?

① ⓐ : 그는 현란한 색채를 <u>빚어내는</u> 화가이다.
② ⓑ : 우리는 해안을 <u>따라서</u> 서서히 올라갔다.
③ ⓒ : 기자들은 고위 관료들의 뇌물 수수를 크게 <u>다루었다</u>.
④ ⓓ : 너의 운명은 이 사업에 <u>달려</u> 있다고 해도 과언이 아니다.
⑤ ⓔ : 우리가 기준을 어디에 <u>두느냐</u>에 따라 결과는 달라질 것이다.

우리의 단청(丹靑)

우리나라 목조 건축에서 가장 환상적인 치장은 아마 단청일 것이다. 화려하고 순도 높은 채색과 다양한 문양을 자랑하는 한국 단청은 목조 건축의 외부 장식 미술의 극치라 해도 과언이 아니다.

단청의 색은 기본적으로 청, 적, 황, 백, 흑의 오방색을 바탕으로 한다. 오방색은 우주 자연의 원리가 색채에 적용된 것으로, 동양에서 인간의 윤리 철학과 결합하여 색과 관련된 모든 생활을 규제하고 질서화하는 기능을 하였다. 옛사람들은 오방색을 상생의 원리에 맞추어 배열해 놓으면 강한 서기(瑞氣)가 발동하고, 그 때문에 역귀 등 잡귀가 범접하지 못한다고 믿었다.

단청 문양은 각각의 색이 가진 순수성을 드러내면서 주기적인 운동성을 함께 갖추고 있다. 면이 축소되어 넓이가 없는 것이 선이고, 선이 확대되어 넓이가 있는 것이 면이다. 색은 면을 통해 잘 드러나고, 운동은 선을 통해서 살아난다. 면이 너무 확대되면 운동성을 상실하고 선으로만 표시하면 색의 순수성을 잃게 된다. 이 두 가지 성질을 동시에 만족시키려면 적당한 넓이와 운동성을 갖춰야 한다. 그래서 단청을 구성하는 문양들은 그 형태는 서로 다르지만 선이나 면 어느 한쪽으로 치우치지 않는 중용의 미학을 갖고 있다.

단청에는 단순하고 간단한 것에서부터 더 복잡하고 정밀한 것에 이르는 몇 가지 양식이 있다. 그 중에 대표적인 것이 가칠단청, 긋기단청, 모로단청, 금단청이다. 이 가운데서 가장 단순한 것이 가칠단청인데, 그 자체가 바탕칠일 경우도 있고, 긋기·모로 및 금단청의 바탕칠이 될 때도 있다. 긋기단청은 가칠단청을 한 위에 먹이나 색으로 일정한 폭의 줄을 긋는 것을 말한다. 이 때 먹으로 긋는 것을 '먹긋기'라고 하는데, 보통 먹줄을 그은 후 백선(白線)을 곁들이게 된다. 그리고 색줄을 긋는 것을 '색긋기'라고 하는데, 색긋기는 단색 혹은 둘 이상의 색으로 긋는다.

모로단청은 기둥, 대들보, 서까래 등의 머리 부분에 여러 문양으로 나타나는데, 대체로 연화머리초와 장구머리초로 구분된다. 연화머리초는 연꽃

▲ 우리나라의 단청

을 주로 쓰고, 간혹 국화, 모란 등의 변화된 꽃무늬를 도안하기도 한다. 장구머리초는 긴 부재에 동일한 머리초 두 개를 길이 방향으로 대칭되게 연결시켜 그려 전체 모양이 장구와 같이 된 것을 말한다. 금단청은 그 모양이 비단에 수놓은 것처럼 화려하다고 해서 붙여진 이름으로, 모로단청의 머리초보다 훨씬 화려하고 복잡하다.

별지화는 창방, 평방, 도리, 대들보 등 큰 부재의 양 끝에 모로 단청을 놓고 중간 공백 부분에다 회화적인 수법으로 그린 장식화를 말한다. 별지화는 특히 사찰 건축에서 많이 찾아볼 수 있는데, 용·기린·사자·학 등의 상서로운 동물과 사군자나 불교 경전에 나오는 장면 등으로 이루어져 있다.

– 허균, 『한국 전통 건축 장식의 비밀』

● 단락 요지 ●

1문단 : 한국 단청의 특징

2문단 : 오방색을 기본으로 하는 단청의 색

3문단 : 중용의 미학이 드러나는 단청

4문단 : 단청의 양식 ① – 가칠단청, 긋기단청

5문단 : 단청의 양식 ② – 모로단청, 금단청

6문단 : 단청의 응용 – 별지화

● Quiz ●

1. 옛사람들은 오방색의 상생의 원리를 이용해 잡귀를 쫓으려 했다.
(○, ×)

2. 긋기단청, 모로단청, 금단청의 바탕칠이 될 수 있는 것은 가칠단청이다. (○, ×)

정답 : 1. ○   2. ○

협주와 대조가 지배했던 시대
- 바로크(baroque)

르네상스 음악의 특징은 조스캥(Josquin)의 무반주 합창곡에서 찾아볼 수 있듯 음악의 모든 울림이 충돌을 피해 완벽하게 녹아 하나가 된 매끄러움을 추구하는 균형미이다. 르네상스 시대의 합창곡은 모든 파트가 같은 가사로 같은 선율을 노래하고, '움직임'의 표현은 보이지 않는다. 움직임을 표현하기 위해서는 어딘가에서 균질함을 무너뜨려야 하기 때문이다. 즉 균형이 무너져 대조가 생길 때 움직임이 생겨나는 것이다.

이런 '대조에서 생겨나는 움직임'을 음악에서 최초로 표현하려고 한 것이 15세기 후반 베네치아 악파이다. 그들은 그때까지 무반주였던 종교 합창곡에 악기를 사용한 반주를 더하기 시작했다. 기악 반주의 종교 합창곡을 말하는 '콘체르토'라는 말이 처음 곡의 제목으로 쓰이게 된 것은 안드레아와 조반니 가브리엘리부터이다. 콘체르토라는 말은 악기와 합창이 '경쟁하면서 조화를 이룬다'는 뜻으로 concertare는 라틴 어로 '싸운다'를, 이탈리아 어로는 '조화시키다'를 의미한다. 즉 협주곡은 경쟁곡이며, 바로크 음악의 양식적 특징이라고 할 수 있다.

흔히 바로크 시대는 '협주곡의 시대'라고 한다.

그것은 단순히 이 시대에 대량의 협주곡이 만들어졌다는 것만을 의미하는 것이 아니다. 바로크 시대에는 협주곡뿐만 아니라, 모든 음악 장르가 협주의 원리에 의해 만들어졌다.

협주의 원리란 음색, 음량, 악상에서 다른 복수의 음향원과 대조시켜 겨루게 하는 것이다. 성악곡의 '목소리와 악기' 혹은 중창의 '목소리와 목소리'의 대조, 트리오 소나타와 같은 반주가 딸린 기악곡의 '독주와 오케스트라'의 대조 등 여러 장르에서 대조의 기법을 사용한 것을 볼 수 있다.

우리는 후기 낭만파의 극적인 음악에 익숙해져 있는 탓에 바로크 시대의 음악이 협주와 대조의 원리가 지배했다고 해도 좀처럼 와 닿지 않을 수 있다. 눈에 띄는 강약의 대조가 없어 단지 귓가를 기분 좋게 흘러가는 음악으로만 들릴 수 있기 때문이다. 하지만 바로크 시대는 처음으로 '대조'가 음악의 구성 원리가 되기 시작한 시대이다. 최초로 악보에 강약이 적힌 작품은 조반니 가브리엘의 『사크라 심포니아집』에 실린 '피아노와 플루트의 소나타'이다. 이 작품은 당시의 사람들에게 아마도 큰 사건이 되었을 것이다. 균질한 울림 속에 '대조'라는 극이 들어왔기 때문이다. 후기 낭만파에 이르러 정점에 달하는 '극적인 음악'은 바로 여기서부터 발전해 가기 시작하였다.

– 오카다 아케오, 『서양 음악사』

사진도 미술이다

150년 전 프랑스의 다게르가 사진을 발명하자 미술은 혁명적인 변화를 겪게 된다. 대상을 모사하는 이 재현적 능력을 사진에게 넘겨주고 나면 미술이 퇴보하리라는 예측도 있었지만 이후에도 미술과 사진은 서로 영향을 주고받으면서 제각기 활로를 찾기 시작한다. 우선 회화의 측면에서 보자면 사진은 움직이는 대상을 고정시켜 눈으로 보지 못하는 세부와 원경까지 포착하게 함으로써 그림의 소재 자체를 독특한 미감으로 이용하는 여러 가지 기법을 발견해 냈다. 카메라를 직접 이용하지 않는 인화 기법에 해당하는 포토그램, 그리고 영화적 어법을 이용한 포토몽타주와 콜라주 등이 그것이다.

순수하게 기록적인 다큐멘터리 사진을 제외한다면 대부분의 '예술 사진'은 회화적 전통에 의존해 왔다. 초기에는 흑백 사진 위에 채색하여 회화의 풍부함을 나타내려 했고, 나중에는 사진의 이미지를 콜라주하거나 현실주의적인 분위기를 모방함으로써 사진의 재현적 기능을 애써 뿌리치려 하기도 했다. 그러나 회화적 특성을 사진에 도입하려는 노력에 반대하면서 사진의 장점에 주목하여 회화가 주지 못하는 시각적 기쁨을 불러일으키려는 움직임도 있다.

가장 한국적인 보살상, 반가사유상

의자에 앉아 오른쪽 다리를 왼쪽 무릎에 걸치고 오른쪽 팔꿈치를 오른쪽 무릎에 댄 채 손으로 턱을 괴고 깊은 명상에 몰입해 있는 모습의 반가사유상은 가장 한국적인 보살상이다. 원래 이러한 모습의 보살상은 싯다르타 태자가 인생무상을 사유하던 모습이었지만, 중국에서 하나의 독립된 보살상 형식으로 확립되면서 반가사유상 또는 단순히 사유상으로 불리게 되었다. 그러나 우리나라의 반가사유상은 중국의 그것과는 달리 독립적인 조형성을 획득하게 되었다.

▲ 국보 제78호 금동반가사유상

반가사유상은 반가좌(半跏坐)라는 특이한 자세 때문에 얼굴과 팔, 허리 등 신체 각 부분이 서로 유기적으로 조화를 이루어야 하며, 치마의 처리도 매우 복잡하고 어렵다. 이러한 점에서 반가사유상의 등장은 진정한 의미에서 한국 조각사의 출발점이라 해도 좋을 것이다. 특히 국보 제78호 금동반가사유상은 국보 제83호 금동반가사유상과 함께 우리나라를 대표하는 조각으로 널리 알려져 있다. 국보 제78호 금동반가사유상에서 가장 먼저 눈에 띄는 것은 화려한 보관(寶冠)이다. 마치 탑처럼 보이는 장식이 솟아 있는 이 보관은 태양과 초승달을 결합한 특이한 형식으로 흔히 일월식(日月飾)이라고 한다.

정면에서 이 반가사유상을 보면 허리가 가늘어 여성적인 느낌이 들지만 측면에서 보면 상승하는 힘이 넘쳐나고 있음을 볼 수 있다. 전체적으로 탄력 넘치는 신체의 곡선이 강조되었고 양쪽 어깨로부터 끝이 위로 올라와 날카로움을 한층 더해주고 있는 천의 자락은 유려한 선을 그리면서 몸을 감싸고 있다. 양 무릎과 뒷면의 의자 덮개에 새겨진 주름은 타원과 S자 형의 곡선이 절묘한 조화를 이루면서 변화무쌍한 흐름을 나타낸다.

반가좌의 자세도 지극히 자연스럽다. 그것은 허리를 약간 굽히고 고개는 살짝 숙인 채 팔을 길게 늘인 비사실적인 비례를 통하여 가장 이상적인 사유의 모습을 창출해낸 조각가의 예술적 창의력에서 비롯된다. 더욱이 뺨 위에 살짝 댄 오른손의 손가락은 깊은 내면의 법열(法悅)*을 전하듯 손가락 하나하나의 움직임이 오묘하다. 한마디로 이 불상의 조형미는 비사실적이면서 자연스러운 종교적 아름다움, 곧 이상적 사실미로 정의할 수 있다. 고졸한* 미소와 자연스러운 반가좌 자세, 신체 각 부분의 유기적 조화, 천의 자락과 허리띠의 율동적인 흐름, 완벽한 주조 기법 등 우리는 이 금동불에서 가장 이상적인 반가사유상의 모습을 만나게 된다.

금동반가사유상은 내부가 흙으로 채워진 중공식(中空式) 주조 기법이 사용되었다. 크기가 1m에 가까워서 금동불로는 비교적 큰 상임에도 불구하고 구리의 두께가 2~4mm에 지나지 않는다. 이렇게 얇은 두께를 고르게 유지하기 위하여 머리까지 관통하는 수직의 철심과 어깨를 가로지르는 수평의 철심을 교차시키고, 머리 부분에 철못을 사용하였다. 고도의 주조 기술이 뒷받침되었기 때문에 아름답고 생명력 있는 불상의 제작이 가능했다.

* 법열 : 설법을 듣고 진리를 깨달아 마음속에 일어나는 기쁨
* 고졸하다 : 기교는 없으나 예스럽고 소박한 맛이 있다.

− 강우방 외, 『불교 조각 I』

● 단락 요지

1문단 : 가장 한국적인 보살상인 반가사유상

2문단 : 국보 제78호 금동반가사유상의 의의

3문단 : 국보 제78호 금동반가사유상의 곡선미

4문단 : 국보 제78호 금동반가사유상의 조형미

5문단 : 국보 제78호 금동반가사유상의 주조 기법

● Quiz

1. 반가사유상은 원래 싯다르타 태자가 인생무상을 사유하던 모습을 본 뜬 것이다. (○, ×)

2. 국보 제78호 금동반가사유상은 내부가 흙으로 채워진 ☐☐☐ 주조 기법을 사용하였다.

정답 : 1. ○ 2. 중공식

연기력이 형편없는 배우도 영화에 출연할 수 있는 이유

예전에는 관객들이 영화를 선택하는 데 누가 주연 배우인가가 가장 중요했다. 그러나 요즘은 감독이 누군지가 훨씬 더 중요하다. 소설의 창작 주체가 소설가이듯 영화감독이 영화의 주체, 즉 영화의 창조자라고 볼 수 있다. 이는 감독이 영화의 실체를 구성하는 편집권을 전적으로 쥐고 있기 때문이다.

영화는 흔히 편집의 예술이라고 불린다. 이는 '몽타주(montage) 기법' 때문이다. 서로 다른 맥락의 화면을 이어붙이는 방법을 뜻하는 몽타주 기법은 미술에서 나타난 '콜라주(collage) 기법'의 연장선에 있다. 인상파 이후의 피카소, 브라크 등은 물감으로 그림을 그리는 대신 신문지나 광고 포스터, 엽서 등을 오려붙이는 방법으로 회화의 새로운 표현 가능성을 실험했다. 이어 서로 관계없는 여러 장면, 사진 등을 한 화면에 담아 새로운 정서적 경험을 가능케 하는 방법인 몽타주 기법이 여러 미술 작품에서 나타났다.

▲ 피카소, 「기타(Guitar)」

사람들은 영화에서도 각기 다른 카메라로 잡은 화면을 이어 붙여 하나의 연속적인 화면으로 편집하면 새로운 정서적 경험이 가능하다는 것을 깨닫게 되었다. 각기 다른 카메라로 잡힌 화면들을 편집하면 다양한 시선으로 세상을 보는 것을 의미하게 되고 각기 다른 시선이 하나의 시간적 시퀀스로 이어져 편집될 때, '폴리포니'* 효과가 일어나게 되는데, 이것이 바로 영화에서의 몽타주 기법이다.

영화 속 몽타주 기법의 창시자로 불리는 소비에트의 쿨레쇼프는 소위 '쿨레쇼프 효과'라고 불리는 흥미로운 실험으로 몽타주 기법의 심리적 효과를 확인했다. 그는 소비에트의 배우인 모주힌의 무표정한 얼굴이 찍힌 화면에 김이 모락모락 나는 수프, 또 하나는 관에 누워 있는 여인, 마지막으로 곰 인형을 가지고 노는 어린아이의 세 가지 화면을 이어 붙였다. 관객들은 이어진 화면이 어떤 것이었느냐에 따라 모주힌의 무표정한 얼굴을 다른 표정으

로 받아들였다. 수프가 이어진 장면에서는 배고파하며 수프를 먹고 싶어 하는 표정으로, 관에 누워 있는 여인이 이어진 장면에서는 모주힌이 여인의 죽음을 슬퍼하는 것으로 느꼈다. 그리고 곰 인형을 가지고 노는 어린아이가 이어진 장면에서는 아이를 예뻐하는 모습으로 보았다. 동일한 배우의 표정이 어떻게 편집되느냐에 따라 관객들에게 각기 다른 의미로 받아들여진 것이다.

몽타주 기법의 핵심은 'A 장면'과 'B 장면'의 합은 'A+B'가 아니라 'C'가 된다는 데 있다. 이와 같은 몽타주 기법이 작동할 수 있는 이유는 '완결성의 법칙'이라고 불리는 게슈탈트 심리학적 원리 때문이다. '폐쇄성의 법칙'으로도 불리는 이 법칙은 불완전한 자극을 서로 연결시켜 완전한 형태로 만들려고 하는 인간의 본능적 경향을 의미한다. 즉, 게슈탈트 심리학에서 인간은 자신이 본 것을 조직화하려는 기본 성향을 갖고 있으며 전체는 부분의 합 이상이라고 보는 것이다. 따라서 몽타주 기법은 불연속적인 정보를 의도적으로 제시해서 관객의 본능을 자극해 적극적인 해석을 유도하는 상호작용적 방법론이라고 할 수 있다. 영화가 재미있는 이유는 관객의 몰입을 이끌어내는 몽타주 기법과 같은 상호작용적 방법론이 극대화되어 있기 때문이다.

* 폴리포니(polyphony) : 음악에서 2성부 이상의 선율이 서로 얽혀 들어가며 이제까지 없었던 음악적 감동을 창조해내는 것. 다성 음악

― 김정운, 「에디톨로지」

● 단락 요지 ●

1문단 : 영화에서 영화감독의 중요성

2문단 : 몽타주 기법의 개념

3문단 : 영화에서의 몽타주 기법

4문단 : 몽타주 기법의 심리적 효과의 예

5문단 : 게슈탈트 심리학과 원리가 같은 몽타주 기법

● Quiz ●

1. 몽타주 기법은 미술의 [   ] 기법과 연장선상에 있다고 볼 수 있다.

2. 몽타주는 부분의 합이 전체를 이룬다는 점에서 게슈탈트 심리학의 원리와 유사하다. (○, ×)

정답 : 1. 콜라주 2. ×

현대 미술의 시작은 언제일까?

우리가 '현대'라고 번역하는 '모던(modern)'은 문화 예술 부분에서의 모더니즘(modernism)과 관계되기도 하지만, 오히려 지금 우리가 살고 있는 동시대(contemporary)를 뜻하는 말로 더 자주 사용되는 듯하다.

따라서 '현대 미술의 기원'에 대해서 논하고자 하는 이 글에서는 '현대'와 '현대 미술'을 '동시대'와 '동시대 미술'로 한정하여 사용하고자 한다.

이것이 미술인지 아닌지 회의를 가져다주는 행위조차 미술로 포함

커다란 개념을 동시대의 것으로 좁게 한정하려 했지만, 동시대의 미술 또한 그 범위가 이루 말할 수 없을 정도로 넓어서 동시대 미술을 크게 아우르는 특성들을 말하는 것도 쉽지 않다. 동시대 미술의 중요한 특성 가운데 하나는 미술의 개념 아래 내포되는 미술 형식이 매우 다양화되었다는 것이다.

예컨대, 아름다움을 위한 성형수술이라는 현대의 병리적 현상을 비판하고자 '오를랑(Saint Orlan, 1947~)'이라는 작가는 자신의 얼굴을 매체로 삼아 생명을 건 미술 행위를 하고 있다. 수술대 위에 누워 의사들에게 자신이 디자인한 옷을 입히고 성형수술을 감행하는 장면을 세계로 전송하는 것이다. 이것이 현대 미술이다. 그러나 다른 한편으로는 여전히 캔버스 위에 유화 안료와 기름을 개어 붓과 나이프로 그림을 그리는 미술가들이 있다. 이 또한 현대 미술이다. 이런 일들이 어떻게 가능하게 되었을까에 대해 생각해 보는 것은 현대 미술의 기원을 밝히는 일이 될 것이다.

현대 미술의 시작 '인상주의'

현대 미술의 시작을 알리는 양식으로는 인상주의(Impressionism)가 꼽힌다. 사물이 아니라 단지 인상을 그릴 뿐이라는 비난이 그 양식의 명칭이 되어 버린 인상주의는, 정확히 말하자면 그냥 인상이 아니라 햇살이 내리쬐어 변화되는 인상을 그리고자 한 미술가들로부터 시작되었다.

말하자면 인상주의는 이전 시대까지 당연했던 관행인 어두운 화실에서 완성되는 그림에 대한 반격이었던 것이다. 인상주의 화가들은 빠르게 움직이는 햇볕을 좇아서 혼색이 아닌 원색을 사용하게 되었는데, 그 결과 인상주의 그림들은 혼돈스러운 원색들이 난무하고, 보는 사람을 불안하게 하는 표현으로 기존의 그림에 익숙해져 있었던 관객에게 불쾌감을 선사하였다.

무엇이 되었든 익숙했던 것을 바꾸어 불쾌감을 선사한다는 것은 현대 미술의 큰 특징 가운데 하나이고, 이런 양상은 일면 인상주의에서 비롯된 바가 있는 것이다. 아이러니하게도 오늘날 인상주의 화가의 그림들은 대중의 엄청난 사랑을 받고 있다. 마네, 모네, 르누아르 등은 미술에 관심이 없는 사람들도 쉽게 입에 올릴 수 있는 화가가 되었으며, 이들 작품의 전시는 전 세계를 돌며 관객몰이를 하고 있다. 인상주의는 기존의 어떤 부분을 정확히 반대하고, 그 반대의 에너지를 통해 새로운 것을 구축하는 방식을 현대 미술의 새로운 전통으로 굳혔다.

표현주의를 만들어낸 예술 '빈센트 반 고흐'

인상주의를 동경하며 인상주의 그림을 그리고 싶었던 요절한 천재 반 고흐(Vincent van Gogh, 1853~1890)는 피카소와 함께 현대 미술의 대명사가 된 화가이다. 반 고흐는 살아 생전 그림을 한 점도 팔아보지 못했고 정신질환에 시달리며 살아야 했다. 우리에게도 고흐가 흠모했던 고갱과의 불화나 자신의 귀를 잘랐던 사건 등이 잘 알려져 있다. 그래서인지 관객들은 그의 그림 속에서 이글이글 타오르는 격정적인 내면을 보고자 한다. 예술적 천재와 광기가 서로 상관있다고 여겨지기 시작했던 것은 낭만주의적 전통에서부터였다. 반 고흐는 그러한 낭만주의적 예술관을 계승하면서도, 예술작품이 예술가 개인의 내면을 드러내는 신성불가침의 영역이라는 현대적 예술 개념을 공고히 하는 인물이기도 한 것이다. 반 고흐는 예술가의 파토스(pathos), 즉 예술에 있어서의 주관적·감성적 요소가 예술의 동인이 되는 현대 표현주의의 생성에 화가 뭉크와 함께 불을 붙이는 역할을 했다고 볼 수 있다.

입체주의와 추상 미술의 선구자 '폴 세잔'

세잔(Paul Cezanne, 1839~1906)은 반 고흐와 비슷한 시기에 살았지만 현대 미술에 정반대의 전통을 세웠다. 세잔의 그림은 인상주의의 그것과 같이 단속적인 붓터치로 이루어져 있지만, 인상주의 작품들이 빠르고 거친 붓질들로 이루어져 있는 반면 세잔의 붓질은 고뇌에 가득 차 있다. 그의 관심은 튼튼한 화면의 구축을 어떻게 이룰 수 있을까, 보이는 대상 이면의 질서를 화면 속에 어떻게 구현할 수 있을까 하는 것이었다.

동시대의 반 고흐가 뜨거운 감성을 화면에 담아냈던 것과도 전혀 다르게, 세잔은 화면 안에서 내적인 질서를 구현하고자 했다. 그렇다고 해서 세잔의 그림이 대상을 무시하고 화면 내적인 질서만을 추구한 그림이냐 하면 전혀 그렇지는 않다. 그에게 있어 화면의 구축은 그 대상이 되는 세계의 질서를 발견하는 것과 다르지 않았다. 그리하여 그는 세상을 원뿔과 구와 정육면체로 보도록 노력해야 한다는 말로 자신의 시각을 드러냈는데, 실제로 세잔의 그림이 원뿔과 구와 정육면체로 이루어진 것은 전혀 아니었다. 세잔은 그저 보이는 것 이면에 있는 원리의 세계를 볼 수 있어야 한다는 뜻을 전하고자 그런 말을 한 것으로 보이지만, 후대에 그것은 추상 미술의 근거가 되었다. 사물 이면의 질서에 대한 관심은 대상을 추상화하는 방향으로 후대를 이끌었고, 세잔은 그가 원했든 그렇지 않든 현대 추상 미술의 선구자라 부를 만한 화가가 되었다.

현대 미술의 기폭제가 된 '뒤샹'

누구도 알지 못했던 방향으로 현대 미술을 이끌어 간 마르셀 뒤샹(Marcel Duchamp, 1887~1968)과 같은 이도 있다. 그는 소소하고 개인적인 장난처럼 보이는 해프닝을 벌임으로써 인류의 역사에 남을 만한 미술의 전환을 이끌어냈다. 그는 공산품으로 만들어진 남성용 소변기를 하나 선택하여 자신의 이름이 아닌 다른 이름(R. Mutt)으로 서명을 하고 연도(1917년)를 기입한 후 「샘(Fountain)」이라는 제목을 붙여 그것을 자신이 심사위원으로 위촉되어 있는 공모전에 출품한다. 공모전의 결과야 말할 것도 없이 탈락이었고 그 작품은 알프레드 스티글리츠의 스튜디오에서 촬영되었던 사진 기록으로만 남아 있다. 한 번의 해프닝으로 끝난 일이었지만, 이미 만들어진 물건을 전시장에 내놓은 이 사건은 현대 미술에 걷잡을 수 없는 공명을 일으키게 된다.

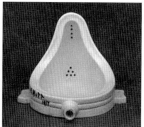

▲ (좌)마르셀 뒤샹의 모습/(우)뒤샹, 「샘」, 1917

이른바 '레디메이드(ready-made)'가 처음 출현한 순간인 것이다. 그리거나 만드는 이의 노력과 수고가 개입되지 않고도 작품이 가능한가? 그렇다면 작품이 만드는 이의 정신을 반영한다는 예술의 가설이 성립될 수 있는 것인가? 이미 만들어진 것이 전시장에 들어와 작품 노릇을 한다면 그와 똑같은 다른 사물들은 왜 예술이 아닌가? 이것이 예술 작품이라 한다면 관객은 이러한 유형의 작품 앞에서 어떤 감상의 태도를 취해야 하는가? 이렇게 레디메이드 개념은 우리에게 많은 의문을 던진다. 관습적인 미술과 미술가의 개념을 의심케 하는 것, 심미적인 감상의 방법을 다시 생각하게 하는 것, 뒤샹의 「샘」의 역할은 바로 이것이었다.

뒤샹 이후 레디메이드 오브제(objet)는 미술의 일반적인 방법이 되어 버렸다. 맥락이 완전히 동일한 것은 아니지만, 이후의 설치 미술과 대지 미술(land art) 등도 뒤샹의 영향권 아래에 위치하는 것이 사실이다.

인상주의가 현대 미술의 혁신적 성격의 지평을 열었다면, 뒤샹은 현대 미술에 전복적 성격과 혁명적 성격을 부여하였다. 파토스의 극단을 간 화가와 무질서한 화면에 분별과 이성을 뜻하는 로고스를 부여하려 했던 19세기 말~20세기 초반의 화가들이 있었다. 그들이 아방가르드하고 혁명적인 작품을 개시한 지 백여 년의 시간이 흐른 지금, 모던을 넘어 포스트모던을 논하고 새롭게 생성되는 담론들 속에 살고 있지만, 우리의 미술은 그들이 제기한 여러 가지 문제들을 아직 화두로 가지고 있다.

– 국립현대미술관 웹진

다성 음악을
이미지로 변형한 파울 클레

한 형태를 다른 형태로 변형하는 일은 어떤 분야에서의 발견으로 이어진다. 화가인 파울 클레(Paul Klee, 1879~1940)는 음악을 이미지로 변형시켰다. 클레는 음악을 듣는 청중처럼 관람객들이 부분과 전체를 동시에 지각할 수 있는 시각적 형태를 만들어내고자 했다. 클레는 강의를 하기 위해 자신의 실험 과정을 공책에 기록했다. 그는 처음에는 음표를 간단한 그래프 모양으로 표시하여 음의 강도와 지속 시간을 보여주었다. 그런 다음 한 단계 더 추상화시켜 음표를 음들의 연속에 따른 선형 이미지로 만들었다. 이 단계까지는 실제로 나타내지는 않았지만 음자리표가 있는 것으로 상정되어 있는 만큼 연주 악보로써의 기능을 아직 가지고 있는 상태였다. 그러나 이 음표는 음의 지시 기호가 아닌 이미지의 성격이 더 강해졌다고 볼 수 있다. 마지막 단계에서 클레는 선형 음표를 다시 순수한 선으로 추상화했는데, 여기서는 음악 악보와 관련된 어떤 것도 찾아볼 수 없게 되었다.

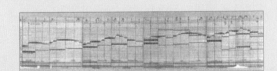

▲ (1단계) 간단한 그래프 모양으로 표시된 음표들

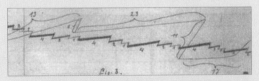

▲ (2단계) 음들의 연속에 따른 선형 이미지로 표현된 음표들

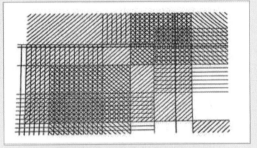

▲ (3단계) 순수한 선으로 변형된 음표들

클레는 작곡가들이 다성 음악(Polyphony)을 창작하는 것과 똑같은 방법으로 작품의 시각적 요소들을 '혼합'해서 복잡한 패턴을 만들어낼 수 있다는 것을 깨달았다. 예를 들면, 그의 작품 「5성 다성 음악」에서 그는 각기 다른 각도에서 다섯 종류의 선을 그렸다. 이는 다섯 개의 '성부'를 나타낸다. 이 선들은 각자 가진 고유한 특질을 훼손하지 않은 상태로 서로 가로지르며 일정한 패턴을 형성한다. 우리는 「5성 다성 음악」에서 패턴 전체를 조망하면서도 동시에 각 부분도 볼 수 있다. 클레의 음악 이미지 변형 기법에서 특히 놀라운 것은 이 이미지가 원래 음악에서 발견할 수 없는 새로운 특성을 획득하게 된 점이다. 음악은 오로지 시간을 따라 한 방향으로 가면서 들을 수 있다. 그러나 시각적인 「5성 다성 음악」은 어떤 방향에서든, 또는 방향들의 조합을 통해서도 '볼' 수 있다. 그럼으로써 음악에는 존재하지 않는 관계성이 만들어진다.

어떤 정서나 생각, 자료를 변형하는 일은 결코 동일해질 수 없기 때문에 어떤 것을 변형하는 과정에서 클레의 경우처럼 예기치 않은 발견을 낳을 수 있다. 이와 같은 변형적 사고는 숱한 창조적 인물들이 의식적으로 채택하는 전략이 되었다.

— 로버트 루트번스타인, 「생각의 탄생」

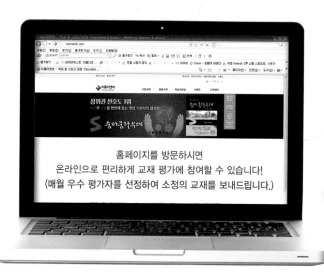

이룸이앤비 교재는 수험생 여러분의
"부족한 2%"를 채워드립니다.

누구나 자신의 꿈에 대해 깊게 생각하고 그 꿈을 실현하기 위해서는 꾸준한 실천이 필요합니다.
이룸이앤비의 책은 여러분이 꿈을 이루어 나가는 데 힘이 되고자 합니다.

수능 **국어 영역** 고득점을 위한 국어 교재 시리즈

수능 입문서

굿비 입문 시리즈
한 권으로 수능 기본기를 다지는 개념 기본서
필수 개념과 개념 적용 연습을 통해 수능 국어를 체계적으로 학습한다.
◐ 국어 독서 입문, 국어 문학 입문

**내신·수능
기본서**

숨마쿰라우데 시리즈
단기간에 약점을 집중 공략하는 국어 고득점 전략서
제재별·영역별·문제 유형별 강화 훈련으로 국어 해결 능력을 기른다.
◐ 고전 시가, 어휘력 강화, 독서 강화[인문·사회], 독서 강화[과학·기술]
   신경향 비문학 워크북

수능 대비서

미래로 수능 기출 총정리 [HOW to 수능1등급] 시리즈
BOOK 1 영역별 독해 총정리 / **BOOK 2** 고난도 실전편 / **BOOK 3** 秘 서브노트
◐ 국어 독서

숨마쿰라우데®
[국어 문제집]

독서 강화

인문·사회

단기간에 제재별 독해를 완성하는 국어 독서 고득점 전략서

秘 서브노트 SUB NOTE

SUB NOTE · 정답 및 해설

제 I 부

인문

비트겐슈타인의 『논리 철학 논고』

이 글은 비트겐슈타인이 『논리 철학 논고』에서 주장한 '그림 이론'에 대해 설명하고 있다. 그는 언어가 의미를 갖는 것은 언어가 세계와 대응하기 때문이라고 하였다. 언어는 명제들로 구성되어 있으며 세계는 사태들로 구성되어 있는데, 명제들과 사태들은 각각 서로 대응하고 있다고 하였다. 이때 명제에 대응하는 사태는 사실이 아니라, 사실이 될 수 있는 논리적 가능성을 의미한다. 또 '의미 있는 명제'가 되기 위해서는 그 명제가 실재하는 대상이나 사태에 대해 언급해야 하며, 그것에 대해서는 참, 거짓을 따질 수 있다고 하였다. 이러한 관점에서 실재하지 않는 대상이나 사태에 대한 언급은 '의미 없는 명제'라며 기존의 형이상학적 철학에 대해 비판하였다.

☑ **지문 분석 노트**

① 비트겐슈타인 철학의 영향과 주요 논점

② '그림 이론'에 제시된 언어와 세계의 관계

비트겐슈타인이 1918년에 쓴 『논리 철학 논고』는 '빈학파'의 논리실증주의를 비롯하여 20세기 현대 철학에 큰 영향을 주었다. 그는 많은 철학적 논란들이 언어를 애매하게 사용하여 발생한다고 보았기 때문에 <u>언어를 분석하고 비판하여 명료화하는 것을 철학의 과제로 삼았다.</u>
철학적 논란을 해결하는 방안

그는 이 책에서 언어가 세계에 대한 그림이라는 '그림 이론'을 주장한다. 이 이론을 세우는 데 그에게 영감을 주었던 것은, 교통사고를 다루는 재판에서 장난감 자동차와 인형 등을 이용한 ㉠모형을 통해 ㉡사건을 설명했다는 기사였다. 그런데 모형을 가지고 사건을 설명할 수 있는 이유는 무엇일까? 그것은 모형이 실제의 자동차와 사람 등에 대응하기 때문이다. 그는 언어도 이와 같다고 보았다. 언어가 의미를 갖는 것은 언어가 세계와 대응하기 때문이다. 다시 말해 언어가 세계에 존재하는 것들을 가리키고 있기 때문이다. 언어는 <u>명제</u>들로 구성되어 있으며, 세계는 <u>사태</u>들로 구성되어 있다. 그리고 명
'언어'의 구성 요소   '세계'의 구성 요소
제들과 사태들은 각각 서로 대응하고 있다. 이처럼 <u>언어와 세계의 논리적 구조는 동일</u>하며, 언어는 세
계를 그림처럼 기술함으로써 의미를 가진다.
'그림 이론'의 의미

③ '그림 이론'에 제시된 명제와 사태의 관계

'그림 이론'에서 명제에 대응하는 '<u>사태</u>'는 '사실'이 아니라 사실이 될 수 있는 <u>논리적 가능성</u>을 의미
사실이 될 수 있는 논리적 가능성   참일 수도 있고 거짓일 수도 있음.
한다. 따라서 언어를 구성하는 명제들은 사실적 그림이 아니라 논리적 그림이다. 사태가 실제로 일어나서 사실이 되면 그것을 기술하는 명제는 참이 되지만, 사태가 실제로 일어나지 않는다면 그 명제는 거짓이 된다. 어떤 명제가 '<u>의미 있는 명제</u>'가 되기 위해서는 그 명제가 <u>실재하는 대상이나 사태</u>에 대
경험적 세계
해 언급해야 하며, 그것에 대해서는 참, 거짓을 따질 수 있다. 만약 어떤 명제가 실재하지 않는 대상이나 사태가 아닌 것에 대해 언급하면 그것은 '<u>의미 없는 명제</u>'가 되며, 그것에 대해 참, 거짓을 따질 수 없다. 따라서 경험적 세계에 대해 언급하는 명제만이 의미 있는 것이 된다.

④ 형이상학적 문제를 논의한 기존 철학자들을 비판한 비트겐슈타인

이러한 관점에서 비트겐슈타인은 기존의 철학자들이 다루었던 신, 영혼, 형이상학적 주체, 윤리적 가치 등과 관련된 논의가 의미 없는 말들에 불과하다고 보았다. 왜냐하면 그 말들이 가리키는 대상이 세계 속에 존재하지 않는, 즉 경험 가능하지 않은 대상이기 때문이다. 이와 같은 형이상학적 문제와 관련된 명제나 질문들은 의미가 없는 말들이다. <u>그러한 문제는 우리의 삶을 통해 끊임없이 드러나는</u>
형이상학적 문제=신, 영혼, 형이상학적 주체, 윤리적 가치 등과 관련된 논의=경험 가능하지 않은 대상
<u>신비한 것들이지만 이에 대해 말로 답변하거나 설명할 수는 없다.</u> 그래서 비트겐슈타인은 "말할 수 없
는 것에 대해서는 침묵해야 한다."라고 말했다.
철학에서는 경험적 세계에 대한 명제만을 다루어야 한다.

■ **주제** : 언어와 세계의 관계를 고찰한 비트겐슈타인의 철학 이론

1 세부 정보의 파악

문제 분석 글에 제시된 사실적 정보를 파악하여 이를 바탕으로 내용을 이해하는 문제이다.

정답 풀이 ❹ 3문단에서 어떤 명제가 '의미 있는 명제'가 되기 위해서는 그 명제가 실재하는 대상이나 사태에 대해 언급해야 하며, 그것에 대해서는 참, 거짓을 따질 수 있다고 하였다. 이는 경험적 대상을 언급하는 명제에 대해서는 참, 거짓을 따질 수 있다는 의미이지 그러한 명제가 모두 참이라는 의미는 아니다.

오답 풀이 ① 1문단에서 비트겐슈타인은 언어를 분석하고 비판하여 명료화하는 것을 철학의 과제로 삼았다고 하였다.
② 1문단에서 비트겐슈타인의 『논리 철학 논고』가 논리실증주의를 비롯하여 20세기 현대 철학에 큰 영향을 주었다고 하였고, 2문단에서는 비트겐슈타인이 『논리 철학 논고』에서 '그림 이론'을 주장하였다고 하였다.
③ 3문단에서 명제에 대응하는 '사태'가 '사실'이 아니라 사실이 될 수 있는 논리적 가능성을 의미한다며 개념을 구별하였다.
⑤ 4문단에서 비트겐슈타인은 기존의 철학자들이 다루었던 신, 영혼, 형이상학적 주체, 윤리적 가치 등과 관련된 논의는 경험 가능하지 않은 대상을 다루었기 때문에 의미 없는 말들에 불과하다고 비판하였다고 하였다.

2 사례의 적절성 파악

문제 분석 추상적 개념에 대한 이해를 바탕으로 구체적 사례의 적절성을 판단하는 문제이다.

정답 풀이 ❺ 3문단에서 어떤 명제가 실재하지 않는 대상이나 사태가 아닌 것에 대해 언급하면 그것은 '의미 없는 명제'가 되며, 그것에 대하여 참, 거짓을 따질 수 없다고 하였다. 그리고 4문단에서 '신, 영혼, 형이상학적 주체, 윤리적 가치 등과 관련된 논의가 의미 없는 말들에 불과하다'고 하였다. ⑤의 명제는 실재하지 않는 윤리적 가치를 언급한 내용이므로 '의미 없는 명제'에 해당한다.

오답 풀이 ① 곰팡이라는 실재하는 대상에 대해 언급하였으므로, '의미 있는 명제'이다.
② 경험 세계에서 실제로 일어나는 물이 끓는 현상에 대해 언급하였으므로, '의미 있는 명제'이다.
③ 실존했던 인물인 피카소의 출생 시기와 지역을 언급하였으므로, '의미 있는 명제'이다.
④ 실제로 일어난 상황인 우리 반 학생들의 헌혈에 대해 언급하였으므로, '의미 있는 명제'이다.

3 핵심 정보의 관계 파악

문제 분석 글의 내용을 이해하기 위해 꼭 필요한 주요 어휘 간의 의미 관계를 파악하는 문제이다.

정답 풀이 ❶ 2문단을 보면 '모형'(㉠)을 통해 교통사고라는 '사건'(㉡)을 설명할 수 있었던 것은 모형이 실제의 자동차와 사람 등에 대응하기 때문이라고 하였다. 비트겐슈타인은 이와 마찬가지로 언어가 의미를 갖는 것은 언어가 세계와 대응하기 때문이며, 언어는 명제로 구성되어 있고 세계는 사태로 구성되어 있다고 하였다. 따라서 '언어 : 세계', '명제 : 사태'는 ㉠ : ㉡의 관계에 해당한다.

오답 풀이 ㄷ. '논리적 그림'은 언어를 구성하는 명제들을 가리키는 것이며, 명제에는 '의미 있는 명제'와 '의미 없는 명제'가 있다. 따라서 대응 관계인 ㉠ : ㉡의 관계에 해당하지 않는다.
ㄹ. '형이상학적 주체'는 경험할 수 없는 대상이므로 '형이상학적 주체'와 '경험적 세계'는 대립 관계라고 볼 수 있다. 따라서 ㉠ : ㉡의 관계에 해당하지 않는다.

4 관점의 파악 및 추리

문제 분석 제시글의 핵심 논리를 파악하여 비판의 적절성을 판단하는 문제이다.

정답 풀이 ❹ 〈보기〉에서 비트겐슈타인은 『논리 철학 논고』의 내용이 의미 있는 언어의 한계를 넘어선 것이므로, 책을 이해한 사람은 거기에 나오는 내용을 버려야 한다고 말한다. 그리고 3~4문단에서 비트겐슈타인은 경험적 세계에 대해 언급하는 명제만이 '의미 있는 명제'이고, 형이상학적 문제와 같이 경험 가능하지 않은 대상과 관련된 명제나 질문들은 말로 답변하거나 설명할 수 없고 의미 없는 것이라고 하였다. 따라서 『논리 철학 논고』는 경험적 세계를 언급한 내용이 아니라 언어와 세계의 논리적 관계에 대해 언급한 것이므로, 책을 이해하고 나면 거기에 나오는 내용을 버려야 한다고 말한 것이다.

오답 풀이 ① 『논리 철학 논고』는 비트겐슈타인이 철학의 과제로 삼았던 언어에 대한 분석과 비판을 주제로 다루고 있다. 따라서 자신이 내세웠던 철학의 과제를 넘어서는 주제라고는 볼 수 없다.
② 『논리 철학 논고』의 내용이 객관적 세계에 존재하는 대상을 다룬 것이라면 '말할 수 있는 것'의 범주에 속하게 되므로 적절하지 않다.
③ 이 글에 따르면 실재하는 대상에 대한 언급은 논리적으로 가능한 사태에 대한 언급이라고 할 수 있다. 따라서 '실재하는 대상이 아니라 논리적으로 가능한 사태'라는 진술은 앞뒤 내용이 모순된다.
⑤ 『논리 철학 논고』는 형이상학적 물음에 대한 답변이 아니라, 언어와 세계의 관계를 다루고 있다.

맹자의 '의' 사상

이 글은 맹자가 사회 안정을 위해 강조한 '의'의 형성 배경과 그 내용을 설명하고 있다. 전국 시대에 유학의 영향력이 약화되고 있다고 판단한 맹자는 공자의 사상을 계승하면서 유학 사상의 이론화 작업을 전개하여 '의'의 중요성을 강조하였다. 맹자는 '의'를 사회 일반의 행위 규범, 개인의 완성 및 개인과 사회의 조화를 위해 필수적인 행위 규범으로 정립하였다. 또 그는 '의'가 이익의 추구와 구분되어야 한다고 강조하였고, 인간이라면 누구나 도덕 행위를 할 수 있는 선한 마음이 선천적으로 갖춰져 있다는 도덕 내재주의를 주장하였다.

✓ 지문 분석 노트

1 맹자가 '의'의 중요성을 강조한 배경

2 공자가 제시한 '의'에 대한 견해를 강화한 맹자의 '의'

3 맹자가 설정한 '의'의 개념과 필요성

4 '의'가 이익의 추구와 구분되어야 한다고 주장한 맹자

5 도덕 내재주의와 인간의 도덕적 역량을 제시한 맹자

6 욕망의 절제와 '의'의 실천을 강조한 맹자

> 중국 전국 시대의 학자. 자기중심적인 쾌락주의를 주장함.

> 전국 시대 노나라의 사상가. 묵가(墨家)의 시조로, 유가(儒家)에게 배웠으나 평화론을 주장하여 유가와 견줄 만한 학파를 이루었음.

전국 시대(戰國時代)의 사상계가 양주(楊朱)와 묵적(墨翟)의 사상에 경도되어 유학의 영향력이 약화되고 있다고 판단한 맹자(孟子)는 유학의 수호자를 자임하면서 공자(孔子)의 사상을 계승하는 한편, 다른 학파의 사상적 도전에 맞서 유학 사상의 이론화 작업을 전개하였다. 그는 공자의 춘추 시대(春秋時代)에 비해 사회 혼란이 가중되는 시대적 환경 속에서 사회 안정을 위해 특히 '의(義)'의 중요성을 강조하였다.
_{맹자의 '의' 사상의 등장 배경}

맹자가 강조한 '의'는 공자가 제시한 '의'에 대한 견해를 강화한 것이었다. 공자는 사회 혼란을 치유하는 방법을 '인(仁)'의 실천에서 찾고, '인'의 실현에 필요한 객관 규범으로서 '의'를 제시하였다. 공자가 '인'을 강조한 이유는 자연스러운 도덕 감정인 '인'을 사회 전체로 확산했을 때 비로소 사회가 안정될 것이라고 보았기 때문이다. _{공자가 '인'을 강조한 이유} 이때 공자는 '의'를 '인'의 실천에 필요한 합리적 기준으로서 '정당함'을 의미한다고 보았다. _{공자가 제시한 '의'의 개념}

맹자는 공자와 마찬가지로 혈연관계에서 자연스럽게 드러나는 도덕 감정인 '인'의 확산이 필요함을 강조하면서도, '의'의 의미를 확장하여 '의'를 '인'과 대등한 지위로 격상하였다. _{공자와 다른 맹자의 '의'에 대한 인식} 그는 부모에게 효도하는 것은 '인'이고, 형을 공경하는 것은 '의'라고 하여 '의'를 가족 성원 간에도 지켜야 할 규범이라고 규정하였다. 그리고 나의 형을 공경하는 것에서 시작하여 남의 어른을 공경하는 것으로 나아가는 유비적 확장을 통해 '의'를 사회 일반의 행위 규범으로 정립하였다. _{맹자가 생각한 '의'의 개념} 나아가 그는 '의'를 개인의 완성 및 개인과 사회의 조화를 위해 필수적인 행위 규범으로 설정하였고, 사회 구성원으로서 개인은 '의'를 실천하여 사회 질서 수립과 안정에 기여해야 한다고 주장하였다.

또한 맹자는 '의'가 이익의 추구와 구분되어야 한다고 주장하였다. 이러한 입장에서 그는 사적인 욕망으로부터 비롯된 이익의 추구는 개인적으로는 '의'의 실천을 가로막고, 사회적으로는 혼란을 야기한다고 보았다. _{'의'에서 이익의 추구를 배제해야 하는 이유} 특히 작은 이익이건 천하의 큰 이익이건 '의'에 앞서 이익을 내세우면 천하는 필연적으로 상하 질서의 문란이 초래될 것이라고 역설하였다. 그래서 그는 사회 안정을 위해 사적인 욕망과 결부된 이익의 추구는 '의'에서 배제되어야 한다고 주장하였다.

맹자는 '의'의 실현을 위해 인간에게 도덕적 행위를 할 수 있는 근거와 능력이 있음을 밝히는 데에도 관심을 기울였다. 그는 인간이라면 누구나 도덕 행위를 할 수 있는 선한 마음이 선천적으로 내면에 갖춰져 있다는 일종의 ㉠도덕 내재주의를 주장하였다. _{'도덕 내재주의'의 개념} 그는, 인간은 자기의 행동이 옳지 못함을 부끄러워하고 남이 착하지 못함을 미워하는 마음을 본래 가지고 있는데, _{인간에게 내재되어 있는 도덕적 역량 ①} 이러한 마음이 의롭지 못한 행위를 하지 않도록 막아 주는 동기로 작용한다고 보았다. 아울러 그는 어떤 것이 옳고 그른 것인지 판단할 수 있는 능력도 모든 인간의 마음에 갖춰져 있다고 하여 _{인간에게 내재되어 있는 도덕적 역량 ②} '의'를 실천할 수 있는 도덕적 역량이 내재화되어 있음을 제시하였다.

맹자는 '의'의 실천을 위한 근거와 능력이 인간에게 갖추어져 있음을 제시한 바탕 위에서, 이 도덕적 마음을 현실에서 실천하는 노력이 필요하다고 역설하였다. 그는 본래 갖추고 있는 선한 마음의 확충과 더불어 욕망의 절제가 필요하다고 보았으며, _{'의'를 실천하기 위한 노력 ①} 특히 생활에서 마주하는 사소한 일에서도 '의'를 실

천해야 함을 강조하였다. 나아가 그는 목숨과 '의'를 함께 얻을 수 없다면 "목숨을 버리고 의를 취한 '의'를 실천하기 위한 노력 ② 다."라고 주장하여 '의'를 목숨을 버리더라도 실천해야 할 가치로 부각하였다.

---

1 내용 전개 방식의 파악

[문제 분석] 글의 내용을 효과적으로 전달하기 위해 사용된 글쓰기 방식을 파악하는 문제이다.

[정답 풀이] ❺ 1문단에서 맹자의 '의' 사상이 형성된 배경을 소개하고, 2~6문단에서 맹자가 강조한 '의'의 의미와 성격, '의'의 실현을 위해 필요한 요소 등에 대해 설명하고 있다.

[오답 풀이] ① 맹자의 '의' 사상에 대한 사회적 통념은 제시되어 있지 않으며, 이에 대한 비판도 나타나 있지 않다.
② 2~6문단에서 맹자의 '의' 사상을 설명하고 있으나, 이 사상의 한계는 언급하지 않았다.
③ 2~3문단에서 맹자와 공자의 '의' 사상을 비교하고는 있지만, 2문단에서 '맹자가 강조한 '의'는 공자가 제시한 '의'에 대한 견해를 강화한 것'이라고 하였으므로 이들이 상반된 관점을 가지고 있다고 볼 수 없다.
④ 맹자의 '의' 사상이 가지는 현대적 의의를 재조명하고 있는 부분은 찾아볼 수 없다.

2 세부 정보의 파악

[문제 분석] 글에 제시된 세부적 정보를 파악하는 문제이다.

[정답 풀이] ❹ 3문단에서 맹자는 '인'의 확산이 필요함을 강조하면서도 '의'의 의미를 확장하여 '의'를 '인'과 대등한 지위로 격상했다고 하였다.

[오답 풀이] ① 6문단에서 맹자는 '생활에서 마주하는 사소한 일에서도 '의'를 실천해야 함'을 강조하였다고 하였다.
② 6문단에서 맹자는 목숨과 '의'를 함께 얻을 수 없다면 "목숨을 버리고 의를 취한다."라고 주장하여 '의'를 목숨을 버리더라도 실천해야 할 가치로 강조하였다고 하였다.
③ 3문단에서 '형을 공경하는 것을 '의'라고 하여 '의'를 가족 성원 간에도 지켜야 할 규범이라고 규정하였다.'고 하였다.
⑤ 3문단에서 맹자는 '의'를 '인'과 대등한 지위로 격상하고, '의'를 사회 일반의 행위 규범으로 정립하였다고 하였다.

3 구체적 사례에 적용

[문제 분석] 글에서 설명한 개념을 구체적인 사례에 적용해 보는 문제이다.

[정답 풀이] ❶ ㉠은 인간이라면 누구나 도덕 행위를 할 수 있는 선한 마음이 선천적으로 내면에 갖춰져 있다는 주장이다. ①에서

도 세상의 올바른 이치가 모두 나의 마음속에 갖추어져 있다고 하였으므로 ㉠'도덕 내재주의'에 해당한다.

[오답 풀이] ② 바른 도리를 행하려면 사회에서 통용되는 예의가 중요하다는 입장이므로 ㉠과 관련이 없다.
③ 인간이 지켜야 할 도덕은 인간의 성품이 아닌 성인들이 만든 것이라는 입장이므로 ㉠과 관련이 없다.
④ 군자든 소인이든 의로움을 갖추어야 한다는 입장이므로 ㉠과 관련이 없다.
⑤ 나에게 어른으로 대우하고자 하는 마음이 원래부터 있는 것이 아니라는 입장이므로 ㉠과 관련이 없다.

4 다른 자료를 통한 내용의 이해

[문제 분석] 같은 화제를 다룬 제시문의 내용과 〈보기〉의 설명을 비교하는 문제이다.

[정답 풀이] ❷ 4문단에서 맹자는 '의'가 이익의 추구와 구분되어야 한다고 주장하였으며, 〈보기〉에서 묵적은 '의'를 개인과 사회 전체의 이익을 충족하는 것으로 보았다고 하였다.

[오답 풀이] ① 3문단에서 맹자는 '의'를 사회 일반의 행위 규범으로 정립하였고, 〈보기〉에서 묵적은 '의'를 개인과 사회 전체의 이익을 충족하는 것으로 보았다.
③ 4문단에서 맹자는 이익의 추구가 개인의 '의' 실천을 가로막고 사회적으로 혼란을 야기한다고 하였고, 〈보기〉에서 묵적은 개인과 사회 전체의 이익을 충족하는 '의'를 통해 개인과 사회의 혼란을 해결할 수 있다고 하였다.
④ 5문단에서 맹자는 자기의 행동이 옳지 못함을 부끄러워하는 마음이 의롭지 못한 행위를 하지 않도록 막아 주는 동기로 작용한다고 하였고, 〈보기〉에서 묵적은 '의'의 실현이 만물을 주재하는 하늘의 뜻이라고 하였다.
⑤ 3문단에서 맹자는 '의'를 개인과 사회의 조화를 위해 필수적인 행위 규범이라고 하였으며, 〈보기〉의 묵적은 '의'를 개인과 사회 전체의 이익을 충족하는 것으로 보았다고 하였다.

역사의 개념 변천

이 글은 헤로도토스의 『역사』 이전과 이후의 역사 서술의 태도에 대해 설명하고 있다. 헤로도토스 이전에는 사실과 허구가 뒤섞인 신화와 전설, 종교를 통해 과거에 대한 지식이 전수되었다. 그러나 헤로도토스는 사건을 직접 확인·탐구하여 인과적 형식으로 서술함으로써 역사라는 새로운 분야를 개척하였다. 이후 사람들은 역사 서술의 효용성이 과거를 통해 미래를 예측하게 하여 후세 사람들에게 교훈을 주는 데 있으며, 이를 위해서는 역사 서술이 정확하고 객관적이어야 한다고 인식하게 되었다. 헬레니즘과 로마 시대에는 역사를 수사학의 분야로 보는 관점도 있었으나 15세기 이후부터는 객관적 역사 서술이 다시 중시되었다.

☑ 지문 분석 노트

1 헤로도토스의 『역사(Historiai)』
의 어원

고대 그리스의 역사가이자 여행가, 그리스-페르시아 전쟁(B.C.499~479)을 제재로 한 『역사』를
서술하며 그리스 인 최초로 과거의 사실을 시가가 아닌 실증적 학문의 대상으로 삼음.

기원전 5세기, 헤로도토스는 페르시아 전쟁에 대한 책을 쓰면서 『역사(Historiai)』라는 제목을 붙였다. 이 제목의 어원이 되는 'histor'는 원래 '목격자', '증인'이라는 뜻의 법정 용어였다. 이처럼 어원상 '역사'는 본래 '목격자의 증언'을 뜻했지만, 헤로도토스의 『역사』가 나타난 이후 '진실의 탐구' 혹은 '탐
헤로도토스 이전의 '역사' 개념   헤로도토스 이후의 '역사' 개념
구한 결과의 이야기'라는 의미로 바뀌었다.

2 신화적 세계관에서 벗어나 역
사를 개척한 헤로도토스

헤로도토스 이전에는 사실과 허구가 뒤섞인 신화와 전설, 혹은 종교를 통해 과거에 대한 지식이 전수되었다. 특히 고대 그리스 인들이 주로 과거에 대한 지식의 원천으로 삼은 것은 『일리아스』였다. 『일리아스』는 기원전 9세기의 시인 호메로스가 오래전부터 구전되어 온 트로이 전쟁에 대해 읊은 서사시이다. 이 서사시에서는 전쟁을 통해 신들, 특히 제우스 신의 뜻이 이루어진다고 보았다. 헤로도토스는 바로 이런 신화적 세계관에 입각한 서사시와 구별되는 새로운 이야기 양식을 만들어 내고자 했다. 즉, 헤로도토스는 가까운 과거에 일어난 사건의 중요성을 인식하고, 이를 직접 확인·탐구하여 인과적 형
헤로도토스 이전의 과거 지식 전수 방법   헤로도토스의 과거 서술 방법 → 역사
식으로 서술함으로써 역사라는 새로운 분야를 개척한 것이다.

3 정확성과 객관성을 원칙으로
한 역사 서술의 효용성

『역사』가 등장한 이후, 사람들은 역사 서술의 효용성이 과거를 통해 미래를 예측하게 하여 후세인
역사 서술의 효용성
(後世人)에게 교훈을 주는 데 있다고 인식하게 되었다. 이러한 인식에는 한 번 일어났던 일이 마치 계절처럼 되풀이하여 다시 나타난다는 순환 사관이 바탕에 깔려 있다. 그리하여 오랫동안 역사는 사람을 올바르고 지혜롭게 가르치는 '삶의 학교'로 인식되었다. 이렇게 교훈을 주기 위해서는 과거에 대한 서술이 정확하고 객관적이어야 했다.

4 수사학적 표현을 중시한 헬레
니즘과 로마 시대의 역사 서술

물론 모든 역사가들이 정확성과 객관성을 역사 서술의 우선적 원칙으로 ⓐ앞세운 것은 아니다. 오히려 헬레니즘과 로마 시대의 역사가들 중 상당수는 수사학적인 표현으로 독자의 마음을 움직이는 것
헬레니즘과 로마 시대의 역사가 상당수의 역사 서술 목표
을 목표로 하는 역사 서술에 몰두하였고, 이런 경향은 중세 시대에도 어느 정도 지속되었다. 이들은 이야기를 감동적이고 설득력 있게 쓰는 것이 사실을 객관적으로 기록하는 것보다 더 중요하다고 보았
헬레니즘과 로마 시대의 역사가들 상당수의 역사 서술 방법
다. 이런 점에서 그들은 역사를 수사학의 테두리 안에 집어넣은 셈이 된다.

5 객관적 서술 태도가 중시된 15
세기 이후의 역사

하지만 이 시기에도 역사의 본령은 과거의 중요한 사건을 가감 없이 전달하는 데 있다고 보는 역사가들이 여전히 존재하여, 그들에 대해 날카로운 비판을 가하기도 했다. 더욱이 15세기 이후부터는 수
역사를 수사학의 테두리에 넣은 사람들
사학적 역사 서술이 역사 서술의 장에서 퇴출되고, ㉠과거를 정확히 탐구하려는 의식과 과거 사실에
대한 객관적 서술 태도가 역사의 척도로 다시금 중시되었다.
헤로도토스로부터 비롯된 역사 서술 태도

■ 주제 : 객관적 역사 서술의 중요
성

1 세부 정보의 파악

문제 분석 글의 세부적 정보와 선택지에 제시된 정보를 비교하며 일치 여부를 확인하는 문제이다.

정답 풀이 ❶ 5문단에서 '15세기 이후부터는 수사학적 역사 서술이 역사 서술의 장에서 퇴출'되었다고 하였다. 따라서 오늘날에 이르기까지 역사가 수사학의 범위 안에서 점차 발전되어 왔다는 내용은 적절하지 않다.

오답 풀이 ② 1문단에서 헤로도토스가 페르시아 전쟁에 대해 쓴 책이 『역사』라고 하였으며, 2문단에서 '헤로도토스는 가까운 과거에 일어난 사건의 중요성을 인식하고, 이를 직접 확인·탐구하여 인과적 형식으로 서술'하였다고 하였다. 따라서 헤로도토스는 『역사』에서 페르시아 전쟁의 원인과 결과를 서술하였다고 볼 수 있다.
③ 1문단에서 역사의 어원이 되는 'histor'는 원래 '목격자', '증인'이라는 뜻의 법정 용어라고 하였으므로, 재판 과정에서 증인을 지칭할 때 쓰인 말임을 알 수 있다.
④ 3문단을 보면 역사가 '삶의 학교'로 인식된 것은 과거를 정확하고 객관적으로 서술하여, 이를 통해 사람들이 삶의 교훈을 얻을 수 있을 것이라고 생각했기 때문임을 알 수 있다.
⑤ 3문단에서 『역사』가 등장한 이후, 사람들은 역사 서술의 효용성이 과거를 통해 미래를 예측하게 하여 후세인에게 교훈을 주는 데 있다고 인식하게 되었다.'고 하였다.

2 구체적 사례에 적용

문제 분석 글에 제시된 개념의 특징을 이해하여 구체적 사례에 적용하는 문제이다.

정답 풀이 ❺ (가)는 과장된 묘사로 독자를 감동시키려고 애쓰는 필라르코스의 역사서를 비판하고 있다. (나)는 역사가의 역할을 거울에 빗대어 사실을 왜곡 없이 말해야 한다고 하였다. (다)는 과거사가 언젠가는 비슷한 형태로 다시 나타난다는 순환 사관에 입각해 말하고 있다. 3문단을 보면 순환 사관의 입장에서는 역사가 교훈을 주기 위해서는 과거에 대한 서술이 정확하고 객관적이어야 한다고 하였다. 따라서 〈보기〉의 (가)~(다) 모두 역사 서술의 정확성과 객관성을 중요시하고 있으므로, 〈보기〉의 (가)와 (다)가 교훈성보다 설득력을 중시하고 있다는 반응은 적절하지 않다.

오답 풀이 ① (가)에서 비판의 대상이 되는 필라르코스는 역사서에서 과장된 묘사로 독자를 감동시키려고 애쓴다고 비판하였다. 필라르코스는 이야기를 감동적이고 설득력 있게 쓰는 수사학적 역사 서술 방법을 사용했음을 추측할 수 있다.
② (나)에서 역사가가 가져야 할 정확성과 객관성을 강조하기 위해서 역사가의 마음을 왜곡이나 채색함이 없이 사물의 형상을 있는 그대로 보여 주는 '거울'에 빗대어 표현하였다.
③ (다)는 과거사가 인간의 본성에 따라 언젠가는 비슷한 형태로 다시 나타날 것이라는 순환 사관과 관련이 있다. 미래의 일에 대해 명확한

진실을 알고자 하는 사람이 자신의 저작을 유용하게 여길 것이라는 내용은 순환 사관에 입각한 역사의 효용성을 드러내는 표현이다.
④ (가)는 과장된 묘사를 비판하고 있고, (나)는 '거울'과 같이 있는 그대로의 사실을 서술하는 것을 강조하고 있다.

3 추론의 적절성 파악

문제 분석 글에 제시된 관점을 바탕으로 명시적으로 드러나지 않은 상황을 추론하는 문제이다.

정답 풀이 ❷ ㉠은 과거에 발생한 일을 정확하게 탐구하여 객관적으로 서술해야 한다는 입장인 반면, 호메로스의 『일리아스』는 사실과 허구가 뒤섞인 신화적 세계관에 입각해 구전되어 온 내용을 읊은 서사시이다. 따라서 ㉠의 입장에서 『일리아스』가 객관적 서술 태도를 배제하지 못했다고 비판하는 것은 적절하지 않다.

오답 풀이 ① 2문단에서 『일리아스』는 오래전부터 구전되어 온 트로이 전쟁에 대해 읊은 서사시임을 밝히고 있으므로, 정확도가 떨어질 수 있다는 면에서 적절한 비판이다.
③ 『일리아스』는 트로이 전쟁을 다루고 있으나, 구전되어 온 내용을 바탕으로 사실과 허구가 뒤섞인 신화적 세계관에 입각하여 서술하였으므로, 실제 사실을 확인하지 않았다는 점에서 적절한 비판이다.
④ 『일리아스』는 사실과 허구가 뒤섞인 신화적 세계관에 입각한 서사시이므로 과거에 대한 정확한 정보를 추출하기 어렵다는 점에서 적절한 비판이다.
⑤ 고대 그리스 인들이 『일리아스』를 과거에 대한 지식의 원천으로 삼았지만, 이는 구전되어 온 내용을 읊은 것이며 실제 과거에 발생한 사건을 정확하게 탐구하여 서술하지 않았으므로 적절한 비판이다.

4 단어의 구성 방식 파악

문제 분석 〈보기〉를 참고하여 글에서 쓰인 단어의 구성 방식을 파악하는 문제이다.

정답 풀이 ❺ ⓐ의 '앞세우다(앞세운)'는 '앞에 세우다'의 의미로, 〈보기〉의 '부사어+서술어'의 구성 방식에 해당한다. ⑤의 '남다르다' 역시 '남과 다르다'는 의미의 합성어이므로 ⓐ와 같은 '부사어+서술어'의 구성 방식이라 할 수 있다.

오답 풀이 ① '멍들다'는 '멍이 들다'의 의미이므로 '주어+서술어'의 구성 방식에 해당한다.
② '빛내다'는 '빛을 내다'의 의미이므로 '목적어+서술어'의 구성 방식에 해당한다.
③ '힘쓰다'는 '힘을 쓰다'의 의미이므로 '목적어+서술어'의 구성 방식에 해당한다.
④ '그늘지다'는 '그늘이 지다'의 의미이므로 '주어+서술어'의 구성 방식에 해당한다.

대상의 본질에 대한 입장 차이

이 글은 대상의 본질에 대한 본질주의와 반본질주의의 서로 다른 입장을 소개하고 있다. 본질주의는 본질이 우리와 무관하게 개체 내에 존재한다고 주장하는 반면, 반본질주의는 그런 본질의 존재를 부정하며 사후적으로 구성된 언어 약정이 그 역할을 대신하고 있는 것이라고 주장한다. 서양의 철학사는 본질을 찾는 과정이라고 할 수 있는데, 반본질주의 입장에서 보면 그러한 철학적 탐구가 본질이 존재한다는 잘못된 가정에서 출발한 부질없는 일일 수도 있다.

☑ 지문 분석 노트

1 본질의 개념과 속성

2 대상의 본질에 대한 본질주의와 반본질주의의 입장 차이

3 언어 약정과 관련한 반본질주의의 입장

4 본질을 밝히려는 철학적 탐구를 비판한 반본질주의

■ 주제 : 대상의 본질에 대한 본질주의와 반본질주의의 입장

흔히 어떤 대상이 반드시 가져야만 하고 그것을 다른 대상과 구분해 주는 속성을 ⓐ본질이라고 한다. X의 본질이 무엇인지 알고 싶으면 X에 대한 필요 충분한 속성을 찾으면 된다. 다시 말해서 모든 X에 대해 그리고 오직 X에 대해서만 해당되는 것을 찾으면 된다. ⓑ예컨대 모든 까투리가 그리고 오직 까투리만이 꿩이면서 동시에 암컷이므로, '암컷인 꿩'은 까투리의 본질이라고 생각된다. 그러나 암컷인 꿩은 애초부터 까투리의 정의라고 우리가 규정한 것이므로 그것을 본질이라고 말하기에는 허망하다. 다시 말해서 본질은 따로 존재하여 우리가 발견한 것이 아니라 까투리라는 낱말을 만들면서 사후적으로 구성된 것이다.

서로 다른 개체를 동일한 종류의 것이라고 판단하고 의사소통에 성공하기 위해서는 개체들이 공유하는 무엇인가가 필요하다. 본질주의는 ⓒ그것이 우리와 무관하게 개체 내에 본질로서 존재한다고 주장한다. ⓓ반면에 반(反)본질주의는 그런 본질이란 없으며, 인간이 정한 언어 약정이 본질주의에서 말하는 본질의 역할을 충분히 달성할 수 있다고 주장한다. ⓔ이른바 본질은 우리가 관습적으로 부여하는 의미를 표현한 것에 불과하다는 것이다.

'본질'이 존재론적 개념이라면 거기에 언어적으로 상관하는 것은 '정의'이다. 그런데 어떤 대상에 대해서 약정적이지 않으면서 완벽하고 정확한 정의를 내리기 어렵다는 사실은 반본질주의의 주장에 힘을 실어 준다. 사람을 예로 들어 보자. 이성적 동물은 사람에 대한 정의로 널리 알려져 있다. 그러면 이성적이지 않은 갓난아이를 사람의 본질에 반례로 제시할 수 있다. 이번에는 ㉠'사람은 사회적 동물이다.'라고 정의를 제시할 수도 있다. 그러나 사회를 이루고 산다고 해서 모두 사람인 것은 아니다. ㉡개미나 벌도 사회를 이루고 살지만 사람은 아니다.

서양의 철학사는 본질을 찾는 과정이라고 말할 수 있다. 본질주의는 사람뿐만 아니라 자유나 지식 등의 본질을 찾는 시도를 계속해 왔지만, 대부분의 경우 아직까지 본질적인 것을 명확히 찾는 데 성공하지 못했다. 그래서 숨겨진 본질을 밝히려는 철학적 탐구는 실제로는 부질없는 일이라고 반본질주의로부터 비판을 받는다. 우리가 본질을 명확히 찾지 못하는 까닭은 우리의 무지 때문이 아니라 그런 본질이 있다는 잘못된 가정에서 출발했기 때문이라는 것이다. 사물의 본질이라는 것은 단지 인간의 가치가 투영된 것에 지나지 않는다는 것이 반본질주의의 주장이다.

1 핵심 정보의 파악

문제 분석 글에 제시된 핵심 개념을 파악하여 이를 바탕으로 내용을 이해하는 문제이다.

정답 풀이 ❹ 2문단에서 '반본질주의'는 우리와 무관하게 개체 내에 존재하는 본질은 없으며, 인간이 정한 언어 약정이 본질의 역할을 수행하는 것이라고 주장한다고 하였다. 따라서 언어 약정에 의해 어떤 대상에 의미가 부여됨으로써 그 대상은 다른 대상과 구분된다는 내용의 ④는 '반본질주의'의 견해에 해당한다.

오답 풀이 ① 2문단에서 '반본질주의'는 인간이 정한 언어 약정이 본질의 역할을 충분히 달성할 수 있다고 주장한다고 하였다.
② 2문단에서 개체의 본질이 우리와 무관하게 개체 내에 본질로서 존재한다고 주장하는 '본질주의'의 입장을 확인할 수 있다.
③ 1문단에서 다른 대상과 구분되는 불변의 고유성이 본질이라고 하였고, 본질이 어떤 대상에나 있다고 보는 것은 '본질주의'의 입장이다.
⑤ 2문단을 보면, '반본질주의'는 같은 종류에 속한 개체들이 공유하는 속성인 본질이 우리가 관습적으로 부여하는 의미를 표현한 것에 불과하다고 보았다. 따라서 본질이 객관적으로 실재한다는 내용은 '본질주의'의 입장이라고 볼 수 있다.

2 내용 간의 의미 관계 추론

문제 분석 글에서 설명한 핵심 이론을 이해하기 위해 필요한 주요 구절 간의 의미 관계를 파악하는 문제이다.

정답 풀이 ❶ ㉠은 '사람'에 대한 정의이고, ㉡은 ㉠에서 정의한 '사회적 동물' 중 사람이 아닌 대상을 의미한다. 즉, ㉡은 ㉠의 정의에 대한 반례로 볼 수 있다. ①의 '가위는 자를 수 있는 도구이다.'는 '가위'에 대한 정의이고, '칼'은 '자를 수 있는 도구' 중 '가위'가 아닌 대상이다. 따라서 ①은 ㉠과 ㉡의 관계와 같다고 볼 수 있다.

오답 풀이 ② '64세인 사람'은 '노인은 65세 이상인 사람이다.'라는 정의의 반례가 될 수 없다. 반례가 되려면 65세 이상이지만 노인이 아닌 예를 들어야 한다.
③ '어머니의 여동생'은 '이모는 어머니의 여자 형제이다.'라는 정의의 반례가 될 수 없다. 반례가 되려면 어머니의 여자 형제이지만 이모가 아닌 예를 들어야 한다.
④ '헤엄칠 수 없는 고래'는 '고래는 헤엄칠 수 있는 포유동물이다.'라는 정의의 반례가 될 수 없다. 반례가 되려면 헤엄칠 수 있는 포유동물이지만 고래가 아닌 예를 들어야 한다.
⑤ '흑연 심'은 '연필은 흑연을 나무로 둘러싼 필기도구이다.'라는 정의의 반례가 될 수 없다. 반례가 되려면 흑연을 나무로 둘러싼 것이지만 필기도구가 아닌 것을 예로 들어야 한다.

3 구체적 상황에 적용

문제 분석 글에서 설명한 추상적인 개념을 구체적 상황에 적용해 적절

성을 판단해 보는 문제이다.

정답 풀이 ❹ '반본질주의'는 대상의 본질이 따로 존재하여 우리가 발견하는 것이 아니라, 언어 약정에 따라 사후적으로 구성된다고 보았다. 따라서 (나)에 대해 그 세 가지가 지니는 근원적 속성이 발견되지 않아서 일어나는 현상이라고 보는 것은 '본질주의자'의 입장이라고 할 수 있다.

오답 풀이 ① '본질주의'는 본질이 개체 내에 본질로서 존재한다고 보는 입장이므로, '본질주의자'는 (가)를 숨겨져 있는 본질을 찾아가는 과정으로 해석할 수 있다.
② '본질주의자'는 본질이 사후적으로 구성되는 것이 아니라는 입장이므로, '사바컴'이 본질과 거리가 멀어 널리 쓰이지 못한 것이라고 주장할 것이다.
③ '반본질주의'는 사물의 본질이 인간이 정한 언어 약정으로 인간의 가치가 투영된 것이라고 본다. 따라서 '반본질주의자'는 (가)에서처럼 널리 믿어지던 정의가 바뀐 것을 두고 모든 정의가 약정적이라고 주장할 것이다.
⑤ 2문단을 보면, '본질주의'와 '반본질주의'는 모두 의사소통에 성공하기 위해서 개체들이 공유하는 무엇인가가 필요하다고 보고 있음을 추측할 수 있다. 다만 '본질주의'는 그것이 개체 내에 존재하는 본질이라고 주장하고, '반본질주의'는 인간이 정한 언어 약정이 그 역할을 대신한다고 설명한다.

4 독서 방안의 적절성 평가

문제 분석 글의 내용을 효과적으로 전달하기 위해 사용된 어휘들의 역할을 적절하게 파악하였는지 확인해 보는 문제이다.

정답 풀이 ❺ ⓔ'이른바'는 '반본질주의자'의 입장을 강조하기 위한 부사어이므로, 이를 통해 글쓴이의 주장이 타당한지를 따져 본다는 것은 적절하지 않다.

오답 풀이 ① 이 글은 '본질'에 대한 본질주의자와 반본질주의자의 견해를 설명하고 있으므로 ⓐ의 정확한 의미를 파악하는 것은 적절한 독서 방안이다.
② ⓑ는 '예를 들자면'의 의미인 부사이므로, ⓑ에 이어진 사례를 통해 이해가 부족했던 면을 보완하는 것은 적절한 독서 방안이다.
③ ⓒ는 앞에 나오는 '개체들이 공유하는 무엇인가'를 지시하는 말이므로, ⓒ를 통해 내용 간의 논리적인 관계를 따져 보는 것은 적절한 독서 방안이다.
④ ⓓ는 뒤에 오는 말이 앞의 내용과 상반됨을 나타내는 말이므로, ⓓ로 이어진 글의 앞뒤의 내용이 어떤 점에서 다른지 살펴보는 것은 적절한 독서 방안이 될 수 있다.

내 머리로 생각하는 역사 이야기_유시민

이 글은 일제 강점기 이후 우리 역사학계의 주요한 흐름을 형성하여 온 진단학회가 주장한 실증사학을 분석하고 이에 대해 비판적으로 평가하고 있다. 진단학회에 속한 학자들의 실제 저서의 내용을 인용하기도 하고, 유럽의 유사한 학문적 흐름과 비교하는 등 다양한 방법을 사용하여 대상의 속성을 드러내었다.

☑ 지문 분석 노트

1 진단학회의 창립과 활동 목적

    1936년 5월 한 무리의 학자들이 진단학회(震檀學會)라는 학술 단체를 만들었다. 이들은 "실증사학의 입장에서 우리나라의 역사, 문화 및 언어를 연구한다."라는 목적을 내걸었는데, 그 중심인물은 이
                 실증사학의 목적
병도, 이병기, 이은상, 손진태 등 일본의 동경제국대학이나 와세다대학, 서울대학교의 전신인 경성제국대학에서 공부한 사람들이었다. 이들은 주로 관변 연구 기관에 종사하면서 일본인 학자들에게 뒤지지 않으려고 나름대로 열심히 경쟁하였다.

2 실증사학의 연구 방법론

    그러면 이들이 내건 ㉠'실증사학'이란 도대체 무엇인가? 진단학회 ⓐ창립 발기인의 한 사람인 이상
                  중심 화제
백은 자기의 저서 『조선 문학사 연구 논고』에서 실증사학의 역사 연구 방법과 관련하여 이렇게 말했다.

>   역사 연구의 임무는 생활 진전의 일반적인, 인간에 보편한 법칙을 발견하는 데에도 있는 것이나, 또 민족의 구체적인 생활의 실상과 그 진전의 정세를 구체적으로 파악하여 역사로서 그것을 구성하는 데에도 있는 것이다. 따라서 그 연구의 도정에서 무슨 일반적인 법칙이나 공식만을 미리 가정하여 그것을 어떤 민족의 생활에 견강부회하는 방법을 취하여서는 안 된다.

3 유럽 실증주의와 우리나라 실증주의의 관계

    이러한 견해로 보나 '실증사학'이라는 용어로 보나 진단학회의 역사 연구 경향은 유럽 실증주의와 역사주의 역사학으로부터 어느 정도 영향을 받은 듯하다. 이상백의 말에서 알 수 있듯이 1930년대 우리나라 '실증사학'의 대표자들은 어떤 보편적인 역사 법칙보다는 개별적인 역사적 사실을 구체적으로
                                  진단학회 역사 연구의 방향성 ①
연구하려 하였으며 사료를 존중하고 사실을 ⓑ고증하는 일에 몰두하였다. 그러나 이러한 연구 방법
               ②   ③
면을 제외하고는, 진단학회의 실증사학과 19세기 유럽의 실증주의 및 역사주의 사이에는 아무런 공통점이 없다.

4 유럽 실증주의와의 비교를 통한 우리나라 실증사학의 문제점 비판

    「콩트가 실증적 연구 방법을 통해 찾으려 한 것은 인류 사회의 발전을 지배하는 보편적 법칙이었다.
    「」: 진단학회와 다른 나라의 연구 방법 비교
그러나 우리나라의 실증사학은 보편적인 역사 법칙을 기피했다. 랑케와 독일의 역사주의 역사학의 밑
        ① 진단학회와 콩트의 차이
바탕에는 민족적 각성과 결속을 통해 독일을 영국이나 프랑스와 어깨를 겨룰 부강한 나라로 발전시키려는 그들 나름의 민족주의가 깔려 있었다. 그러나 우리나라 실증사학에서 강렬한 민족주의를 읽어내
                       ② 진단학회와 랑케 및 독일의 역사주의 역사학과의 차이
기는 매우 어렵다.」역사 연구에서 실증은 하나의 예비 단계일 뿐 역사 연구 그 자체가 아니다. 또 사료의 엄격한 고증은 역사가의 기본적인 의무이지 자랑거리가 아니다. 이런 면에서 진단학회가 ⓒ표방한 실증주의는 하나의 역사관이나 역사 연구 경향을 나타내는 독립적인 개념으로 성립할 수 없는 것이다.

5 진단학회가 추구한 실증사학에 대한 평가

    「진단학회에 속한 역사가들은 "일반적인 법칙이나 공식을 거부한다."라는 이상백의 말대로 일제의
    「」: 일제에 저항했던 민족주의 역사 학자들과 진단학회를 대조 → 진단학회의 문제점 강조
조선사 왜곡에 직접적으로 협력하지는 않았다. 그러나 그들의 이러한 연구 태도는 결과적으로 일제의 조선사 왜곡을 묵인하는 결과를 낳았다. 많은 민족주의 역사학자들이 일제에 대항하며 민족의 혼을 지키기 위해 ⓓ망명 생활의 고통을 감수하거나, 모진 박해를 받으며 감옥에서 죽음을 맞이했던 시대에 진단학회는 모든 역사 법칙과 사관을 거부한 채 '과학적인 ⓔ사료 검증과 개별적 사실의 탐구'에만 매달린 것이다.」일제 강점기의 사회 정치적 상황에 비추어 보건대, 이러한 역사 연구 경향은 일제에 적극 협력하는 데서 오는 양심의 고통을 피하는 동시에 조선 총독부의 감시와 위협으로부터 안전과 생명을 지키는 데에 매우 적절했을 것이다. 그러나 그들의 실증사학은 사회 현실과 역사적 사실을 나
                                진단학회에 대한 필자의 평가
름대로 해석해야 할 역사가 본연의 임무로부터의 도피라고 볼 수 있을 것이다.

■ 주제 : 진단학회가 추구한 실증사학에 대한 비판

1 논지 전개 방식의 파악

문제 분석 글쓴이가 주장하는 바를 설득력 있게 전달하기 위해 어떤 전개 방식을 사용하고 있는지를 파악하는 문제이다.

정답 풀이 ❸ 4문단에서 진단학회의 실증사학과 콩트의 실증주의 및 유럽의 역사주의 역사학과의 비교를 통해, 우리나라의 실증사학은 보편적인 역사 법칙을 기피하고 강렬한 민족주의가 보이지 않는다는 점을 지적하고 있다. 따라서 다른 이론과 비교하면서 실증사학의 문제점을 비판하고 있다고 볼 수 있다.

오답 풀이 ① 실증사학에 대해 비판하는 내용이 주를 이루고 있을 뿐, 실증사학이 갖는 의의에 대해 현대적 시각에서 다시 살펴본 부분은 찾아볼 수 없다.
② 2문단에서 실증사학에 대해 소개하고 있으나, 구체적인 예를 들고 있지는 않다.
④ 실증사학이 만들어지게 된 원인을 다양한 측면에서 분석하고 있는 부분은 찾아볼 수 없다.
⑤ 진단학회의 실증사학이 가진 문제점에 대해 비판하고 있으나, 새로운 이론을 제시하고 있지는 않다.

2 세부 내용의 파악

문제 분석 글에 제시된 사실적 정보들을 파악하여 이를 바탕으로 내용을 이해하는 문제이다.

정답 풀이 ❹ 3문단에서 우리나라 실증사학의 대표자들은 개별적인 역사적 사실을 구체적으로 연구했다고 하였다. 그러나 4문단에서 '우리나라 실증사학에서 강렬한 민족주의를 읽어내기는 매우 어렵다.'고 하였다.

오답 풀이 ① 1문단에서 1936년 5월 이병도, 이병기, 이은상, 손진태 등이 중심이 되어 진단학회라는 학술 단체를 만들었다고 하였다.
② 3문단에서 진단학회의 학자들은 사료를 존중하고 사실을 고증하는 일에 몰두했다고 하였다.
③ 3문단에서 '진단학회의 역사 연구 경향은 유럽 실증주의와 역사주의 역사학으로부터 어느 정도 영향을 받은 듯하다.'고 하였다. 또 '연구 방법 면을 제외하고는, 진단학회의 실증사학과 19세기 유럽의 실증주의 및 역사주의 사이에는 아무런 공통점이 없다.'는 내용으로 미루어 볼 때, 연구 방법 측면에서는 공통점이 있다고 볼 수 있다. 따라서 진단학회의 연구 방법은 유럽 실증주의와 역사주의의 영향을 받았다고 할 수 있다.
⑤ 5문단에서 진단학회에 속한 역사가들은 일제의 조선사 왜곡에 직접 협력하지는 않았지만, '결과적으로 일제의 조선사 왜곡을 묵인하는 결과를 낳았다.'고 하였다.

3 비판의 적절성 파악

문제 분석 글에서 언급하고 있는 특정 대상을 파악한 후, 〈보기〉의 관점으로 그 대상을 비판한 내용의 적절성을 따져보는 문제이다.

정답 풀이 ❹ 〈보기〉는 역사 연구에서 사실과 해석(가치)을 분리할 수 없다는 입장을 나타내고 있다. 즉 〈보기〉는 역사를 연구할 때는 역사가의 가치 판단이 필요하다는 입장으로, 제시문의 글쓴이 입장과 동일하다고 볼 수 있다. 이러한 〈보기〉의 입장에서, 있는 그대로의 사실만을 연구하는 것이 중요하다고 생각하는 ㉠에 대해 역사를 연구할 때는 객관적인 사실을 해석하는 과정이 반드시 필요하다고 비판할 것이다.

오답 풀이 ① 〈보기〉에서는 역사가 본질상 '변화'라고 언급하고 있다. 따라서 역사가는 시대적 환경의 영향을 받는다고 볼 것이다.
② 〈보기〉에는 역사가가 자기 나름대로의 연구 방법론을 개발해야 한다는 내용이 언급되어 있지 않다.
③ 사료를 엄격하게 검증해서 있는 그대로를 서술해야 한다는 것은 〈보기〉가 아닌 ㉠의 입장이다.
⑤ 〈보기〉에는 보편적 법칙과 개별적 사실 모두 역사 연구 대상으로 삼아야 한다는 내용이 언급되어 있지 않다.

4 어휘의 사전적 의미

문제 분석 글에서 사용된 어휘의 사전적 의미를 파악하는 문제이다.

정답 풀이 ❷ '고증(考證)'은 '예전에 있던 사물들의 시대, 가치, 내용 따위를 옛 문헌이나 물건에 기초하여 증거를 세워 이론적으로 밝힘'의 의미이다. '일이나 상황에 대하여 자세하게 이야기함.'의 뜻을 가진 어휘는 진술(陳述)이다.

Think Plus⊕ 세부 내용을 파악하는 문제는?

• 세부 내용을 파악하는 문제를 풀 때는 선택지와 제시문의 내용을 비교해 가며 풀어야 한다. 선택지에서 핵심이 되는 어휘 및 어구를 표시해 두고, 제시문에서 언급한 부분을 찾아 내용과 답지를 비교하면서 풀면 빠르고 정확하게 문제를 풀 수 있다.
• 하나의 선택지에 한 가지 정보만 포함된 경우도 있지만, 난도를 높이기 위해서는 하나의 선택지에 두 가지 이상의 정보를 포함시키기도 한다. 이러한 경우에는 하나의 선택지에 제시된 정보들이 모두 제시문의 내용과 일치하는지 확인해야 한다. 또한 선후 관계나 인과 관계 등을 따져야 하는 선택지는 제시문에서 그 근거를 찾아 관계가 정확히 밝혀져 있는지 반드시 확인해야 한다.

흄의 인성론

이 글은 지식을 습득하는 방법(인식론)과 인성론에 대한 흄의 견해를 서술하고 있다. 흄에 따르면 우리는 이성이 아닌 경험을 통해서 지식을 습득할 수 있으며, 도덕적 신념과 행동은 감정 또는 정념에 의한 것이다. 이러한 추상적인 개념을 예시를 들어 설명함으로써 독자의 이해를 돕고 있다.

☑ 지문 분석 노트

① 경험주의자인 흄이 주장하는 인식론의 특징

② 흄이 주장한 앎의 형성 과정

③ 흄의 인성론 ① – 도덕적 신념은 감정 또는 정념에 의해 생긴다.

④ 흄의 인성론 ② – 정념이 행동을 하는 동기가 된다.

⑤ 흄의 인성론 ③ – 모든 사람이 공감하는 것이 도덕이다.

■ 주제 : 흄의 인식론 및 인성론

경험주의자이면서 동시에 회의주의자였던 데이빗 흄(D. Hume, 1711~1776)은 인간이 본질적으로 이성적인 존재라는 입장에 동의하지 않았다. 오히려 그는 우리의 삶에서 이성이 차지하고 있던 지배적인 지위를 감정과 정념의 것으로 되돌려 놓으려고 하였다. 흄의 이러한 입장은 먼저 그의 인식론, 즉 '인간은 어떻게 앎을 형성하게 되는가'라는 물음에서부터 시작한다. 그는 인상은 관념에 선행하며, 관념은 인상의 복사물일 뿐이라고 생각했다. 그에 따르면 관념 또는 지식은 우리가 직접 경험한 인상들에 대해 사유와 추리를 통해 기억들을 떠올린 것이라고 할 수 있다.

그런데 우리는 어떻게 한 번도 가 본 적이 없는 '황금 궁전'에 관한 관념을 지닐 수 있을까? 흄은 그 이유를 관념들의 결합 때문이라고 주장한다. 즉 우리는 비록 '황금 궁전'을 직접 가 본 경험은 없지만 황금을 본 경험, 그리고 궁전을 사진으로 보았든 직접 가 보았든 궁전을 보았던 경험이 있는데, 이 두 경험이 주는 인상들로부터 얻어낸 관념—황금, 궁전—을 결합시켜 '황금 궁전'이라는 관념을 가질 수 있다는 것이다. 흄은 이처럼 색깔이나 모양, 맛과 같은 직접적인 '단순 관념'들과 이러한 관념들을 결합한 '복합 관념'을 통해서 우리가 경험하지 않은 '황금 궁전'에 대한 새로운 관념을 형성할 수 있게 되는 것이라 생각했다. 이처럼 흄은 앎이 이성에 의해서 생긴 것이 아니라, 우리가 습관적으로 그렇게 생각한 것이거나 각각의 다른 사실을 묶어 생각한 것에 불과하다고 보았다.

흄의 이러한 태도는 그의 윤리 사상에서도 나타난다. 도덕은 실천의 문제이며, 행위의 직접적인 동기를 제공하는 도덕적 신념들은 우리가 경험할 수 없는 이성에 의해서가 아니라 감정 또는 정념에 의해서 생긴다는 것이다. 우리는 누구나 도둑질이 옳지 않다는 것을 알고 있다. 그런데 왜 도둑은 사라지지 않는 것일까? 흄에 의하면 ⓐ도둑질이 옳지 않다는 것을 안다는 지식이, 곧바로 도둑질을 하지 않음으로 이어지지는 않기 때문이다. 이성은 어떤 행동이 옳은지 옳지 않은지를 분별하게 해 준다. 하지만 이성은 감정을 일으키는 믿음을 바로잡는 역할을 할 뿐, 우리가 어떤 행동을 하거나 하지 못하도록 영향을 미치지는 못한다. 이러한 의미에서 흄은 "(㉠   )"라고 말하였다.

흄에 의하면 우리는 도둑질을 혐오하거나, 도둑질을 함으로써 어떤 고통을 경험하게 될 때 도둑질을 하지 않게 된다. 이는 도덕적으로 옳은 행위를 할 때에도 마찬가지이다. 우리가 어려움에 처한 사람을 도움으로써 마음의 평안과 즐거움을 느끼게 될 때 우리는 옳은 행위를 하게 된다는 것이다. 이처럼 흄은 고통을 혐오하거나 쾌락을 추구하는 것과 같은 여러 가지 정념이 바로 우리가 어떤 행동을 하는 동기가 된다고 하였다.

그러나 이러한 감정이나 정념이 나에게만 생기는 것이라면 이는 윤리의 근거가 될 수 없다. 흄에 따르면 우리에게는 공감의 능력이 있기 때문에 다른 사람의 고통을 함께 아파하고 다른 사람의 행복을 함께 즐거워할 수 있다. 따라서 그는 우리가 마음으로 공감하는 것이 선(善)이고, 공감하지 않는 것이 악(惡)이라고 하였다. 결론적으로 흄이 말하고자 했던 도덕 감정이란 인간으로 하여금 일반적인 승인을 이끌어내는 인류 공통의 정서인 것이다.

1 세부 내용의 파악

문제 분석　글에 제시된 세부적 정보를 파악하여 내용을 이해하는 문제이다.

정답 풀이　❸ 2문단에서 '흄은 앎이 이성에 의해서 생긴 것이 아니라, 우리가 습관적으로 그렇게 생각한 것이거나 각각의 다른 사실을 묶어 생각한 것에 불과하다고 보았다.'고 하였다. 따라서 흄은 새로운 관념을 형성할 때 이성은 작용하지 않는다고 보았음을 알 수 있다.

오답 풀이　① 3문단에서 '이성은 어떤 행동이 옳은지 옳지 않은지를 분별하게 해 준다.'고 하였다.
② 1문단에서 흄은 '인간이 본질적으로 이성적인 존재라는 입장에 동의하지 않았고', '이성이 차지하고 있던 지배적 지위를 감정과 정념의 것으로 되돌려 놓으려고 하였다.'고 언급하였다. 따라서 흄은 인간의 삶에서 감정이나 정념이 이성보다 우위에 있다고 보았음을 알 수 있다.
④ 4문단에서 '정념이 바로 우리가 어떤 행동을 하는 동기가 된다'고 하였다.
⑤ 5문단에서 감정이나 정념이 개인에게만 생기는 것이라면 윤리의 근거가 될 수 없지만, 흄은 사람들은 모두 공감의 능력이 있기 때문에 윤리적 근거가 될 수 있음을 말하면서, 마음으로 공감하는 것이 선(善)이고, 공감하지 않는 것이 악(惡)이라고 하였다.

2 구체적 사례에 적용

문제 분석　글에서 설명한 이론을 구체적인 사례에 적용해 보는 문제이다.

정답 풀이　❸ 길을 잃은 아이를 도와주는 행위가 옳다는 것을 분별하게 해 주는 것은 이성이다. 그러나 3문단에서 이성은 믿음을 바로잡는 역할을 할 뿐, 그 행동을 하거나 하지 못하도록 영향을 미치지는 못한다고 하였다.

오답 풀이　① 4문단에서 '마음의 평안과 즐거움을 느끼게 될 때 우리는 옳은 행위를 하게 된다'고 하였다. 흄의 관점에 따르면 수범이가 길 잃은 아이를 도와주는 옳은 행위를 할 수 있었던 것은 그 행위를 함으로써 마음의 평안과 즐거움을 느낄 수 있기 때문이다. 따라서 수범이가 평안과 즐거움, 즉 기쁨을 느꼈을 것이라고 추측할 수 있다.
② 5문단에서 '우리에게는 공감의 능력이 있기 때문에 다른 사람의 고통을 함께 아파'할 수 있다고 하였다. 따라서 수범이에게도 다른 사람의 고통을 함께 아파할 수 있는 공감의 능력이 있었기 때문에 아이를 도와준 것이라고 볼 수 있다.
④ 5문단에서 '우리에게는 공감의 능력이 있어서 다른 사람의 고통을 함께 아파'할 수 있다고 한 것으로 보아, 흄의 입장에서 보면 수범이가 아닌 다른 사람들도 우는 아이를 보았다면 안타까운 마음이 들었을 것이라고 추측할 수 있다.
⑤ 5문단에서 '우리가 마음으로 공감하는 것이 선(善)이고, 공감하지 않는 것이 악(惡)'이라고 하였다. 따라서 수범이가 아이를 도와준 것을 보고 다른 사람들이 공감했다면 수범이의 행위는 도덕적이라고 판단할 수 있다.

3 문맥적 의미의 추론

문제 분석　글의 전체 흐름을 파악하고 앞의 문맥을 살펴봄으로써 해당 부분에 들어갈 내용으로 적절한 것을 추론해 보는 문제이다.

정답 풀이　❹ 3문단에 따르면 흄은 도덕이 실천의 문제이며, 행위를 하는 데 직접적인 동기를 제공하는 도덕적 신념들은 이성이 아닌 감정 또는 정념에 의해서 생긴다고 보았다. 그리고 이성은 감정을 일으키는 믿음을 바로잡는 역할을 할 뿐, 어떤 행동을 하거나 하지 못하도록 영향을 미치지 못한다고 하였다. 따라서 문맥상 ㉠에는 '이성은 정념에 봉사하고 복종하는 노예일 뿐이다.'가 들어가는 것이 가장 적절하다.

오답 풀이　① 3문단에서 이성은 어떤 행동의 옳고 그름을 분별해 줄 뿐, 어떤 행동을 하거나 하지 못하도록 영향을 미치지는 못한다고 하였다. 따라서 이성적인 것만이 도덕적인 것이라고 보기는 어렵다.
② 2문단에서 흄은 앎이 이성에 의해서 생긴 것이 아니라고 하였다. 따라서 ㉠에 인간은 이성을 통해 지식을 형성한다는 내용이 들어가는 것은 적절하지 않다.
③ 도덕적으로 행한 일이 언제나 선악을 초월한다는 내용은 제시문에서 찾아 볼 수 없다.
⑤ 글의 흐름과 ㉠의 앞뒤 문맥을 고려할 때, 인간에게 이성과 정념이 있다는 것은 무한한 기쁨이라는 내용이 들어가는 것은 적절하지 않다.

4 접미사의 의미 파악

문제 분석　〈보기〉를 참고하여 글에 쓰인 어휘의 의미를 파악하는 문제이다.

정답 풀이　❹ '싸움질'에서 '-질'도 좋지 않은 행위(싸움)에 비하하는 뜻을 더하는 접미사이다. 따라서 '도둑질'의 '-질'과 그 의미가 같다고 볼 수 있다.

오답 풀이　① '부채질'에서 '-질'은 ((도구를 나타내는 일부 명사 뒤에 붙어)) '그 도구를 가지고 하는 일'의 뜻을 더하는 접미사이다.
② '딸꾹질'에서 '-질'은 ((몇몇 의성어 또는 어근 뒤에 붙어)) '그런 소리를 내는 행위'의 뜻을 더하는 접미사이다.
③ '사장질'에서 '-질'은 ((일부 명사 뒤에 붙어)) 직업이나 직책에 비하하는 뜻을 더하는 접미사이다.
⑤ '손가락질'에서 '-질'은 ((신체 부위를 나타내는 일부 명사 뒤에 붙어)) '그 신체 부위를 이용한 어떤 행위'의 뜻을 더하는 접미사이다.

몸철학의 특징_조광제

이 글은 종래의 정신철학 및 변증법적 유물론과 비교되는 몸철학의 특징을 설명하고 있다. 종래의 정신철학은 인간 및 전 우주의 존재가 정신(또는 영혼)을 바탕으로 해서 성립된다고 보는 데 반해, 몸철학은 인간의 존재가 인간의 몸(또는 물체)을 바탕으로 해서 성립된다고 본다. 즉, 몸철학은 인간의 주체를 몸이라고 생각하고 이성 또는 지성 대신 전신적인 감각과 전신적인 사유를 중시하였다.

☑ 지문 분석 노트

① '몸철학'의 의미

② 몸철학과 정신철학의 대립

③ 관념론과 유물론의 대립

④ 변증법적 유물론과 몸철학의 관점 차이

⑤ 몸철학의 자연과 역사에 대한 사유 방식

⑥ 몸철학에서 중시하는 전신적 사유

■ 주제 : 몸철학의 개념과 특징

'몸철학'이라는 용어는 몸에 '관한' 철학으로 해석할 수도 있고, 몸을 '바탕으로 한' 철학으로 해석할 수도 있다. 그러나 진정한 의미의 몸철학은 몸 자체에서 출발하여 철학적 사유의 기초를 재구성하는 몸을 바탕으로 한 철학을 가리키는 말이다.

'몸을 바탕으로 한 철학'인 몸철학은 정신을 바탕으로 한 종래의 정신철학과 대립된다. 이 대립 구도에서 가장 중요한 문제점은 크게 두 가지이다. 하나는 인간의 존재가 진정 몸을 바탕으로 해서 성립하는가, 아니면 정신을 바탕으로 해서 성립하는가이다. 또 하나는 전 우주의 존재가 진정 몸 또는 물체를 바탕으로 해서 성립되는가, 아니면 정신 또는 영혼을 바탕으로 해서 성립하는가이다.

사실 이 문제들은 철학사적으로 해묵은 논쟁거리 중 하나이다. 정신과 물질의 선차성, 즉 정신과 물질 중 어느 것이 우선해서 존재하는가 하는 관념론과 유물론의 대립이 그것이다. 이 논쟁에 비추어 보면 몸철학이란 그저 전통적인 유물론, 특히 변증법적 유물론을 이름만 바꾼 것이 아니냐고 가볍게 볼 수 있을 것이다. 그러나 전통적인 유물론 내지는 변증법적인 유물론과 몸철학은 결정적으로 다음과 같은 점에서 다르다.

변증법적인 유물론은 결국 '철(鐵)의 필연성', 즉 자연이든 역사든 벗어나려고 해도 벗어날 수 없는 필연성에 입각해서 이루어지는 것으로 보고, 이를 고도의 이성적 사유로써 파악할 수 있다고 본다. 하지만 몸철학은 자연과 역사의 진행 과정에 있어 우연성을 인정한다. 그리고 그 우연성은 몸과 세계의 성격 및 관계에서 비롯된다고 본다. 따라서 몸철학은 자연과 역사가 필연적인 법칙에 의해 진행된다고 보는 것을, 보편적인 필연성을 추구하는 이성의 모습을 자연과 역사에 덮어씌우는 것으로 본다.

몸철학에서 볼 때, 자연과 역사는 인간의 이성적인 능력이 아무리 발달하더라도 이론적으로 파악될 수 없다는 점을 중시한다. 자연과 역사는 인간의 이론적인 지성의 기저에 놓여 있으면서 지성의 작업을 가능케 하는 것으로 본다. 말하자면 자연과 역사는 지성적인 이론 작업을 항상 넘어서 있고 둘러싸고 있기 때문에 원칙적으로 이론으로써는 완전히 파악할 수 없다고 보는 것이다. 이에 몸철학은 자연과 역사에 대한 새로운 사유 방식을 요구한다. 자연과 역사가 이론적으로 정리되지 않더라도 상관없으며, 오히려 지성을 통해 이론적으로 완벽하게 파악하려 할 때 부작용이 생긴다고 여긴다. 몸철학은 자연과 역사에서 '몸을 빼내어' 그것들을 관찰하고 체계화하는 것이 아니라, 온몸을 자연과 역사 속에 한껏 집어넣어 그 자연과 역사를 느끼고자 한다.

몸철학은 근본적으로 인간의 주체를 몸이라고 생각하고 인간의 몸이 지닌 자연성은 대우주의 몸이 지닌 자연성과 하나로 소통할 수 있는 것으로 본다. 마치 대우주의 몸이 하나의 큰 나무라면 인간의 몸은 그중 하나의 독특한 가지이고, 인간 정신은 그 가지에서 피어나는 꽃 내지는 그 가지에서 영글어 맺히는 열매라고 여기는 것이다. 몸철학에서는 이성 혹은 지성 대신에 온몸으로 이미 느끼고 있는 전신적인 감각과 그것에 의거한 전신적인 사유를 중시한다. 그렇다고 지성적인 사유를 포기하는 것은 아니다. 다만, ⊙지성적인 사유의 '우둔한 오만'을 항상 경계하면서 그 모태가 전신적인 사유에 있음을 염두에 두어야 한다고 주장한다. 그래야만 자연과 역사에 대한 지성적 사유의 횡포를 미리 방지할 수 있기 때문이다.

1 핵심 정보의 파악

문제 분석 글에 제시된 핵심 정보를 바탕으로 선택지의 정보를 비교하며 일치 여부를 확인하는 문제이다.

정답 풀이 ❺ 5문단을 보면 몸철학에서 자연과 역사를 지성을 통해 이론적으로 완벽하게 파악하려 할 때 부작용이 생긴다고 하였다. 그러나 부작용의 구체적인 내용은 언급되어 있지 않다.

오답 풀이 ① 4문단에서 전통적인 유물론은 자연과 역사가 필연성에 입각해 이루어지는 것으로 보지만, 몸철학은 자연과 역사의 우연성을 인정한다고 하였다.
② 4문단에서 변증법적 유물론은 자연과 역사의 필연성을 고도의 이성적 사유로써 파악할 수 있다고 보지만, 몸철학에서는 진행 과정의 우연성을 인정하고 그 우연성은 몸과 세계의 성격 및 관계에서 비롯된다고 하였다.
③ 2문단을 통해 종래의 정신철학은 인간 및 전 우주의 존재가 정신을 바탕으로 성립한다고 보지만, 몸철학은 몸을 바탕으로 성립한다고 본다는 것을 알 수 있다.
④ 4문단을 통해 자연과 역사에 작용하는 필연적 법칙을 몸철학은 '보편적 필연성을 추구하는 이성의 모습을 자연과 역사에 덮어씌우는 것'이라고 보고 있음을 알 수 있다.

2 세부 내용의 파악

문제 분석 글에 제시된 세부적인 정보들의 기본적인 사실 관계를 파악하는 문제이다.

정답 풀이 ❷ 4문단에서 변증법적 유물론은 '자연이든 역사든 벗어나려고 해도 벗어날 수 없는 필연성에 입각해서 이루어지는 것으로 보고' 있다고 하였으므로, 우연성을 인정하지 않고 필연성을 주장한다는 것을 알 수 있다.

오답 풀이 ① 4문단을 통해 자연 현상이 필연적인 법칙에 의해 발생한다고 주장하는 것은 변증법적 유물론의 관점임을 알 수 있다.
③ 6문단에서 몸철학이 이성 혹은 지성 대신 전신적인 감각과 그것에 의거한 전신적 사유를 중시하지만, 지성적인 사유를 포기하는 것은 아니라고 하였다.
④ 4문단에서 몸철학은 보편적인 필연성보다 우연성을 인정한다고 하였다.
⑤ 2문단을 통해 인간의 존재가 정신을 바탕으로 성립한다고 주장하는 것은 정신철학의 관점임을 알 수 있다.

3 자료의 비판적 이해

문제 분석 글의 내용과 제시문에서 언급한 내용에 관한 자료인 〈보기〉를 분석하여 글의 주요 관점에서 비판한 내용의 적절성을 따지는 문제이다.

정답 풀이 ❷ 몸철학은 인간과 자연을 정신적 존재라고 보지 않는다. 〈보기〉에 의하면 지성적 사유는 나 자신만을 진정한 정

신적 존재로 보고, 자연은 정신적 존재가 아니고 기계적인 것으로 여기므로 적절하지 않은 비판이다.

오답 풀이 ① 〈보기〉에서 지성적 사유는 '자신만을 진정한 정신적 존재'로 본다고 하였으므로 타인 및 자연을 도구적 유용성의 관점으로만 파악할 우려가 있다는 비판은 적절하다.
③ 6문단에서 '인간의 몸이 지닌 자연성은 대우주의 몸이 지닌 자연성과 하나로 소통할' 수 있다고 했는데, 〈보기〉에서 지성적 사유로는 타인과의 진정한 교류가 근본적으로 차단된다고 하였으므로 적절한 비판이다.
④ 〈보기〉에서 지성적 사유는 '타인들을 물질적으로만 지각되는 대상으로 여긴다.'고 하였으므로 적절한 비판이다.
⑤ 6문단에서 몸철학은 지성적인 사유의 '우둔한 오만'을 항상 경계하면서 그 모태가 전신적인 사유에 있음을 염두에 두어야 한다고 주장한다고 하였으므로 적절한 비판이다.

4 서술상의 특징 파악

문제 분석 글의 내용을 효율적으로 전달하기 위해 사용된 다양한 표현 방법과 구성 방법에 대해 파악해 보는 문제이다.

정답 풀이 ❹ 이 글에서는 몸철학의 개념과 특징을 다른 철학과의 비교를 통해 설명하고 있다. 그러나 시간의 흐름에 따라 이론이 발전해가는 과정은 제시되지 않았다.

오답 풀이 ① 1문단에서 '몸철학'이라는 용어의 의미를 설명하고 있다.
② 2문단에서 몸철학과 대립을 이루는 정신철학을 소개하고 있다.
③ 3, 4문단에서 몸철학과 비슷하다고 여겨질 수 있는 변증법적 유물론과의 차이점을 설명하고 있다.
⑤ 6문단에서 대우주의 몸과 인간의 몸, 인간 정신과의 관계를 나무와 가지, 꽃 또는 열매의 관계에 비유하여 독자가 이해하기 쉽게 설명하고 있다.

책문, 시대의 물음에 답하라_김태완

이 글은 조선시대 과거시험의 마지막 관문이었던 전시에서 시험의 답으로 제출했던 글인 '책문'에 대해 소개하고 있다. 책문은 유학을 배운 선비들이 왕이 제시한 책제에 대한 해결책을 중심으로 자신의 주장을 펼친 글이다. 책문에는 단지 책제에 대한 답변뿐 아니라, 자신의 정치적 견해나 당대 현실에 대한 비판의 목소리 등이 포함되기도 했다. 결국 책문은 당대의 지식인이었던 선비들이 이상적인 사회를 구현하기 위한 자신만의 방안을 펼친 글이라고 할 수 있다.

☑ 지문 분석 노트

① 책문의 개념

② 책문의 형식적 특징

③ 책문의 내용적 특징

④ 책문의 의의

■ 주제 : 책문의 특징과 의의

조선 시대 과거의 최종 시험인 전시(殿試)에서는 왕이 직접 당대의 현안을 제시하고 그 해결책을 묻는 시험을 치렀는데, 응시자들이 답으로 제출한 글을 ㉠책문(策文)이라고 한다. 책문은 시험으로 나온 문제, 즉 ㉡책제(策題)에 대해 해결책을 제시하는 것을 중심으로 자기의 주장을 펼치는 글이다. 책문은 국가를 다스리는 시책을 모색하는 것이라는 점에서 인재의 선발 과정에서 매우 중시되었고, 과거 _{책문의 개념} _{책문이 인재 선발 과정에서 중시되었던 까닭} 시험의 답안뿐 아니라, 사가독서(賜暇讀書)의 과제물로 책문을 제출하도록 하는 등 다양하게 활용되었다.

대체로 책문을 쓸 때에는 정해진 표현과 형식을 지켜야 했다. 왕이 낸 문제에 대한 답변이니만큼, 책문은 "신은 다음과 같이 대답합니다[臣對]."라는 말로 글을 시작하고 "신이 삼가 대답합니다[臣謹 _{왕의 물음에 대한 신하로서의 답변임을 보여 줌.} 對]."라는 말로 끝맺음을 하였다. 본문에서는 보통 유학의 경전이나 역사서, 각종 시문을 인용하여 책 제에 대한 자신의 주장을 뒷받침하는 근거로 활용하였다. "식견이 보잘것없는 저희들을 불러, 조금이 _{책문의 내용} 나마 나라에 도움이 될 말을 들을까 하며 시험을 내시니, 죽을 각오를 하고 말씀드리겠습니다."라며 장황하고 공손하게 왕에 대한 찬사와 자신에 대한 겸사를 섞어 썼다.

책문은 책제에 대한 답변으로 주제가 정해진 글인데다가, 서술 방식도 일정한 편이었기 때문에 천 편일률적인 내용이었으리라 속단하기 쉽다. 그런데 남아 있는 책문들을 살펴보면, 책제에서 벗어나 _{책문에 대한 오해} 정치 현실에 대한 자신만의 담론을 자유롭게 전개하는 내용들이 다수 포함되어 있어 흥미를 끈다. 「가 _{책문의 특징적 내용} 령 1447년(세종 29) 문과 중시(重試)에서 제시된 책문의 문제는 법의 폐단을 고치는 방법에 대한 것이 었다. 그런데 이때 최우등으로 뽑힌 답안들 중에는 기존의 법을 잘 지킬 것을 말하면서 군주 중심의 _{책제에 대한 답변} 지배 질서를 옹호하는 글도 있었지만, 당시 강력한 왕권 하에서 신하들의 정치적 역할을 확대할 것을 주장하는 책문도 상당수였다.」 또한 과거 시험장에서 제출한 책문은 왕이 직접 읽고 평가한다는 점에 _{「」: 역사적 사례 ①} _{책제에서 벗어나 자신의 정치적 주장을 펼침.} 서, 당대 사회의 부조리를 폭로하는 강직한 비판의 목소리가 실리기도 했다. 책문에 자주 등장하는 _{책문의 비판적 특징} "죽기를 각오하고 쓴다."는 말이 상투적인 표현 같지만 실제로 어떤 경우에는 정말로 죽음을 각오한 비장함이 들어 있었던 것이다. 「광해군 때 선비 임숙영이 쓴 책문」에는 권신들의 횡포와 광해군의 실정 (失政)을 격렬히 공박하는 내용이 포함되어 있는데, 이로 인해 임숙영은 왕의 진노를 사 과거시험의 합격자 명단에서 그의 이름이 삭제되는 일명 삭과(削科) 파동의 당사자가 되기도 했다.」 _{「」: 역사적 사례 ②}

이처럼 책문이 다양한 정치적 주장을 담을 수 있었던 이유는 무엇일까? 책문을 쓴 선비들은 단순히 시험에 합격하기 위해 공부를 하던 학생이 아니라, 자기가 배운 유학 이념을 현실에서 실천하고자 한 _{책문이 다양한 정치적 주장을 담을 수 있었던 이유} 당대의 지식인들이다. 유학은 본질적으로 내성외왕(內聖外王)의 학문이다. 사대부는 안으로 인격을 수양하여 성인이 되고, 밖으로는 군주를 도와 이상적인 사회를 만들어야 한다. 왕이 친히 문제를 내어 젊은 인재를 구하고 이들과 소통하고자 한 까닭도 여기에 있다. 결국 책문이란, 당대의 정치 주체인 지식인들이 느끼는 사회적 책임 의식의 발로였다고 할 수 있다.

1 서술상의 특징 파악

문제 분석 글에 드러난 글쓴이의 주장을 먼저 파악한 후, 이를 효과적으로 전달하기 위해 어떤 전개 방식을 활용하고 있는지 찾는 문제이다.

정답 풀이 ❺ 세종 때 과거시험에서 제출된 책문의 사례, 광해군 때 임숙영이 쓴 책문의 사례 등 역사적 사례를 들고 있다. 이를 통해 책문이 단순히 과거시험의 답안에 그치지 않고 선비들이 유학의 이념을 바탕으로 자신의 정치적 담론을 담아낸 글이었다며 중심 화제인 책문의 의미를 확장하고 있다.

오답 풀이 ① 글에서 다루고 있는 핵심 대상은 책문으로, 책문이 시간의 흐름에 따라 바뀌고 변하는 과정을 순서에 따라 소개하고 있지는 않다.
② 유추란 두 개의 사물이 여러 면에서 비슷하다는 것을 근거로 다른 속성도 유사할 것이라고 추론하는 것인데, 이 글에는 유추의 방식으로 추상적 개념을 구체화하고 있는 부분이 없다.
③ 제시문에는 글쓴이가 문제라고 인식하는 상황이 드러나 있지 않으므로, 문제 상황을 분석하고 그 해결책을 제시하는 글이라고 보기는 어렵다.
④ 서로 반대되거나 모순되는 속성을 가진 대상이나 견해를 소개하고 있지 않으므로, 대립되는 견해 간의 합의점을 도출하고 있는 글이라고 보기 어렵다.

2 중심 제재의 파악

문제 분석 글에 제시된 중심 제재에 대한 세부 내용을 이해하는 문제이다.

정답 풀이 ❺ 4문단을 통해 왕이 친히 과거시험의 문제, 즉 '책제(ⓒ)'를 낸 까닭은 '책문(㉠)'을 통해 조선의 지식인 계층이었던 선비들의 목소리를 듣고 이들과 소통하여 유학 이념을 현실에서 실천함으로써 이상적인 사회를 만들기 위함이었음을 알 수 있다. 따라서 ㉠과 ⓒ 모두 당대 사회의 현실과 밀접한 관계를 맺고 있으며 공식적인 인재 등용 절차인 과거시험의 문제와 관련되어 있다는 점에서 사회적 글쓰기에 가깝다.

오답 풀이 ① ㉠은 과거시험에 응시한 선비들이 답안으로 제출하는 글이므로, 시험으로 나온 문제인 ⓒ이 ㉠을 쓰게 하는 출발점 역할을 하였다고 할 수 있다.
② 3문단을 보면 ㉠ 중에는 ⓒ에서 벗어나 정치 현실에 대한 자신만의 담론을 자유롭게 전개하는 글이 있음을 알 수 있다.
③ 1문단에서 당대의 현안을 제시하고 그 해결책을 묻는 문제가 곧 ⓒ이며, 이에 대해 국가를 다스리는 시책을 모색하는 것이 곧 ㉠이라고 하였다. 또한 4문단의 내용을 통해 ㉠은 선비들이 유학 이념을 현실에서 구현하는 방안을 쓴 글이며, ⓒ은 왕이 유학 이념을 바탕으로 자신을 보필하여 이상적인 사회를 만들도록 힘쓸 인재를 구하기 위해 낸 문제였다는 것을 추론할 수 있다.
④ 과거시험에 응시한 선비들이 왕이 제시한 ⓒ에 대한 답변을 글로 제출한 것이 ㉠이다.

3 구체적 사례에 적용

문제 분석 〈보기〉는 제시문에 언급한 책문의 내용을 구체적으로 제시한 것으로, 제시문의 내용을 바탕으로 〈보기〉를 파악해보는 문제이다.

정답 풀이 ❷ 2문단을 통해 책문은 처음과 끝부분에 왕을 높이는 찬사와 신하인 자신을 낮추는 겸사를 반복하는 일종의 관습적 글쓰기임을 알 수 있다. 따라서 임숙영의 책문에서 나열되는 겸사가 자신의 견해가 보잘것없다는 의미는 아니다. 또한 책문이 자신의 생각을 펼치는 글이므로 다른 선비들의 의견을 받아들이라는 것도 적절하지 않다.

오답 풀이 ① 2문단에서 '왕이 낸 문제에 대한 답변이니만큼, 책문은 "신은 다음과 같이 대답합니다[臣對]."라는 말로 글을 시작'한다고 하였다.
③ 〈보기〉에서는 왕이 책제에서 '스스로의 실책과 국가의 허물에 대해서는 거론하지 않았'음을 지적하면서 왕의 잘못을 비판하고 있다. 또한 '비록 전하께서 말씀하지 않은 사안이라 해도 그것이 참으로 이 시대의 절박한 문제에 관련된 것'이라면 '남김없이 지적해 아뢰겠'다고 하면서 3문단에서 언급한 대로 정치 현실에 대한 자신의 생각을 책문에 담을 것을 예고하고 있다.
④ 2문단에서 책문에는 '왕에 대한 찬사'가 드러난다고 하였는데, 〈보기〉를 보면 '훌륭한 임금', '나라의 복' 등 임금에 대한 찬사를 섞어 자신이 임금에게 옳지 못하거나 잘못된 일을 고치도록 하는 말을 받아들여줄 것을 공손하게 요청하고 있다.
⑤ 3문단에서 '죽기를 각오하고 쓴다.' 같은 말은 책문에서 자주 등장하는 상투적인 표현이지만, 어떤 경우에는 정말로 죽음을 각오한 비장함이 들어 있다고 한 것과 임숙영의 삭과 파동에 대한 설명을 참고했을 때, 임숙영이 개인적인 불이익을 각오하고 사회를 비판하는 책문을 썼음을 알 수 있다.

4 핵심 내용의 추리

문제 분석 제시문에서 언급한 핵심 내용을 토대로 〈보기〉의 글의 흐름에 적합한 내용을 찾아보는 문제이다.

정답 풀이 ❺ 〈보기〉에서 책문의 기능은 단순히 과거 응시자를 시험하기 위한 것만이 아니라, 임금과 조정이 선비의 유능하고 바르고 곧은 말, 충직한 말을 듣고자 하는 것이라고 하였다. 또 제시문의 5문단에서 선비들은 자신들이 배운 유학 이념을 현실에서 실천해 이상적인 사회를 만들어야 한다고 하였으므로, ㉮에는 폐단을 해소하기 위함이라는 내용이 가장 적절하다.

오답 풀이 ①, ②, ③, ④ 제시문과 〈보기〉는 왕이 당대 현안을 문제로 제시하고 선비들이 이에 대한 해결책을 제출하여 서로 소통하고자 한 과거시험에 대한 내용이므로, ①, ②, ③, ④의 내용과는 거리가 멀다.

윤리의 기원_김태길

이 글은 윤리의 기원에 대한 두 학설을 알기 쉽게 설명하고 있다. 윤리의 기원에 대한 학설은 윤리가 인간 이전에 미리 주어졌다고 보는 견해와 인간 역사의 경험적 산물로 보는 경험론적 윤리설로 나눌 수 있다. 또 윤리가 인간 이전에 미리 주어졌다고 보는 견해는 다시 신학적 윤리설과 형이상학적 윤리설로 나눌 수 있다.

☑ 지문 분석 노트

① 윤리의 근거에 대한 두 가지 견해

② 신학적 윤리설과 형이상학적 윤리설의 견해

③ 신학적 윤리설과 형이상학적 윤리설의 한계

④ 경험론적 윤리설의 견해

⑤ 경험론적 윤리설의 가설 ①

⑥ 경험론적 윤리설의 가설 ②

■ 주제 : 윤리의 기원에 대한 두 가지 견해

　　윤리는 여러 가지 도덕률로 구성되어 있다. '약속을 지켜라', '거짓말을 말라', '공익을 존중하라' 등 여러 가지 도덕률이 모여 '윤리'라는 사회 규범을 형성한다. 그렇다면 윤리의 구성 요소인 도덕률은 도대체 어떻게 만들어진 것일까? 거기에는 윤리의 근거가 인간 이전에 이미 주어졌다고 보는 견해가 있으며, 인간 역사의 경험적 산물이라고 보는 견해도 있다.

　　윤리의 근거가 인간 이전에 미리 주어졌다는 견해는 다시 두 가지로 나뉜다. 그 하나는 '신학적 윤리설'이고, 또 하나는 '형이상학적 윤리설'이다. 전자는 신이 우주와 인간을 창조했을 때 '도둑질하지 말라', '이웃을 사랑하라' 등의 계율을 내렸다는 주장이다. 후자는 어떤 인격신이 있어서 인간에게 도덕률을 내려주었다고 ⓐ보는 대신, 우주 자연의 이법 또는 인간의 선천적 이성 속에 도덕률의 근원이 있다고 보는 주장이다.

　　신학적 윤리설은 종교적 신앙에 바탕을 두고 있으며, 종교가 다양함에 따라 다시 여러 갈래로 나뉜다. 이 윤리설의 공통점은 믿음을 토대로 삼는다는 사실이며, 해당 종교에 대한 믿음이 없는 사람에게 그 윤리설이 참이라는 것을 논리적으로 설명할 수는 없다. 형이상학적 윤리설에서도 그것이 바탕으로 삼는 형이상학설의 다양함에 따라 여러 가지가 있으며, 이 경우에도 그 학설의 타당성을 경험적 근거에 의존해서 증명할 수 없기는 마찬가지다.

　　현대의 경험 과학적 사고방식을 따르는 사람들은 윤리가 어떤 초월적 존재에 의해 미리 주어졌다는 견해에 동의하지 않는다. 그들은 윤리를 인간의 사회생활 과정에서 필요에 의해 형성된 역사적 산물이라고 주장한다. 이러한 ㉮경험론적 윤리설에도 여러 가지 학설이 있으나, 공통된 내용은 다음과 같이 요약할 수 있다.

　　인간은 예로부터 집단을 이루고 살아왔다. 집단 생활에서는 한 개인의 행위가 그 행위자에게 어떤 결과를 가져올 뿐 아니라, 집단의 공동 이익과 타인에게도 영향을 미친다. 그러므로 같은 집단에 속하는 사람들은 서로의 행위에 대하여 깊은 관심을 갖게 마련이고, 그들의 행위가 집단 또는 타인에게 미치는 결과 여하에 따라서 '옳다' 또는 '그르다'는 평가를 내리기 쉽다. 예컨대 여러 사람들이 협동하여 농사에 종사하는 사회에서는 부지런한 사람이 칭찬을 받는 반면에, 게으름을 피우는 사람은 비난의 대상이 된다. 함께 사냥을 하여 먹고 사는 사람들의 사회에서는 날쌔고 용감한 행위가 칭찬을 받는 반면에, 굼뜨고 비겁한 행위는 비난을 받는다. 일반적으로 도둑질, 거짓말, 탐욕 따위와 같이 집단생활에 지장을 초래하는 행위들은 '해서는 안 될 행위'로서 비난의 대상이 되기 쉽고, 정직함이나 이웃돕기와 같이 집단이나 타인을 위해서 도움이 되는 행위는 '마땅히 해야 할 행위'로서 칭찬의 대상이 될 공산이 크다.

　　모든 집단에는 그 집단을 통솔하는 힘을 가진 개인 또는 계층이 생기게 마련이다. 이들은 '해서는 안 될 행위'로서 비난의 대상이 되는 행위를 억제하는 반면에, '마땅히 해야 할 행위'로서 칭찬의 대상이 되는 행위는 권장하는 방향으로 압력을 가하게 된다. 이러한 상태가 오래 지속되면 거짓말, 도둑질, 탐욕 등에 대해서는 '해서는 안 될 행위'라는 고정관념이 형성되고, 부지런함과 정직함 등의 칭찬의 대상이 되는 행위에 대해서는 '마땅히 해야 할 행위'라는 고정관념이 형성된다. 즉, 이러한 고정관념을 통해 윤리가 형성된다고 보는 것이 경험론적 윤리설이다.

1 세부 정보의 파악

문제 분석 | 글에 제시된 사실적 정보들을 파악하여 이를 바탕으로 내용을 이해하는 문제이다.

정답 풀이 | ❷ 4문단에서 현대의 경험 과학적 사고방식을 따르는 사람들은 경험론적 윤리설을 주장한다고 하였다. 그리고 5, 6문단에서 경험론적 윤리설은 집단 생활을 통해 비난의 대상이 되는 '해서는 안 될 행위'와 칭찬의 대상이 되는 '마땅히 해야 할 행위'가 생겨나며, 이 행위들에 대한 고정관념을 통해 윤리가 형성되는 것이라고 하였다.

오답 풀이 | ① 윤리의 근거가 인간 이전에 미리 주어졌다는 견해는 신학적 윤리설과 형이상학적 윤리설로, 3문단에서 그 '타당성을 경험적 근거에 의존해서 증명할 수 없'다고 하였다.
③ 2문단에서 형이상학적 윤리설은 '우주 자연의 이법 또는 인간의 선천적 이성 속에 도덕률의 근원이 있다고 보는 주장'이라고 하였다. 어떤 인격신이 인간에게 도덕률을 내려주었다고 보는 것은 신학적 윤리설의 입장이다.
④ 3문단에서 신학적 윤리설은 '해당 종교에 대한 믿음이 없는 사람에게 그 윤리설이 참이라는 것을 논리적으로 설명할 수는 없다.'고 하였으므로, 종교를 가진 모든 사람이 차이를 초월한 계율을 따를 수 있다고 보기는 어렵다.
⑤ 집단 생활을 해 온 인간의 역사는 경험론적 윤리설과 관련이 있으므로, 인간 이전에 주어진 도덕률이 존재한다는 주장과는 거리가 멀다.

2 내용 전개 방식의 파악

문제 분석 | 글의 내용을 효과적으로 전달하기 위해 사용된 글쓰기 방식을 파악하는 문제이다.

정답 풀이 | ❺ 1문단에서 윤리의 구성 요소인 도덕률의 기원에 대한 의문을 던진 후, 이어지는 문단들에서 신학적 윤리설, 형이상학적 윤리설, 경험론적 윤리설 등을 소개하고 있다. 따라서 핵심적으로 다루고 있는 대상의 기원에 대한 의문을 던진 후 다양한 이론을 소개하고 있다고 볼 수 있다.

오답 풀이 | ① 도덕률이 모여 윤리를 구성하는 것을 문제 현상이라고 보기는 어려우며, 해결책 또한 제시하고 있지 않다.
② 1문단에 도덕률의 기원에 대한 의문이 제시되어 있다고 볼 수 있으나, 답을 내리거나 근거를 제시한 것이 아니라 이에 대한 다양한 견해를 소개하고 있다.
③ 윤리의 근거가 인간 이전에 이미 주어졌다고 보는 견해와 인간 역사의 경험적 산물이라고 보는 견해를 비교·대조하고 있지만 이에 대한 절충적 관점은 드러나지 않는다.
④ 일반적 통념에 대한 의문을 제시하거나, 대안을 제시한 부분은 찾아볼 수 없다.

3 구체적 상황에 적용

문제 분석 | 글에서 설명한 개념을 구체적인 사례에 적용해 보는 문제이

다.

정답 풀이 | ❸ ㉠, ㉣은 집단이나 개인이 가진 경험에 의해 윤리의 근거가 되는 도덕률이 차이를 보인다는 진술이므로 ㉮'경험론적 윤리설'을 뒷받침할 수 있는 사례이다.

오답 풀이 | ㉡ 새롭게 조성된 환경에서도 기존의 윤리적 규범을 지킨다는 내용으로, 윤리가 인간 역사의 경험적 산물이라고 보는 경험론적 윤리설과는 거리가 멀다.
㉢ 경험한 적이 없는 가치 갈등 상황에서도 이미 인간의 이성 속에 존재하는 선천적으로 타고난 양심이라는 이름의 도덕률이 작용하여 판단하게 된다는 내용으로, 형이상학적 윤리설의 견해에 해당한다.

4 어휘의 문맥적 의미 파악

문제 분석 | 글의 내용을 효과적으로 전달하기 위해 사용된 어휘의 의미를 정확히 이해하고 있는지 확인하는 문제이다.

정답 풀이 | ❺ '인간에게 도덕률을 내려주었다고 보는'에서 '보는'은 '대상을 평가하다'의 의미이다. 그리고 '그 선수가 재기하는 것이 가능하리라고 보고 있다.'에서도 '대상을 평가하다'의 의미로 쓰였다.

오답 풀이 | ① '어떤 행동을 시험삼아 하다'의 의미로 쓰였다.
② '자신의 실력이 나타나도록 치르다'의 의미로 쓰였다.
③ '눈으로 대상을 즐기거나 감상하다'의 의미로 쓰였다.
④ '대상의 내용이나 상태를 알기 위하여 살피다'의 의미로 쓰였다.

성호사설_이익

이 글에는 조선 후기의 실학자 성호 이익의 정치사상이 드러나 있다. 오늘날 문과 무의 의미가 변질되어, 문신들은 글에 도를 담지 못하고 오직 멋을 내는 데에 치중하여 과거에 합격한 후 권세를 부리려고만 하고 무신들은 소중히 여길 명예가 없어 탐관오리가 되고도 부끄러운 줄을 모른다. 이를 해결하기 위해서는 문신과 무관 간 차별을 없애고 고급 무관을 양성하여 문과 무의 조화를 꾀해야 함을 주장하고 있는 글이다.

☑ 지문 분석 노트

① 나라를 지키기 위한 문치와 무비의 필요성

② 무비를 튼튼히 하지 않았을 때의 위험성

③ 오늘날 문신들의 타락과 무관들의 탐학

④ 본질을 잃고 형식에 치우친 문에 대한 비판

⑤ 문과 무의 조화에 대한 강조

⑥ 문무의 조화를 이루고 무비를 튼튼히 할 방안

■ 주제 : 문치와 무비가 조화를 이루는 정책의 필요성

상호 보완 관계
문치(文治)와 무비(武備)는 한 가지도 빠뜨려서는 안 된다. 나라에 무(武)만 있고 문(文)이 없으면 참으로 어지러울 것이다. 그러나 오랑캐들도 ⓐ기강을 잡고, 나라를 세워 여러 대를 전하였다. 문만 있고 무가 없어도 살 수 없다. 「지금 세상에는 선량한 자는 적고, 불선한 자는 수두룩하다. 강한 자가 약한 자를 집어삼키고, 무리가 많은 집단이 적은 집단에 폭력을 행세하며, 은밀히 틈을 엿보았다가 힘으로 빼앗을 수 있으면 빼앗아 버린다.」 그런데 작은 나라가 이를 깨닫지 못하고 오히려 태연히 즐기면서 세월만 보내는 경우도 있다.

천하를 소유한 것은, 비유하자면 물 가운데 그릇을 띄워놓은 것과 같아서, 틈만 있으면 물이 스며들지 않을 리가 없다. 그런데 그 틈을 메우고 막는 것은 모두 무비의 힘이다. 편안할 때 위태로움을 생각하지 않고 관습에 젖어 그럭저럭 세월만 보내다가, 하루아침에 ⓑ변란이 일어나 목을 빼고 적의 칼을 받게 된다면, 어찌 애처로운 일이 아니겠는가?

그런데 오늘날의 문신이라는 자들은 붓을 잡고 글귀를 따다 진나라 때의 글도 아니고 초나라 때의 글도 아닌 문장을 짓는 데 불과하다가, 요행히 과거에 급제하게 되면 교만하고 방자해져서 무관을 종처럼 여긴다. 무관은 권력을 잃고서, 또 귀를 늘어뜨리고 꼬리를 치며 단지 아첨하고 뇌물 바치는 것을 평생의 목표로 삼는다. 그러다 한번 고을의 원이나 병수사(兵水使)에 제수되면, 온갖 방법으로 재물을 수탈하여 백성이 그 ⓒ해독을 입는다. 이는 청렴하여도 명예가 더해지지 않고 탐학하여도 명예가 손상되지 않기 때문이다.

공자의 말씀에, "무기(武器)를 버리고 신의(信義)를 보전한다."라고 했으니, 도(道)를 전하는 문으로 말하면 무에 비길 바가 아니다. 그러나 오늘날 멋을 내어 글을 쓰는 것만을 중시하는 습속으로 논한다면, 무는 오히려 변방을 막을 수 있는데 문은 민간의 풍속을 망치고 있으니 도리어 글을 배우지 않고 순박한 성품을 보존하는 것이 더 낫다.

그러므로 일은 실상과 어긋나고, 문과 무는 서로 원수가 된 지 오래이다. 하루아침에 변란이 일어나면, 과연 어디에서 피신할 곳을 얻어 위험한 상황을 잘 ⓓ모면하겠는가? 그렇다면 이 둘을 합쳐 하나로 만드는 것만 못할 것이니, 진나라 때의 명장 극곡이 예악과 시서에 밝았던 것은 어찌 문이 아니며, 제갈량이 술자리에서 담소하면서 적병을 제어한 것은 어찌 무가 아니겠는가?

오늘날에 와서는 문신은 활쏘기 시험이 있으나 무신은 경서를 외는 일이 없고, 문신은 장수가 될 수 있으나 무신은 청환에 들 수 없으니, 이는 무슨 까닭인가? 무릇 나라를 운영하는 길은 한 가지를 들어서 백 사람을 권장하는 것이니, 무신 가운데 우수한 자를 추려 대신이 천거하여 요직에 모두 참여할 수 있게 해야 한다. 또 지금 유생(儒生)의 규례와 같이 경서의 시험을 통해 약간 명을 선발하여 문신과 함께 ⓔ등용한다면, 인재가 한편으로 치우치지 않고 탐욕스런 풍속도 달라질 것이며, 무신의 마음을 얻어서 나라에 변란이 있을 때에 그에게 의지할 수 있을 것이다.

1 내용 전개 방식의 파악

문제 분석 글의 내용을 효과적으로 전달하고 자신이 주장하는 바에 대한 설득력을 높이기 위해 사용된 글쓰기 방식을 파악하는 문제이다.

정답 풀이 ❶ 5문단에서 극곡과 제갈량의 고사를 들어 나라를 지키는 데에는 문과 무의 조화가 중요하다는 주장을 뒷받침하고 있다(ㄱ). 또한 문에 비해 무가 홀대를 받고, 문치의 세월이 오래되어 무비가 소홀한 상황을 문제 삼으며 6문단에서 문과 무의 조화를 꾀하기 위한 해결책을 제시하고 있다(ㄴ).

오답 풀이 ㄷ. 문과 무, 문치와 무비를 대조하고 있다고는 볼 수 있으나, 대상의 특징을 살피는 데 분류의 방법은 사용되지 않았다.
ㄹ. 문치와 무비가 모두 정치와 관련된 사상이라고는 볼 수 있으나, 각각의 발생 배경을 제시하거나 그 사상의 발전 과정을 소개하지는 않았다.

2 세부 정보의 파악

문제 분석 글에 제시된 세부적 정보를 파악하는 문제이다.

정답 풀이 ❸ 3문단과 6문단의 내용을 통해 볼 때, 무관의 사회적 지위가 낮은 것은 무관 중 백성을 수탈하는 탐관오리가 많았기 때문이 아니라, 무관이 권력을 잃었기 때문이라고 볼 수 있다. 3문단에서 무관은 자신을 종처럼 여기는 문신에게 아첨하고 뇌물을 바치다 요행히 관직을 얻게 되면 소중히 할 명예가 없기 때문에 온갖 방법으로 백성을 수탈한다고 하였다.

오답 풀이 ① 1문단의 내용을 통해 당시에는 강대국의 위협에 대비할 필요가 있었음을 알 수 있다. 또한 4문단의 '무는 오히려 변방을 막을 수 있는데'와 6문단의 '무신의 마음을 얻어서 나라에 변란이 있을 때에 그에게 의지할 수 있을 것'이라는 부분을 통해 글쓴이는 강대국으로부터 나라를 보호하기 위해서는 무의 역할이 중요하다고 생각했음을 알 수 있다.
② 6문단에서 '문신은 장수가 될 수 있으나 무신은 청환에 들 수 없'다고 하였다. 이를 통해 당시 조정에서 문신은 무관의 직책까지도 겸할 수 있었으나 무신은 문신이 맡던 벼슬을 할 수 없었다는 것을 알 수 있다.
④ 4문단에서 '오늘날 멋을 내어 글을 쓰는 것만을 중시하는 습속으로 논한다면, 무는 오히려 변방을 막을 수 있는데 문은 민간의 풍속을 망치고 있'다고 하였다. 이는 도를 담는 본연의 역할을 하지 못하고 멋을 내는 데에만 열중하는 문은 나라를 지키는 데에 실용적인 역할을 하는 무보다 가치가 없고, 오히려 민간의 풍속을 망치므로 '글을 배우지 않고 순박한 성품을 보존하는 것이 더 낫다.'고 하였다.
⑤ 1문단에서 강대국이 작은 나라를 노리는 국제 정세에 대한 위기감을 제시하고 있고, 2문단에서 '그 틈을 메우고 막는 것은 모두 무비의 힘'이라고 역설하였다. 즉, 약육강식(弱肉强食)의 국제 정세를 제대로 인식하지 못하고 나라를 지켜주는 힘인 무비에 소홀하면 나라를 지키기 어렵다는 것이 글쓴이의 주장이다.

3 자료를 통한 내용 이해의 심화

문제 분석 글의 내용을 이해하여 〈보기〉에 응용하는 문제이다. 〈보기〉는 지문과 비슷한 시기(조선 후기)에 쓰여진 정조가 내린 전교(傳敎, 임금이 내린 명령)이다.

정답 풀이 ❷ 〈보기〉에서는 문과 무는 상호 보완 관계에 있으므로 어느 한쪽만을 중하게 여기면 나라가 폐해를 입게 된다고 하였다. 또한 무를 경시하고 문만을 숭상하는 현실의 문제점을 지적하고 있는데, 이는 모두 제시문의 관점과 유사하다. 즉 제시문을 바탕으로 〈보기〉를 이해할 때, 태평한 날이 계속되다 보면 '문(文)'이 성하고 '무(武)'가 해이해지는 근심이 생기므로, '문치(文治)'를 숭상하되 '무비(武備)'를 단단히 하여야 한다고 정리할 수 있다.

4 어휘의 사전적 의미 파악

문제 분석 글의 내용을 효과적으로 전달하기 위해 사용된 한자어의 정확한 의미를 인지하고 있는지 확인해 보는 문제이다.

정답 풀이 ❸ ⓒ는 '좋고 바른 것을 망치거나 손해를 끼침. 또는 그 손해'라는 뜻의 '해독(害毒)'이다. 몸 안에 들어간 독성 물질의 작용을 없앤다는 뜻의 어휘는 '해독(解毒)'이다.

생각줍기...
Cartoon Allegory

출발선에 서보면 안다.
'연습'이 필요했음을...

뛰다 보면 안다.
'시작'이 중요했음을...

그 길 끝에 서보면 안다. '경험'이 소중했음을...

SUB NOTE · 정답 및 해설

제 II 부

사회

공동 소송 · 집단 소송 · 단체 소송

이 글은 다수의 피해자가 발생한 사안에 활용될 수 있는 공동 소송, 집단 소송, 단체 소송에 대해 설명하고 있다. '공동 소송'은 당사자의 수가 여럿이 되는 소송으로, 경제적이고 효율적이지만 소송에 참여한 사람만이 배상을 받기 때문에 피해 구제가 미흡하고 기업의 시스템 개선에 동기를 부여하지 못한다. '집단 소송'은 피해자들의 일부가 대표 당사자가 되어 소를 제기하는 방식으로, 피해자 전체에 대한 배상이 이루어지지만 초기 소송 비용이 많이 든다는 단점이 있다. '단체 소송'은 법률이 정한 전문적 단체가 소를 제기하는 제도로, 공익적인 성격을 갖지만 손해 배상 청구는 할 수 없다는 단점이 있다. 최근 우리나라는 단체 소송과 집단 소송을 제한적으로 도입하고 있다고 하였다.

☑ 지문 분석 노트

1 갑이 A회사에 공동 소송을 하게 된 경위

A회사의 온라인 취업 사이트에 갑을 비롯한 수만 명의 가입자가 개인 정보를 제공하였다. 누군가 A회사의 시스템 관리가 허술한 것을 알고 링크 파일을 만들어 자신의 블로그에 올렸다. 이를 통해 많은 이들이 가입자들의 정보를 자유롭게 열람하였다. 이 사실을 알게 된 갑은 A회사에 사이트 운영의 중지와 배상을 요구하였지만, A회사는 거부하였다. 갑은 소송을 검토하였는데, 받게 될 배상액에 비해 들어갈 비용이 적지 않다는 생각에 망설였다. 갑은 온라인 카페를 통해 소송할 사람들을 모았고 마침내 100명이 넘는 가입자들이 동참하게 되었다. 갑은 이들과 함께 ㉠공동 소송을 하여 A회사에 사이트 운영의 중지와 피해의 배상을 청구하였다.

A회사 사이트 운영 중지와 손해 배상 청구의 이유
공동 소송을 하는 이유

2 공동 소송의 개념과 장 · 단점

공동 소송은 소송 당사자의 수가 여럿이 되는 소송을 말한다. 이는 저마다 개별적으로 수행할 수 있는 소송들을 하나의 절차에서 한꺼번에 심리하고 진행할 수 있도록 배려하는 것으로서, 경제적이고 효율적으로 일괄 구제할 수 있다는 장점이 있다. 하지만 당사자의 수가 지나치게 많으면 한꺼번에 소송을 진행하기에 번거롭다. 그래서 실제로는 대개 공동으로 변호사를 선임하여 그가 소송을 수행하도록 한다. 또한 선정 당사자 제도를 이용할 수도 있는데, 이는 갑과 같은 이를 선정 당사자로 삼아 그에게 모두의 소송을 맡기는 것이다.

공동 소송의 개념
공동 소송의 장점
공동 소송의 단점
공동 소송의 단점을 해결하기 위한 대안 ①
공동 소송의 단점을 해결하기 위한 대안 ②

3 집단 소송과 단체 소송의 도입 배경

위 사건에서 수만 명의 가입자가 손해를 입었지만, 배상받을 금액이 적은 탓에 대부분은 소송에 참여하지 않았다. 그리하여 전체 피해 규모가 엄청난 데 비하면, 승소해서 받게 될 배상금의 총액은 매우 적을 것이다. 이래서는 피해 구제도 미흡하고, 기업에 시스템을 개선하도록 하는 동기를 부여하지 못한다. 이를 해결할 방안으로 다른 나라에서 시행되는 집단 소송과 단체 소송 제도의 도입이 논의되어 왔다.

공동 소송의 한계

4 집단 소송의 개념과 장 · 단점

집단 소송은 피해자들의 일부가 전체 피해자들의 이익을 대변하는 대표 당사자가 되어, 기업을 상대로 손해 배상 청구 등의 소를 제기할 수 있도록 하는 방식이다. 「만일 갑을 비롯한 피해자들이 공동 소송을 하여 승소한다면 이들만 배상을 받게 된다. 반면에 집단 소송에서 대표 당사자가 수행하여 이루어진 판결은 원칙적으로 소송에 참가하지 않은 사람들에게도 그 효력이 미친다.」 그러나 대표 당사자는 초기에 고액의 소송 비용을 내야 하는 등의 부담이 있어 소송의 개시가 쉽지만은 않다.

집단 소송의 개념
「」: 공동 소송과 집단 소송의 차이점
집단 소송의 한계

5 단체 소송의 개념과 장 · 단점

단체 소송은 법률이 정한, 전문성과 경험을 갖춘 단체가 기업을 상대로 침해 행위의 중지를 청구하는 소를 제기할 수 있도록 하는 제도이다. 위의 사례에서도 IT 관련 협회와 같은 전문 단체가 소송을 한다면 더 효과적일 수 있을 것이다. 하지만 단체 소송은 공익적 이유에서 인정되는 것이어서, 이를 통해 개인 피해자들을 위한 손해 배상 청구는 하지 못한다.

단체 소송의 개념
단체 소송의 단점

6 우리나라에 제한적으로 도입된 집단 소송과 단체 소송

최근에 ㉡우리나라도 집단 소송과 단체 소송을 제한적으로 도입하였다. 먼저 증권관련 집단소송법이 제정되어, 기업이 회계 내용을 허위로 공시하거나 조작하는 등의 사유로 주식 투자에서 피해를 입은 사람들은 집단 소송을 할 수 있게 되었다. 이후에 단체 소송도 도입되었는데, 소비자 분쟁과 개인 정보 피해에 한하여 소비자기본법과 개인정보 보호법에 규정되었다.

■ 주제 : 공동 소송 · 집단 소송 · 단체 소송의 개념과 특징

사회 01 정답 01 ① 02 ② 03 ④ 04 ②

1 내용 전개 방식의 파악

문제 분석 글의 내용을 효과적으로 전달하기 위해 사용된 글쓰기 방식을 파악하는 문제이다.

정답 풀이 ❶ 1문단에서 개인정보 유출의 피해를 입은 갑이 A회사에 공동 소송을 제기한 구체적인 사례를 제시하고, 2~5문단에서 발생한 사안을 해결하기 위해 피해자들이 제기할 수 있는 공동 소송, 집단 소송, 단체 소송을 소개하면서 각 소송의 특징과 한계를 설명하고 있다.

오답 풀이 ② 2, 4, 5문단에서 공동 소송, 집단 소송, 단체 소송의 개념과 장단점을 소개하고 있을 뿐 대립하는 원칙이나 대안은 제시하고 있지 않다.
③ 여러 소송 제도의 개념을 설명하고 있지만 분석이나 해석은 드러나지 않으며, 하나의 이론으로 통합하지도 않았다.
④ 구체적인 사례를 들어 공동 소송에 대한 설명을 시작하고 있을 뿐, 이론적인 가설을 세워 논증하지는 않았다.
⑤ 다수의 피해자가 발생한 상황에서의 해결 방안으로 소송 제도를 제시하고 있을 뿐, 그 원인을 분석하거나 일관된 해결책을 정립하지는 않았다.

2 세부 정보의 파악

문제 분석 글에 제시된 세부적 정보를 명확하게 파악하는 문제이다.

정답 풀이 ❷ 2문단에서 공동 소송은 소송 당사자의 수가 여럿이 되는 소송으로, 공동의 변호사를 선임하거나 선정 당사자 제도를 이용하여 소송을 진행할 수 있다고 하였다. 4문단에서 다수의 피해자를 대신하여 대표 당사자가 소송을 수행하는 것은 집단 소송이라고 하였다.

오답 풀이 ① 2문단에서 '(소송) 당사자의 수가 지나치게 많으면 한꺼번에 소송을 진행하기에 번거롭'기 때문에 공동으로 변호사를 선임하거나 선정 당사자 제도를 이용해 선정 당사자에게 모두의 소송을 맡길 수 있다고 하였다.
③ 5문단에서 '단체 소송은 법률이 정한, 전문성과 경험을 갖춘 단체가 기업을 상대로 침해 행위의 중지를 청구하는 소를 제기할 수 있는 제도'라고 하였다.
④ 2문단에서 공동 소송은 '저마다 개별적으로 수행할 수 있는 소송들을 하나의 절차에서 한꺼번에 심리하고 진행할 수 있도록 배려한 것'이라고 하였다. 따라서 다수의 피해자가 발생한 사건에서 피해자들은 공동 소송뿐 아니라, 개별적으로도 소송할 수 있다.
⑤ 4문단에서 집단 소송에 의해 이루어진 판결은 '원칙적으로 소송에 참가하지 않은 사람들에게도 효력이 미친다.'고 하였다.

3 핵심 정보의 추론

문제 분석 글의 핵심 내용을 토대로 전제와 결론이 될 수 있는 내용을 찾아내는 문제이다.

정답 풀이 ❹ 1문단에 따르면 갑이 공동 소송을 하게 된 것은 A회사의 시스템 관리가 허술하여 가입자들의 정보가 유출되고 있다는 것을 알고, 사이트 운영의 중지와 피해 보상을 요구하기 위해서이다. A회사가 블로그 운영자에게 개인 정보를 판매했다는 내용은 찾아볼 수 없으며, 갑이 타인에게 경각심을 촉구하기 위해 소송을 제기했는지도 알 수 없다.

오답 풀이 ①, ③ 1문단에서 갑은 A회사의 허술한 시스템 관리 때문에 많은 이들이 가입자들의 정보를 열람할 수 있다는 사실을 알고, A회사에 사이트 운영의 중지와 배상을 요구하였으나 A회사가 거부하여 공동 소송을 진행하였다고 하였다. 따라서 개인 정보 유출이 계속 진행되는 것을 막고, 개인 정보의 유출에 따른 배상을 받고자 공동 소송을 진행한 것으로 볼 수 있다.
② A회사의 허술한 시스템 관리로 인해 가입자들의 개인 정보가 유출된 것이므로 소송의 목적에는 A회사의 개인 정보 관리 책임을 묻는 것도 포함된다.
⑤ 갑이 공동 소송을 진행한 것은 '받게 될 배상액에 비해 들어갈 비용이 적지 않'기 때문이다. 따라서 갑은 비용을 절감하기 위해 공동 소송을 진행하였다고 볼 수 있다.

4 구체적 사례에 적용

문제 분석 글에서 설명한 내용을 구체적 상황에 적용하는 문제이다.

정답 풀이 ❷ 6문단에서 우리나라도 집단 소송과 단체 소송을 제한적으로 도입하였고, '증권관련 집단소송법이 제정되어 기업이 회계 내용을 허위로 공시하거나 조작하는 등의 사유로 주식 투자에서 피해를 입은 사람들은 집단 소송을 할 수 있게 되었다.'고 하였다.

오답 풀이 ① 5문단에서 단체 소송은 '법률이 정한, 전문성과 경험을 갖춘 단체가 기업을 상대로 침해 행위의 중지를 청구하는 소를 제기할 수 있도록 한 제도'라고 하였다. 따라서 단체가 아닌 가입자들이 소를 제기하여 단체 소송을 할 수 있게 되었다는 것은 적절하지 않다.
③ 4문단에서 '집단 소송은 피해자들의 일부가 전체 피해자들의 이익을 대변하는 대표 당사자가 되어' 소를 제기하는 소송이라고 하였다. 따라서 중립적인 단체를 대표 당사자로 내세우는 것은 적절하지 않다.
④ 대기업이 출시한 제품의 결함으로 인한 피해는 소비자 분쟁과 연관된 것이므로, 집단 소송이 아니라 6문단에서 언급한 소비자기본법에 규정된 단체 소송을 하여야 한다.
⑤ 5문단에서 전문성 있는 단체가 소를 제기하는 것은 단체 소송으로, '공익적 이유에서 인정되는 것이어서 이를 통해 개인 피해자들을 위한 손해 배상 청구는 하지 못한다.'고 하였다.

제Ⅱ부 사회 025

놀이의 변천

이 글은 시대에 따라 변화한 놀이의 성격을 통시적으로 고찰하고 있다. 고대인들은 신에게 제의를 올리며 놀이를 즐겼는데, 자연을 훼손한 죄를 씻기 위해 신에게 희생물을 올리고 그것을 함께 나누며 연대감을 느꼈다. 이후 자본주의 사회에서는 생산성을 높이는 과정에서 필요하게 된 휴식 시간에 상품을 소비하며 보내게 되었다. 또한 놀이를 즐기는 방식도 변화하여 놀이에 직접 참여하는 형식이 아니라, 구경이나 소비를 하는 수동적인 형태로 변화하였다. 그런데 디지털 혁명이 일어나면서 사람들은 놀이에 자발적으로 참여하고자 하였고, 인터넷이 발달하면서 쌍방향적 놀이가 가능해져 이를 통해 놀이 참여자들 사이에 연대감을 형성하게 하였다.

☑ 지문 분석 노트

① 고대인들의 집단적 놀이인 제의

고대인들은 평상시에는 생존하기 위해 각자 노동에 힘쓰다가, 축제와 같은 특정 시기가 되면 함께 모여 신에게 제의를 올리며 놀이를 즐겼다. 노동은 신이 만든 자연을 인간이 자신에게 유용하게 만드는 속된 과정이다. _{고대인들에게 있어서 노동의 개념} 이는 원래 자연의 모습을 훼손하는 것이기에 신에게 죄를 짓는 것이다. 이러한 죄를 씻기 위해 유용하게 만든 사물을 다시 원래의 상태로 되돌리는 집단적 놀이가 ⓐ바로 제의였다. _{제의를 하는 이유} 고대 사회에서는 가장 유용한 사물을 희생물로 바치는 제의가 광범위하게 나타났다. 바친 희생물은 더 이상 유용한 사물이 아니기에 신은 이를 받아들였다. 고대인들은 신에게 바친 제물을 함께 나누며 모두 같은 신에게 속해 있다는 연대감을 느꼈다. _{제의를 통한 놀이의 특징}

② 자본주의 사회에서의 놀이의 변화

고대 사회에서의 이러한 놀이는 자본주의 사회에 와서 많은 변화를 겪었다. 자본주의 사회는 노동을 합리적으로 조직하여 생산성을 극대화하고자 한다. _{자본주의 사회에서 노동의 특징} 이를 위해 노동의 강도를 높이고 시간을 늘렸지만, 오히려 노동력이 소진되어 생산성이 떨어지는 문제점이 발생하였다. 그래서 노동 시간을 축소하고 휴식 시간을 늘릴 필요가 있었다. 하지만 이 휴식 시간마저도 대부분 상품을 소비하는 과정으로 이루어진다. _{자본주의 사회의 놀이의 형식} 예를 들어, 여행을 가려면 여행 상품을 구매하여 소비해야 한다. 이런 소비는 소비자에게는 놀이이지만 여행사에는 돈을 버는 수단이다. 결국 소비자의 놀이가 자본주의 시대에 가장 유용한 사물인 자본을 판매자의 손안에 가져다준다.

③ 자본주의 사회에서의 놀이를 즐기는 방식의 변화

놀이가 상품 소비의 형식을 띠면서 놀이를 즐기는 방식도 변화한다. 과거의 놀이가 주로 직접 참여하는 형식으로 이루어졌다면, 자본주의 사회의 놀이는 대개 참여가 아니라 구경이나 소비의 형태로 이루어진다. _{자본주의 사회에서의 놀이 방식의 변화} 생산자가 이미 특정한 방식으로 소비하도록 놀이 상품을 만들어 놓았기 때문이다. 여행의 예를 다시 들면, 여행사는 여러 가지 여행 상품을 마련해 놓고 있고 소비자는 이를 구매하여 수동적으로 소비한다. 놀이로서의 여행은 탐구하고 창조하기보다는 주어진 일정에 그저 몸을 맡기면 되는 그런 것이 되었다.

④ 디지털 혁명으로 인한 쌍방향적 놀이의 활성화

그런데 이른바 디지털 혁명이 일어나면서 놀이에 자발적으로 직접 참여하여 즐기고자 하는 사람들이 늘어나고 있다. _{디지털 혁명 이후 놀이의 방식 변화} 이런 성향은 비교적 젊은 세대로 갈수록 더하다. 젊은 세대는 놀이의 주체가 되려는 욕구가 크다. _{디지털 사회에서 놀이의 특징 ①} 인터넷은 그런 욕구의 실현 가능성을 높여 준다. 인터넷의 주요 특성은 쌍방향성이다. _{디지털 사회에서 놀이의 특징 ②} 이는 텔레비전과 같은 대중 매체가 대다수의 사람들을 구경꾼으로 만들었던 것과 근본적으로 차이가 있다. 거의 모든 인터넷 사이트에서 사람들은 구경꾼이면서 참여자이며 수신자이자 송신자로 활동하며, 이러한 쌍방향적 활동 중에 참여자들 사이에 연대감이 형성된다. _{디지털 사회에서 놀이의 특징 ③}

■ **주제** : 시대에 따른 놀이의 성격 변화

1 내용 전개 방식의 파악

문제 분석 글의 내용을 효과적으로 전달하기 위해 사용된 글쓰기 방식을 파악하는 문제이다.

정답 풀이 ❺ 1문단에서는 고대인들의 집단적 놀이인 제의를 소개하고, 2문단과 3문단에서는 자본주의 사회에서 변화한 놀이의 성격과 방식에 대해 설명하였다. 그리고 마지막 문단에서는 디지털 혁명과 인터넷의 발달로 인한 놀이의 쌍방향적 성격에 대해 다루었다. 따라서 이 글은 시대의 변화에 따른 중심 화제의 성격 변화를 서술하고 있다고 할 수 있다.

오답 풀이 ① 놀이라는 중심 화제를 시대에 따라 서술하였을 뿐, 두 개념의 장단점을 비교하여 우열을 가리지는 않았다.
② 놀이에 대한 글쓴이의 관점만 제시될 뿐 다른 관점은 나오지 않는다.
③ 전체적으로 놀이의 의미와 성격을 설명하고 있을 뿐, 경험적 사례를 바탕으로 개념의 타당성을 따지지는 않았다.
④ 서로 다른 두 이론은 나타나지 않았다.

2 세부 정보의 파악

문제 분석 글에 제시된 세부적 정보들을 바탕으로 글의 내용을 정확하게 이해하는 문제이다.

정답 풀이 ❷ 1문단에 의하면 고대 사회에서는 '노동은 신이 만든 자연을 인간이 자신에게 유용하게 만드는 속된 과정'이라고 보았다. 또 '이는 원래 자연의 모습을 훼손하는 것이기에 신에게 죄를 짓는 것'이므로, '이러한 죄를 씻기 위해 유용하게 만든 사물을 다시 원래의 상태로 되돌리는 집단적 놀이가 제의'라고 하였다. 이때 가장 유용한 사물을 희생물로 바치는 제의가 광범하게 나타났다고 하였다. 따라서 고대인들은 희생 제의를 통해 자연을 유용하게 만들려는 것이 아니라, 자신에게 유용하게 만든 사물을 다시 원래의 상태로 되돌리려고 했음을 알 수 있다.

오답 풀이 ① 1문단에서 죄를 씻기 위한 집단적 놀이가 제의라고 하였으므로, 고대 사회에서는 종교적 제의와 집단적 놀이가 결합되어 있었다고 할 수 있다.
③ 2문단에서 자본주의 사회에서는 '휴식 시간마저도 대부분 상품을 소비하는 과정으로 이루어진다.'고 하였다.
④ 3문단에서 '자본주의 사회의 놀이는 대개 참여가 아니라 구경이나 소비의 형태로 이루어진다.'고 하였다.
⑤ 4문단에서 '젊은 세대는 놀이의 주체가 되려는 욕구가 크'고, '인터넷은 그런 욕구의 실현 가능성을 높여 준다.'고 하였다.

3 구체적 사례에 적용

문제 분석 글에서 설명한 개념을 구체적인 상황에 적용하는 문제이다.

정답 풀이 ❶ ⊙은 참여가 아닌 구경 형태의 수동적인 놀이 활동이다. 4문단을 보면 쌍방향적 놀이가 되려면 '구경꾼이면서 참여자'로 활동해야 함을 알 수 있다. ⊙에는 참여자로서의 활동이 없으므로 쌍방향적 놀이 활동이라고 볼 수 없다.

오답 풀이 ② 2문단에서 자본주의 사회에서 휴식 시간을 늘리게 된 것은 생산성이 떨어지는 문제점을 해결하기 위한 방안이라고 하였다. 따라서 회사에서 스트레스를 풀라고 동영상 시청을 허용한 것은 생산성을 떨어뜨리지 않기 위한 조치로 볼 수 있다.
③ A씨가 직접 축구에 참여한 것이므로 자발적으로 놀이에 참여한 예라고 볼 수 있다.
④ 경기장에 가기는 했으나 축구 경기를 관람만 하고 있으므로, 이는 구경하는 활동에 해당한다.
⑤ 축구 방송을 보면서 댓글을 다는 것은 쌍방향적 놀이 활동으로, 4문단에서 '쌍방향적 활동 중에 참여자들 사이에 연대감이 형성된다.'고 하였다.

4 문맥적 의미의 파악

문제 분석 글의 내용을 효과적으로 전달하기 위해 사용된 어휘의 정확한 의미를 파악하는 문제이다.

정답 풀이 ❷ ⓐ의 '바로'는 '다름이 아니라 곧'의 의미로 쓰였다. ②의 '청소년의 미래는 바로 나라의 미래이다.'에서의 '바로'도 ⓐ의 '바로'와 같은 의미로 사용되었다.

오답 풀이 ① '시간적인 간격을 두지 아니하고 곧'의 의미로 쓰였다.
③ '사리나 원리, 원칙 등에 어긋나지 아니하게'의 의미로 쓰였다.
④ '도리, 법식, 규정, 규격 따위에 어긋나지 아니하게'의 의미로 쓰였다.
⑤ '비뚤어지거나 굽은 데가 없이 곧게'의 의미로 쓰였다.

환율 상승과 경상 수지의 관계

이 글은 환율의 상승이 경상 수지를 개선할 것이라는 통념과 달리, 환율의 상승에도 불구하고 경상 수지의 개선이 이루어지지 않는 경우들을 구체적으로 소개하고 있다. 먼저 환율이 올라도 단기적으로 경상 수지가 오히려 악화되었다가 점차 개선되는 'J커브 현상'에 대해 소개하고, 이 현상이 일어나는 이유를 설명하고 있다. 그리고 'J커브 현상'과 별도로 환율 상승 후에 얼마의 기간이 지나도 경상 수지의 개선을 이루지 못하는 경우를 설명하면서 정책 당국이 환율 정책을 신중하게 검토할 필요가 있음을 언급하고 있다

☑ 지문 분석 노트

[1] 일반적으로 알려진 환율 상승의 효과

[2] 'J커브 현상'의 개념과 발생 원인

[3] 환율 상승에도 경상 수지가 개선되지 않는 두 가지 경우

[4] 환율 정책의 신중한 검토 필요성

■주제 : 환율 상승과 경상 수지의 관계

일반적으로 환율*의 상승은 경상 수지*를 개선하는 것으로 알려져 있다. _{환율 상승의 효과에 대한 통념} 「이를테면 국내 기업은 수출에서 벌어들인 외화를 국내로 들여와 원화로 바꾸기 때문에, 환율이 상승한 경우에는 외국에서 우리 상품의 외화 표시 가격을 다소 낮추어도 수출량이 늘어나면 수출액이 증가한다. 동시에 수입 상품의 원화 표시 가격은 상승하여 수입품을 덜 소비하므로 수입액은 감소한다.」 그런데 이와 같이 환율 상승이 항상 경상 수지를 개선할 것 같지만 반드시 그런 것은 아니다. _{환율 상승의 효과에 대한 통념 반박}

환율이 올라도 단기적으로는 경상 수지가 오히려 악화되었다가 점차 개선되는 현상이 있는데, 이를 그래프로 표현하면 J자 형태가 되므로 'J커브 현상'이라 한다. _{J커브 현상의 개념} J커브 현상에서 경상 수지가 악화되는 원인 중 하나로, 환율이 오른 비율만큼 수입 상품의 가격이 오르지 않는 것을 꼽을 수 있다. _{J커브 현상에서 경상 수지가 악화되는 원인 ①} 이는 환율 상승 후 상당 기간 동안 외국 기업이 매출 감소를 우려해 상품의 원화 표시 가격을 바로 올리지 않기 때문이다. 또한 소비자들의 수입 상품 소비가 가격 변화에 따라 줄어들기까지는 상당 기간이 소요된다. _{J커브 현상에서 경상 수지가 악화되는 원인 ②} 그뿐만 아니라 국내 기업이 수출 상품의 외화 표시 가격을 낮추더라도 외국 소비자가 이를 인식하고 소비를 늘리기까지는 다소 시간이 걸린다. _{J커브 현상에서 경상 수지가 악화되는 원인 ③} 그러나 J커브의 형태가 보여 주듯이, 당초에 올랐던 환율이 지속되는 상황에서 어느 정도 시간이 지나 상품의 가격 및 물량의 조정이 제대로 이루어진다면 경상 수지가 개선된다.

한편, J커브 현상과는 별도로 환율 상승 후에 얼마의 기간이 지나더라도 경상 수지의 개선을 이루지 못하는 경우도 있다. 첫째, 상품의 가격 조정이 일어나도 국내외의 상품 수요가 가격에 어떻게 반응하는가 하는 수요 구조에 따라 경상 수지는 개선되지 못하기도 한다. 수출량이 증가하고 수입량이 감소하더라도, ⓐ경상 수지가 그다지 개선되지 않거나 오히려 악화될 수도 있다는 것이다. 둘째, 장기적인 차원에서 ⓑ수출 기업이 환율 상승에만 의존하여 품질 개선이나 원가 절감 등의 노력을 계속하지 않는다면 경쟁력을 잃어 경상 수지를 악화시킬 수도 있다.

우리나라의 경우 환율은 외환 시장에서 결정되나, 정책 당국이 필요에 따라 간접적으로 외환 시장에 개입하는 환율 정책을 구사한다. _{우리나라의 환율 정책} 경상 수지가 적자 상태라면 일반적으로 고환율 정책이 선호된다. 그러나 이상에서 언급한 환율과 경상 수지 간의 복잡한 관계 때문에 환율 정책은 신중하게 검토되어야 한다.

1 세부 정보의 파악

문제 분석 글에 제시된 사실적 정보를 파악하여 이를 바탕으로 내용을 이해하는 문제이다.

정답 풀이 ❷ 4문단에서 '경상 수지가 적자 상태라면 일반적으로 고환율 정책이 선호'되지만, '환율과 경상 수지 간의 복잡한 관계 때문에 환율 정책은 신중하게 검토되어야 한다.'고 하였을 뿐, 경상 수지 개선을 위해 고환율 정책이 필연적으로 요구된다는 내용은 다루지 않았다.

오답 풀이 ① 1문단에서 환율이 상승하면 '수입 상품의 원화 표시 가격이 상승'한다고 하였다.
③ 2문단에서 '국내 기업이 수출 상품의 외화 표시 가격을 낮추더라도 외국 소비자가 이를 인식하고 소비를 늘리기까지는 다소 시간이 걸린다.'고 하였다.
④ 3문단에서 '상품의 가격 조정이 일어나도 국내외의 상품 수요가 가격에 어떻게 반응하는가 하는 수요 구조에 따라 경상 수지는 개선되지 못하기도 한다.'고 하였다.
⑤ 1문단에서 '일반적으로 환율의 상승은 경상 수지를 개선하는 것으로 알려져 있다.'고 하였다.

2 구체적 사례에 적용

문제 분석 글에서 설명한 개념을 시각 자료로 제시된 구체적인 사례에 적용해 보는 문제이다.

정답 풀이 ❷ ⓐ 부분의 골이 깊어지는 것은 경상 수지가 악화되는 상황이고, 골이 얕아지는 것은 경상 수지의 악화가 개선되는 상황을 가리키므로, 수입 상품 가격의 상승 비율이 환율 상승 비율에 가까워진다면 수입 상품의 소비가 줄어들게 되고 수입액이 줄어들게 되므로, 수출액에서 수입액을 뺀 결과인 경상 수지는 점차 개선돼 ⓐ의 골은 얕아지게 된다(ㄱ). 그리고 ⓒ는 경상 수지가 −에서 +로 바뀌어 우상향하는 부분이므로 환율 상승으로 경상 수지의 개선 효과가 나타나는 구간으로 볼 수 있다(ㄹ).

오답 풀이 ㄴ. ⓐ의 구간이 넓어진다는 것은 경상 수지가 적자인 상태가 유지되거나 악화된다는 뜻이다. 수출 기업의 품질 및 원가 경쟁력이 강화되면 경상 수지는 개선될 것이므로, 수출 기업의 품질 및 원가 경쟁력이 강화되면 ⓐ의 구간은 좁아질 것이다.
ㄷ. ⓑ는 경상 수지가 적자에서 흑자로 변하는 지점이다. 2문단에서 언급한 'J커브 현상'의 개념을 토대로 볼 때 환율의 상승은 ⓐ부터 이미 이루어진 것으로 볼 수 있으므로 ⓑ를 기점으로 환율이 상승하게 된다는 것은 적절하지 않다.

3 근거의 적절성 파악

문제 분석 글에 제시된 내용을 뒷받침할 수 있는 적절한 근거를 찾아내는 문제이다.

정답 풀이 ❸ 3문단에서 '상품의 가격 조절이 일어나도 국내외의 상품 수요가 가격에 어떻게 반응하는가 하는 수요 구조에 따라 경상 수지는 개선되지 못하기도 한다.'고 하였다. 이는 환율이 상승하는 가격 조정이 일어나더라도 경우에 따라서 국내외 상품 수요가 가격에 민감하지 않을 수 있고, 그로 인해 경상 수지가 그다지 개선되지 않거나 오히려 악화될 수도 있다는 의미이다.

오답 풀이 ① 3문단을 보면 수출 상품의 가격 조정이 선행된다고 해서 경상 수지가 개선되지 않거나 악화되는 것이 아니라, 상품 가격에 대해 국내외의 상품 수요가 어떻게 반응하는가에 따라 경상 수지가 달라질 수 있다고 추측할 수 있다.
② 환율에 따른 국내외 기업의 가격 조정이 아니라, 상품 가격에 반응하는 국내외의 상품 수요가 경상 수지를 개선하지 못할 수 있다는 것이다.
④ 환율의 상승에 따라 정해진 상품 가격에 국내외의 상품 수요가 민감하게 반응할수록 경상 수지는 개선될 것이다. 이는 1문단에서 언급한 것처럼 '수출액이 증가하고 수입액이 감소'하기 때문이다.
⑤ 상품 가격에 국내외 상품 수요가 얼마나 민감하게 반응하느냐에 따라 경상 수지의 개선 여부가 달라진다.

4 관용적 표현의 적절성 파악

문제 분석 글의 내용을 효과적으로 전달하기 위해 적절한 속담을 사용할 수 있는지 확인하는 문제이다.

정답 풀이 ❶ ⓛ은 수출 기업이 외적인 요인인 환율의 상승만 믿고 경쟁력을 높이기 위한 방책을 강구하지 않고 있는 나태한 상황을 언급하고 있다. 〈보기〉는 ⓛ에 대한 평가이므로, 밑줄 친 곳에는 '아무런 노력도 하지 않으면서 좋은 결과가 이루어지기만을 바란다'는 의미의 '감나무 밑에 누워 홍시 떨어지기를 바란다'는 속담이 들어가는 것이 적절하다.

오답 풀이 ② 언덕이 있어야 소도 가려운 곳을 비비거나 언덕을 디뎌 볼 수 있다는 뜻으로, '누구나 의지할 곳이 있어야 무슨 일이든 시작하거나 이룰 수가 있다'는 의미이다.
③ '남의 가난한 살림을 도와주기란 끝이 없는 일이어서, 개인은 물론 나라의 힘으로도 구제하지 못한다'는 의미이다.
④ '아무리 익숙하고 잘하는 사람이라도 간혹 실수할 때가 있다'는 의미이다.
⑤ '사람의 욕심이 끝이 없다'는 의미이다.

지방 자치 단체의 정책 결정 방식

이 글은 지방 자치 단체의 정책 결정 과정에서 나타나는 문제점을 지적하고, 이를 해결하기 위한 방안을 제시하고 있다. 지방 자치 단체들은 행정 담당자 주도로 이루어지는 정책 결정의 문제점을 극복하기 위해 '민간화'와 '경영화'를 도입했으나 한계가 있었다. 이러한 한계를 극복하고 지방 자치 단체의 정책 결정 과정에서 지역 주민 전체의 의견을 적극적으로 반영하기 위해서는 주민 투표, 주민 소환, 주민 발안 등의 직접 민주주의 제도를 활성화하는 방향으로 전환되어야 한다고 주장하였다. 이를 통해 정책 결정에 대한 주민들의 지속적이고 안정적인 참여가 이루어지고, 지역 문제에 대한 관심 고조, 공동체 의식 고양, 정책에 대한 지지와 행정에 대한 신뢰 향상, 주민들의 적극적인 협조 등의 효과가 나타날 수 있다고 하였다.

☑ 지문 분석 노트

[1] 지방 자치 단체의 정책 결정의 문제점과 보완의 필요성

[2] 행정 담당자 주도의 정책 결정을 개선하기 위한 지방 자치 단체의 노력

[3] 주민 참여 제도의 활성화 필요성

[4] 지방 자치 단체의 정책 결정에 지역 주민들이 직접 참여했을 때의 기대 효과

■주제 : 지방 자치 단체의 정책 결정 방식의 문제점과 개선 방향

현대 사회가 다원화되고 복잡해지면서 중앙 정부는 물론, 지방 자치 단체 또한 정책 결정 과정에서 능률성과 효과성을 우선시하는 경향이 커져 왔다. 이로 인해 전문적인 행정 담당자를 중심으로 한 정책 결정이 빈번해지고 있다. 그러나 지방 자치 단체의 정책 결정은 지역 주민의 의사와 무관하거나 배치되어서는 안 된다는 점에서 이러한 정책 결정은 지역 주민의 의사에 보다 부합하는 방향으로 보완될 필요가 있다.
_{지방 자치 단체의 정책 결정의 보완이 필요한 이유}

행정 담당자 주도로 이루어지는 정책 결정의 문제점을 극복하기 위해 그동안 지방 자치 단체 자체의 개선 노력이 없었던 것은 아니다. 지역 주민의 요구를 수용하기 위해 도입한 '민간화'와 '경영화'가 대표적인 사례이다. 이 둘은 모두 행정 담당자 주도의 정책 결정을 보완하기 위해 시장 경제의 원리를 _{행정 담당자를 중심으로 한 정책 결정의 문제점을 극복하기 위한 방법} 부분적으로 받아들였다는 점에서는 공통되지만, 운영 방식에는 차이가 있다. ㉠민간화는 지방 자치 _{민간화와 경영화의 공통점} _{민간화와 경영화의 차이점} _{ㆍ: 민간화의 개념} 단체가 담당하는 특정 업무의 운영권을 민간 기업에 위탁하는 것으로, 기업 선정을 위한 공청회에 주민들이 참여하는 등의 방식으로 주민들의 요구를 반영하는 것이다. 하지만 민간화를 통해 수용되는 주민들의 요구는 제한적이므로 전체 주민의 이익이 반영되지 못하는 경우가 많고, 민간 기업의 특성상 공익의 추구보다는 기업의 이익을 우선한다는 한계가 있다. ㉡경영화는 민간화와는 달리, 지방 자 _{ㆍ: 민간화의 한계} _{ㆍ: 경영화의 개념} 치 단체가 자체적으로 민간 기업의 운영 방식을 도입하는 것을 말한다. 주민들을 고객으로 대하며 주민들의 요구를 충족하고자 하는 것이다. 그러나 주민 감시나 주민자치위원회 등을 통한 외부의 적극 _{ㆍ: 경영화의 한계} 적인 견제가 없으면 행정 담당자들이 기존의 관행에 따라 업무를 처리하는 경향이 나타나기도 한다.

이러한 한계를 해소하고 지방 자치 단체의 정책 결정 과정에서 지역 주민 전체의 의견을 보다 적극적으로 반영하기 위해서는 주민 참여 제도의 활성화가 요구된다. 현재 우리나라의 지방 자치 단체가 _{민간화와 경영화의 한계를 해소하기 위한 방법} 채택하고 있는 간담회, 설명회 등의 주민 참여 제도는 주민들의 의사를 간접적으로 수렴하여 정책에 반영하는 방식인데, 주민들의 의사를 더욱 직접적으로 반영하기 위해서는 주민 투표, 주민 소환, 주민 발안 등의 직접 민주주의 제도를 활성화하는 방향으로 주민 참여 제도가 전환될 필요가 있다.

[A] 직접 민주주의 제도의 활성화를 통해 지역 주민들이 직접적으로 정책 결정에 참여하게 되면, 정책 결정에 대한 주민들의 참여가 지속적이고 안정적으로 이루어질 수 있다. 그리고 각 개인들은 지 _{주민 참여 제도의 효과 ①} 역 문제에 대한 관심이 높아지고 공동체 의식이 고양되는 효과도 기대된다. 또한 이러한 직접 민주 _{주민 참여 제도의 효과 ②} 주의 제도를 통해 전체 주민의 의사가 가시적으로 잘 드러날 뿐만 아니라, 이에 따라 행정 담당자들도 정책 결정에서 전체 주민의 의사를 더 적극적으로 고려하게 된다. 아울러 주민들의 직접적인 참 _{주민 참여 제도의 효과 ③} 여를 통해 정책에 대한 지지와 행정에 대한 신뢰가 높아짐으로써 주민들이 정책 집행에 대해 적극 _{주민 참여 제도의 효과 ④} 적으로 협조하는 경향이 커지게 될 것이다.

1 세부 정보의 파악

문제 분석 글에 제시된 세부적 정보를 확인하는 문제이다.

정답 풀이 ❶ 1문단에서 중앙 정부와 지방 자치 단체는 '정책 결정 과정에서 능률성과 효과성을 우선시' 하다 보니 '전문적인 행정 담당자를 중심으로 한 정책 결정이 빈번해지고 있다.'고 하였다. 이는 중앙 정부와 지방 자치 단체의 정책 결정 과정에서 나타나는 공통되는 양상에 대해 언급한 것일 뿐, 지방 자치 단체의 정책 결정 과정을 중앙 정부와 대비해서 기술하는 것이라고는 볼 수 없다.

오답 풀이 ② 3문단에서 민간화와 경영화의 '한계를 해소하고 지방 자치 단체의 정책 결정 과정에서 지역 주민 전체의 의견을 보다 적극적으로 반영하기 위해서는 주민 참여 제도의 활성화가 요구된다.'고 하였다.
③ 3문단에서 현재 우리나라의 지방 자치 단체가 채택하고 있는 주민 참여 제도로 '간담회, 설명회' 등이 있다고 하였다.
④ 4문단에서 지방 자치 단체가 직접 민주주의 제도를 활성화하면 정책 결정에 대한 주민들의 지속적이고 안정적인 참여가 이루어지고, 지역 문제에 대한 관심 고조, 공동체 의식 고양, 정책에 대한 지지와 행정에 대한 신뢰 향상, 주민들의 적극적인 협조 등의 효과가 나타날 수 있다고 하였다.
⑤ 2문단에서 지방 자치 단체는 그동안 지역 주민의 요구를 수용하기 위해 '민간화'와 '경영화'를 도입하는 등의 개선 노력을 하였다고 하였다.

2 핵심 정보의 파악

문제 분석 글에 제시된 핵심 개념을 파악하여 이를 바탕으로 내용을 이해하는 문제이다.

정답 풀이 ❹ 2문단에 따르면 ㉠은 '지방 자치 단체가 담당하는 특정 업무의 운영권을 민간 기업에 위탁하는 것'이다. 그리고 ㉡은 '지방 자치 단체가 자체적으로 민간 기업의 운영 방식을 도입하는 것'이다. 따라서 ㉠과 ㉡ 모두 지방 자치 단체가 외부에 정책 결정권을 위임하는 방식이라고 볼 수 없다.

오답 풀이 ① 2문단에서 ㉠은 '민간 기업의 특성상 공익의 추구보다는 기업의 이익을 우선한다는 한계가 있다.'고 하였다.
② 2문단에서 ㉡은 '주민 감시나 주민자치위원회 등을 통한 외부의 적극적인 견제가 없으면 행정 담당자들이 기존의 관행에 따라 업무를 처리하는 경향이 나타나기도 한다.'고 하였다.
③ 2문단에서 ㉠과 ㉡ 모두 '행정 담당자 주도로 이루어지는 정책 결정의 문제점을 극복하기 위해' 도입한 것이라고 하였다.
⑤ 2문단에서 ㉠과 ㉡ 모두 지방 자치 단체가 '지역 주민의 요구를 수용하기 위해 도입한' 것이라고 하였다.

3 구체적 사례에 적용

문제 분석 글에서 설명한 내용을 구체적인 상황에 적용해 보는 문제이다.

정답 풀이 ❺ [A]에서 '주민들의 직접적인 참여를 통해 정책에 대한 지지와 행정에 대한 신뢰가 높아짐으로써 주민들의 정책 집행에 대해 적극적으로 협조하는 경향이 커지게 될 것'이라고 하였다. 그런데 〈보기〉에서는 주민들이 직접 참여하는 주민 투표를 실시했지만, 투표 결과를 수용하지 않는 주민들로 인해 갈등이 심화되면서 정책 결정이 지연되어 행정에 대한 불신이 커지고 결국 다른 정책에 대해서도 협조하지 않는 현상들이 나타났다고 하였다. 따라서 주민의 직접 참여에 의한 정책 결정인 경우에도 〈보기〉처럼 주민들이 비협조적인 경우가 있다는 사실을 확인할 수 있다.

오답 풀이 ① 〈보기〉에서 주민 투표 결과에 반대하는 주민들이 투표 결과에 불복하여 주민 간에 반목이 심해졌다고 하였다. 따라서 지역 주민들의 공동체 의식이 고양되었다고 볼 수 없다.
② 〈보기〉에서 상당수의 주민들은 다른 정책에 대해서도 협조를 하지 않고 주민 투표를 거부하는 일이 발생했다고 하였다. 따라서 행정에 대한 주민들의 신뢰가 높아졌다고 볼 수 없다.
③ 〈보기〉에서 '주민 간의 갈등이 심화되면서 해당 정책의 결정이 지연되어 행정에 대한 불신이 커졌고, 상당수 주민들은 다른 정책에 대해서도 협조를 하지 않는 현상이 나타났다.'고 하였다. 따라서 정책 결정에 대한 주민들의 참여가 안정적으로 이루어졌다고 보기는 어렵다.
④ 〈보기〉에서 주민 투표 제도에 대해서 회의를 느끼는 주민들이 다른 정책에 대한 주민 투표를 거부하는 일이 발생했다고 하였다. 따라서 정책에 대한 주민들의 지지가 높아졌다고 볼 수 없다.

대륙법제와 영미법제_강정혜

이 글은 서로 다른 역사·문화적 배경을 지닌 채 발전해 온 대륙법제와 영미법제의 특징을 설명하고, 오늘날 두 법제가 서로 융합하고 있는 양상을 소개하고 있다. 대륙법제는 정확하고 민주적이지만 변화하는 현실에 신속히 대응하기 어렵고, 영미법제는 상세하고 실제적이지만 모호하다는 단점이 있다고 설명하였다. 이에 오늘날은 두 법제의 장점을 받아들이면서 융합하고 있다고 하였다.

☑ 지문 분석 노트

① 대륙법 체제와 코먼 로 법제

우리나라는 로마법의 영향을 받은 성문법 위주의 대륙법 체제를 따르는 국가이다. 따라서 국회를 ⓐ통과하여 만들어진 법률들이 논리정연하게 법전에 수록되어 있다. 과거 대부분의 국가들이 로마법을 따라 이러한 ㉠대륙법 체제를 갖출 때 유일하게 로마법을 받아들이지 않은 나라가 바로 영국이다. 영국은 자국의 전통적이고 토속적인 법제도를 ⓑ고수했는데, 이것이 바로 '코먼 로(common law)'이다. 이 코먼 로 법제는 성문법을 반대한다. 왜냐하면 법의 기본 원칙은 의회가 제정한 법률 속에서 발견되는 것이 아니라, 법원의 구체적인 판결에서 발견된다고 믿기 때문이다.

② 코먼 로 법제의 형성 배경 및 특징

㉡코먼 로 법제에서 법은 판례법 속에서 찾을 수 있다. 이 법제에서는 재판을 할 때 해당 사건과 비슷한 사건에 대한 판결이 있다면, 그 판결에서 적용한 법 원칙에 따른다. 이것이 바로 '선판례 구속의 원칙'이다. 이외에도 코먼 로 법제에는 섬나라 영국의 독특한 지방법을 ⓒ모태로 한 고유한 법 제도가 있다. 주민이 일종의 재판관으로서 재판에 일부 참여하는 배심 제도 같은 것이 그것이다. 이 코먼 로 법제는 영국이 자국의 법제를 식민지에 이식하여 광범위한 지역으로 퍼져나갔다. 따라서 미국, 캐나다, 오스트레일리아, 뉴질랜드 등 오늘날 영어를 공용어로 쓰는 나라는 거의 이를 채택했다고 보아도 무방할 정도이다. 그래서 코먼 로 법제는 영미법제라고도 불린다.

③ 영미법제(코먼 로 법제)의 장단점

영미법제는 대륙법보다 훨씬 더 상세하고 실제적이어서 법에 대한 대중의 이해가 높고, 국회의 입법 절차를 기다릴 필요가 없이 선판례에 의한 판결이 이루어지므로 변화하는 현실에 신속하게 ⓓ대응할 수 있다. 그러나 무엇이 법인가를 알기 위해서는 대륙법제처럼 법전을 펼쳐드는 것이 아니라 수백, 수천 권의 판례집을 뒤져야 할 정도로 모호한 법제이기도 하다. 또한 오늘날과 같은 복잡한 사회를 규율하기 위해서는 그만큼 많은 분량의 법령이 필요하기 때문에 정리를 해 두지 않으면 혼란에 빠지기 쉽다.

④ 대륙법 체제의 장단점

반면 대륙법 체제는 법이 무엇인가를 법전에 명료하게 제시하므로 영미법제보다 정확하다고 할 수 있다. 또한, 누구나 법률에 접근할 수 있다는 점에서 영미법제보다 민주적이고 발전적인 제도이며, 판사의 판결을 통해 과도한 입법권을 행사하지 못하도록 견제하는 기능을 갖추었다는 장점을 지닌다. 하지만 변화하는 현실에 신속히 대응하기 어렵고, 추상적인 공리공론에 치우칠 수도 있는 제도이다.

⑤ 대륙법제와 영미법제의 융합 양상

나라별로 분리되어 발전해 온 두 법제는 오늘날 서로 상대방 법제의 장점을 받아들이면서 융합하고 있다. 예를 들면 대륙법제 국가에서는 성문법 못지않게 법원의 판례를 중시하게 되었다. 즉 판례에 따라 새로운 법 원리가 정립되고, 이것이 새로운 법이 되는 경우가 늘고 있다. 오늘날 우리나라에서도 판례를 익히지 않고 법전 속의 법률만 공부한다는 것은 반쪽짜리 공부에 불과할 정도이다. 영미법제를 따른 국가에서도 특히 상거래와 관련된 문제를 다룰 때에는 거의 성문법을 적용하고 있다. ⓔ촌각을 다투는 비즈니스 거래에서 거래 당사자 간의 합의를 위한 명확한 규칙이 없다면, 상거래가 제대로 이루어질 수 없기 때문이다. 이와 같은 성문법의 필요성 때문에 미국은 1950년대에 상거래의 전 분야를 포함하는 통일상법전을 제정하였고, 그 이후에도 크고 작은 성문법을 계속 만들고 있다. 즉 미국에서는 상거래와 관련해서는 판례보다 법전을 우선적으로 보게 된 것이다.

■주제 : 대륙법제와 영미법제의 특징

1 내용 전개 방식의 파악

문제 분석 글의 내용을 효율적으로 전달하기 위해 사용된 다양한 표현 방법과 전개 방식을 파악하는 문제이다.

정답 풀이 ❷ 5문단에서 두 법제의 융합을 설명하기 위해 대륙법제 국가에서 판례를 중시하는 사례와 영미법제 국가인 미국이 통일상법전을 제정했다는 구체적 예를 들고 있다(㉮). 그리고 3문단에서 코먼 로 법제의 장·단점을 제시하고, 4문단에서 대륙법제의 장·단점을 제시하고 있다(㉱).

오답 풀이 ㉯ 서로 다른 법 제도에 대해 소개하고 있을 뿐, 법 제도에 대한 관점의 차이로 인해 발생하는 문제는 언급하지 않았다.
㉰ 법 체제가 달라진 현상의 원인에 대한 물음은 제시되지 않았고, 그에 대한 답 역시 나타나지 않았다.

2 세부 정보의 파악

문제 분석 글에 제시된 대상의 공통점과 차이점을 파악하는 문제이다.

정답 풀이 ❶ 4문단에서 대륙법 체제는 영미법제(코먼 로 법제)보다 명료하고 정확하다고 하였다. 그러나 3문단을 보면 상세하고 실제적이기 때문에 법에 대한 대중의 이해가 높은 제도는 코먼 로 법제라고 하였다.

오답 풀이 ② 1문단에서 코먼 로 법제는 법의 기본 원칙이 '법원의 구체적인 판결에서 발견된다고 믿'는다고 하였다.
③ 3문단에서 영미법제(코먼 로 법제)는 '국회의 입법 절차를 기다릴 필요가 없이 선판례에 의한 판결이 이루어지므로 변화하는 현실에 신속하게 대응할 수 있다.'고 하였다.
④ 4문단에서 대륙법 체제는 '추상적인 공리공론에 치우칠 수도 있'다고 하였다.
⑤ 4문단에서 대륙법 체제는 '누구나 법률에 접근할 수 있'어 민주적이고 발전적이라고 하였다.

3 자료를 통한 내용의 이해

문제 분석 글에 제시된 개념의 특징을 이해하여 구체적 사례에 적용하는 문제이다.

정답 풀이 ❹ 〈보기〉에서 국민참여재판제도는 '일종의 배심 제도'라고 하였다. 제시문의 2문단을 보면 코먼 로 법제의 특징 중 하나인 배심 제도는 '주민이 일종의 재판관으로서 재판에 일부 참여하는' 제도이다. 그리고 1문단을 보면 로마법의 영향을 받은 법제는 대륙법제이고, 유일하게 로마법을 받아들이지 않은 영국의 법제가 코먼 로 법제임을 알 수 있다.

오답 풀이 ① 1문단에서 우리나라는 성문법 위주의 대륙법 체제를 따르는 국가라고 하였고, 2문단에서 배심 제도는 코먼 로 법제의 특징이라고 하였다. 따라서 국민참여재판은 대륙법제에 코먼 로 법제를 일부 융합한 제도라고 볼 수 있다.

② 2문단에서 코먼 로 법제를 채택하고 있는 나라는 영국과 미국 등 영어를 공용어로 쓰는 나라라고 하였는데, 이들 국가는 배심 제도를 활용할 것이므로 이를 참고하였다고 추론할 수 있다.
③ 〈보기〉를 보면 전직 판·검사 출신 변호사에 대한 특혜나 유전무죄, 무전유죄 논란은 법전에 근거한 판결 즉, 대륙법의 문제점이라고 할 수 있다. 따라서 이를 보완하기 위해 국민참여재판을 실시하는 것이라고 볼 수 있다.
⑤ 2문단에서 영국이 자국의 코먼 로 법제를 식민지에 이식했다고 하였으므로, 이 국가들에는 국민참여재판과 유사한 일종의 배심 제도가 존재할 것이라고 추론할 수 있다.

4 어휘의 문맥적 의미 파악

문제 분석 글에 쓰인 어휘의 의미를 파악해 다른 문장에 적용해 보는 문제이다.

정답 풀이 ❹ ⓓ 제시문에서 '대응(對應)'은 '어떤 일이나 사태에 맞추어 태도나 행동을 취함.'의 의미로 사용되었다. 그러나 '이번에 작품을 발표한 두 작가의 작품 경향은 대응되는 면이 많다.'에서는 '어떤 두 대상이 주어진 어떤 관계에 의하여 서로 짝이 되는 일'의 의미로 사용되었다.

오답 풀이 ① '제출된 의안이나 청원 따위가 담당 기관이나 회의에서 승인되거나 가결됨.'의 의미로 사용되었다.
② '차지한 물건이나 형세 따위를 굳게 지킴.'의 의미로 사용되었다.
③ '사물의 발생·발전의 근거가 되는 토대를 비유적으로 이르는 말'로 사용되었다.
⑤ '매우 짧은 동안의 시간'의 의미로 사용되었다.

Think Plus ➕ 공통점과 차이점 파악

비교와 대조의 방법을 통해 어떤 대상을 설명하는 글에서는 두 대상의 공통점과 차이점을 파악하는 문제가 자주 출제된다. 따라서 둘 이상의 대상을 다룬 글을 읽을 때에는 글을 읽으면서 대상의 공통점과 차이점을 정확히 파악해야 한다. 또한, 일상적으로 유사한 의미로 사용되는 단어나 어구도 각 대상의 차이를 설명할 때에는 다른 의미로 사용될 수 있으므로 정확하게 구분하여 파악해야 한다.

생산자의 합리적 선택_유시민

이 글은 '한계생산력 체감의 법칙'을 바탕으로 생산자가 어떻게 자본과 노동의 투입량을 조합해야 가장 큰 생산량을 얻을 수 있는지를 그래프를 통해 설명하고 있다. 특정한 생산량을 얻기 위한 자본량과 노동량의 조합인 '등량곡선'과 현실적 예산의 제약을 나타내는 '등비용선'이 만나는 지점의 자본량과 노동량을 투입했을 때 생산자가 최대의 생산량을 얻을 수 있다고 하였다.

생산자 이론에서는 '한계생산력 체감의 법칙'이 중요한 역할을 한다. 이 법칙은 '인구는 식량에 비해서 급속하게 증가한다.'는 영국의 경제학자 맬서스의 '인구법칙'의 근거로 널리 알려져 있다. 인구가 늘어나는 만큼 식량을 생산하면 되는데 무엇이 문제가 되는 것일까? 맬서스의 주장에 따르면 땅은 제한되어 있기 때문에 노동력 투입량이 증가하는 것만큼 생산이 늘지는 않는다고 한다. 이 견해를 일반화하면 한계생산력 체감의 법칙이 된다. 즉 「다른 생산 요소의 투입량을 일정하게 유지하는 가운데 어느 한 생산 요소의 투입량을 지속적으로 증가시키면 총생산은 증가하지만, 마지막으로 투입된 생산 요소 한 단위가 추가적으로 가져오는 생산의 최종적 증분, 즉 한계생산은 점차 감소한다는 것이다.」

토지를 자본의 한 형태로 간주할 경우 생산 요소는 자본과 노동으로 나눌 수 있다. 자본의 투입량을 고정시킨 채 노동의 투입량을 늘려나가면 총생산은 증가하지만 마지막으로 투입한 노동 한 단위가 만들어 내는 한계생산물은 점차 감소한다. 반대의 경우에도 마찬가지이다. 그러면 생산자는 자본과 노동의 투입량을 어떻게 조합해야 주어진 비용으로 생산을 최대화할 수 있을까? 이를 그림으로 나타내 보자.

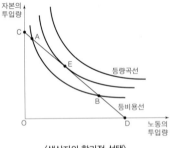

〈생산자의 합리적 선택〉

가로축과 세로축은 어떤 상품을 생산하는 데 들어가는 생산 요소의 양을 표시한 것이다. 특정한 생산량을 얻기 위해 생산자가 선택할 수 있는 모든 자본량과 노동량의 조합을 나타낸 것을 '등량곡선'이라고 한다. 등량곡선은 원점에서 멀수록 더 많은 생산량을 나타낸다. 생산자는 서로 다른 생산 요소를 투입해서 최대의 생산량을 얻으려 한다. 노동과 자본은 대체 투입할 수 있으며, 생산량에 아무런 변화를 주지 않으면서도 노동과 자본을 대체할 경우 그 대체 비율은 등량곡선 상의 한 점에 접하는 접선의 ⓐ기울기로 표현할 수 있다.

생산자는 언제나 더 많은 노동과 자본을 결합해서 더 많은 생산량을 얻기 원하지만 현실적으로 예산의 제약을 받는다. 예산제약선은 생산자가 동원할 수 있는 화폐의 전부로 자본을 구입할 경우인 점 C와 노동자만을 고용할 경우인 점 D를 잇는 직선이다. 예산제약선을 생산자 이론에서는 '등비용선'이라고 한다. 생산자는 현실의 제약 아래서 최대의 생산을 추구한다. 따라서 생산자는 등량곡선이 접하는 점 E에서의 노동량과 자본량의 조합을 선택함으로써 이러한 목적을 달성할 수 있다. 이 등량곡선보다 높은 곳에 있는 등량곡선은 예산 제약 때문에 도달할 수가 없다. 점 A나 B에서는 똑같은 비용을 쓰고도 점 E에서보다 생산량이 적다. 제시된 등비용선 위에서는 점 E가 원점에서 가장 먼 등량곡선에 도달하게 하며, 이 점에서 주어진 비용으로 최대의 생산량을 얻게 된다. ㉠이것은 소비자가 주어진 예산으로 최대의 효용을 얻기 위해 두 재화의 소비량을 결정해야 할 때 부딪치는 문제와 똑같은 성격을 갖고 있다.

이를 통해 우리는 임금이 오르거나(노동력의 가격 인상) 국제 원유 가격이 오를 경우(자본재의 가격 인상) 등비용선이 어떻게 이동하는지, 그 결과 최대한의 생산을 얻기 위한 생산자의 노동력에 대한 수요나 자본의 투입이 어떻게 변화하는지 등을 예측해 볼 수 있다.

1 내용 전개 방식의 파악

문제 분석 글의 내용을 효과적으로 전달하기 위해 사용된 글쓰기 방식을 파악하는 문제이다.

정답 풀이 ❷ 이 글에서는 '한계생산량 체감의 법칙', '등량곡선', '등비용선' 등의 개념을 정의하고, 이를 통해 최대 생산을 할 수 있는 가장 합리적인 선택을 보여 주는 생산자 이론에 대해 설명하고 있다.

오답 풀이 ① 1문단에서 언급한 '인구는 식량에 비해서 급속히 증가한다.'는 맬서스의 '인구법칙'을 현상이라고 본다고 해도, 이에 대한 해결 방안을 모색한 부분은 찾아볼 수 없다.
③ 생산자의 합리적 선택에 대한 두 가지 관점이나 이를 절충하는 내용은 제시되어 있지 않다.
④ 1, 2문단에서 식량 생산량 증대와 생산자가 최대의 생산량을 얻는 방법에 대해 물음을 던지고 있으나 구체적인 사례는 제시되지 않았다.
⑤ 1문단에서 맬서스의 '인구법칙'을 제시하고 있으나, 중심 개념의 변천 과정을 제시하지는 않았다.

2 세부 정보의 파악

문제 분석 글에 제시된 세부적 정보를 파악하는 문제이다.

정답 풀이 ❷ 3문단에서 '생산량에 아무런 변화를 주지 않으면서도 노동과 자본을 대체할 경우 그 대체 비율은 등량곡선 상의 한 점에 접하는 접선의 기울기로 표현할 수 있다.'고 하였다. 따라서 생산량을 유지하면서 노동과 자본을 대체하는 것이 가능함을 알 수 있다.

오답 풀이 ① 4문단에서 '생산자는 언제나 더 많은 노동과 자본을 결합해서 더 많은 생산량을 얻기 원하지만 현실적으로 예산의 제약을 받는다.'고 하였다.
③ 1문단에서 맬서스는 '땅은 제한되어 있기 때문에 노동력 투입량이 증가하는 것만큼 생산이 늘지는 않는다'고 하였다.
④ 2문단에서 '자본의 투입량을 고정시킨 채 노동의 투입량을 늘려나가면 총생산은 증가하지만 마지막으로 투입한 노동 한 단위가 만들어 내는 한계생산물은 점차 감소한다.'고 하였다.
⑤ 1문단에서 '다른 생산 요소의 투입량을 일정하게 유지하는 가운데 어느 한 생산 요소의 투입량을 지속적으로 증가시키면 총생산은 증가'한다고 하였다.

3 구체적 상황에 적용

문제 분석 글에서 설명한 개념을 구체적인 사례에 적용해 보는 문제이다.

정답 풀이 ❷ ㉠은 생산자가 생산량을 최대화하는 것과 소비자가 효용(만족)을 최대화하는 것이 유사하다는 내용을 담고 있다. 이는 '생산자=소비자, 최대의 생산=최대의 효용, 생산 요소=재

화'라고 가정할 수 있다. 4문단에서 '예산제약선은 생산자가 동원할 수 있는 화폐의 전부로 자본을 구입할 경우인 점 C와 노동자만을 고용할 경우인 점 D를 잇는 직선'이라고 하였다. 이를 〈보기〉에 적용해 보면 소비자가 동원할 수 있는 화폐 전부로 빵만 살 수 있는 점 A와 우유만 살 수 있는 점 B를 연결한 직선 C는 예산제약선임을 알 수 있다. 그리고 3문단을 보면 원점에서 멀수록 더 많은 생산량을 나타내는 것은 '등량곡선'이라고 하였다. 따라서 예산제약선이 원점에서 멀리 이동할수록 더 많은 효용을 얻게 된다는 설명은 적절하지 않다.

오답 풀이 ① C는 예산제약선으로, 예산이 한정적임을 나타내는 것이다.
③ 4문단에서 등비용선과 등량곡선이 접하는 점에서 최대의 생산량을 얻는다고 하였다. 이를 〈보기〉에 적용해 보면 빵 2개와 우유 2개인 점에서 소비자의 효용이 가장 크다는 것을 알 수 있다.
④ 4, 5문단을 볼 때, 예산은 제한되어 있고 A가 고정된 상태에서 우유 값이 내린다면 우유를 더 구입할 수 있으므로 점 B는 오른쪽으로 이동하게 될 것이다.
⑤ 4문단에서 '점 A나 B에서는 똑같은 비용을 쓰고도 점 E에서보다 생산량이 적다.'고 하였다. 이를 〈보기〉에 적용해 보면, 빵 3개와 우유 1개를 구입하는 것은 빵과 우유를 각각 2개씩 구입했을 때보다 효용이 떨어진다는 것을 추측할 수 있다.

4 단어 형성 방식의 파악

문제 분석 〈보기〉를 참고하여 글에 쓰인 단어의 형성 방식을 파악하는 문제이다.

정답 풀이 ❸ '지우개'는 어근인 동사 '지우-'와 접미사 '-개'가 결합한 파생어로, ⓐ의 '기울기'와 단어 형성 방식이 같다.

오답 풀이 ① 접두사 '맨-'과 어근인 명사 '손'이 결합한 파생어이다.
② '웃음'은 어근인 동사 '웃-'과 접미사 '-음'이 결합한 파생어로, 하나의 단어이다. '코웃음'은 어근인 명사 '코'와 명사 '웃음'이 결합한 합성어이다.
④ 접두사 '헛-'과 어근인 명사 '소문'이 결합한 파생어이다.
⑤ 어근인 명사 '어깨'와 어근인 명사 '동무'가 결합한 합성어이다.

Think Plus **접두사와 접미사**

단독으로 쓰이지 않고 다른 어근(語根, 실질 형태소)이나 단어에 붙어 새로운 단어를 구성하는 부분을 '접사(接辭)'라고 한다. 접사는 자립성이 없어 홀로 쓰일 수 없는 의존 형태소이고, 실질적인 뜻이 없는 형식 형태소이다. 접사는 어근의 앞에 결합하는 '접두사'와 뒤에 결합하는 '접미사'로 나눌 수 있다. 접사가 결합하여 이루어진 단어를 '파생어'라고 하며, 모두 새로운 단어로 인정되어 사전에 등재된다.

사회 보장 제도_정원오

이 글은 사회 보장 제도의 발생과 그 유형에 대해 설명하고 있다. 사회 보장 제도란 국가의 주도로 사회 복지 활동이 제도화·체계화된 것으로, 크게 공공 부조, 사회 보험, 사회 수당 그리고 사회 복지 서비스가 해당된다. 공공 부조는 빈곤 계층에 한정된 선별주의적 복지의 성격이 강하며, 사회 보험과 사회 수당은 보편주의적 복지의 성격이 강하다. 그리고 사회 복지 서비스는 현금이 아닌 서비스의 형태로 지원이 이루어지는 사회 보장 제도로, 최근에는 바우처 방식이 활발하게 적용되고 있다고 하였다.

☑ 지문 분석 노트

① 사회 보장 제도의 개념과 유형

초기의 사회 복지는 장애인, 고아, 노약자 등 자립하기 어려운 이웃을 돕는 민간의 자선 활동을 중심으로 형성되었으나, 점차 국가의 역할이 커져 왔다. 사회 복지의 필요성에 대한 인식이 확대되어 감에 따라 불규칙적이고 단절적인 민간 자선 활동만으로는 사회 복지가 필요한 계층이나 집단에 지속적이고 체계적인 원조를 제공할 수 없었기 때문이다. [민간 자선 활동의 속성(단점)] 국가 주도의 복지 활동은 창의성과 유연성이 민간 [민간 자선 활동의 한계] 주도 활동에 비해 떨어지지만, 복지 프로그램이 법과 제도를 통해 집행되므로 [민간 자선 활동의 속성(장점)] 복지 활동이 안정적으로 [법제화·제도화된 프로그램] [국가 주도의 복지 활동의 효과] 지속되며 모든 국민을 포괄하는 보편적인 복지 프로그램을 진행하기 쉽다. 국가 주도의 복지 활동을 사회 보장 제도라고 부르는데, 공공 부조, 사회 보험, 사회 수당, 사회 복지 서비스가 이에 해당한다.

② 공공 부조의 개념과 특성

공공 부조는 빈곤 계층이 국가가 인정한 최저 수준 이상의 생활 상태를 유지할 수 있도록 국가가 공식적으로 지원하는 내용과 절차를 규정한 제도이다. [공공 부조의 개념] 이를 위한 재원(財源)은 국가의 일반 조세로 마련하는데, 대상자는 지원 받은 것을 나중에 갚거나 이자를 지불해야 하는 의무가 없는 대신 빈곤 여부 [공공 부조에 드는 비용은 세금으로 충당함.] 에 대한 조사를 받아야 한다. 공공 부조는 빈곤한 계층에 한정해 금품이나 무료 혜택을 제공하는 선별주의적 복지 제도로, 제한된 재원으로 도움이 가장 필요한 사람들을 집중적으로 지원할 수 있다는 강점이 [↔ 보편주의적 복지 제도] 있다. 그러나 빈곤 여부를 조사하는 과정에서 도움을 받는 계층과 도움을 주는 계층을 분리함으로써 사회 통합에 부정적 영향을 미치기 때문에 사회 보장 제도 중 권리성이 가장 취약하다는 약점이 있다. [공공 부조의 단점]

③ 사회 보험의 개념과 특성

사회 보험은 보험 방식을 이용해 위험에 대처하는 예방적 복지 프로그램이다. [사회 보험의 개념] 공공 부조가 현재 빈곤한 사람들을 위한 대책이라면 사회 보험은 실업, 질병, 산업 재해 등의 예상치 못한 사회적 위험이 닥친 상황에서도 정상적인 생활이 가능하도록 지원하여 빈곤을 예방하고자 한다. 그래서 사회 보험 대상자는 특별한 계층이나 집단으로 제한되지 않고 국민 전체인 경우가 일반적이므로 보편주의적 복지 제도라고 한다. [↔ 선별주의적 복지 제도] 사회 보험은 개인의 필요에 따라 선택적으로 가입할 수 있는 것이 아니라, 국가가 [민간 보험의 성격] [사회 보험의 성격] 제정한 사회 보험 관련법에 따라 강제적으로 가입해야 한다. 국가가 법을 통해 강제로 적용하는 제도이므로, 필요한 재원이 가입자가 낸 보험료로 충당되지 않는 경우에는 국가의 일반 조세로 이를 충당하게 된다.

④ 사회 수당의 개념과 특성

사회 수당은 경제적 형편을 지원의 기준으로 삼는 공공 부조와 달리 특정한 인구 범주에 해당하는 사람에게 현금 급여를 제공하는 복지 제도이다. [사회 수당의 개념] 예컨대 법으로 정한 특정 연령 이상의 모든 노인, 또는 특정 연령 이하의 아동에게 빈곤의 여부나 사회 보험 납입 실적을 따지지 않고 소정의 금액을 지급 [≠ 공공 부조] [≠ 사회 보험] 하는 것이다. 보편주의적 복지 제도의 성격을 띠지만, 수혜자는 특정한 인구 집단으로 한정되는 경향이 있다. 이러한 사회 수당 제도가 등장한 배경에는 빈곤 여부를 조사하는 과정에서 발생하는 부정적 낙인 효과를 제거하려는 목적이 있다. [공공 부조의 문제점을 해결하려 함.] 사회 수당은 수혜자가 빈곤한 대상자로 한정되지 않기 때문에 재원 확보에 현실적인 어려움이 있지만, 혜택을 사회 구성원으로서의 당연한 권리로 누리게 한다는 점에서 사회 보장 제도 중 가장 권리성이 높다고 할 수 있다. [사회 수당의 특성]

⑤ 사회 복지 서비스의 개념과 특성

마지막으로 사회 복지 서비스는 현금이 아닌 서비스 형태로 지원이 이루어지는 모든 사회 복지 제 [사회 복지 서비스의 개념] 도를 통칭한다. 과거의 복지 국가에서는 의료, 보육, 장애인 재활 등의 복지 서비스를 국가가 직접 제공하는 방식을 선호했지만, 이제 서비스는 민간에서 제공하고 그 비용은 국가가 지원하는 방식으로 바뀌고 있다. 특히 최근에는 서비스 이용 증서를 제공하는 일명 바우처(voucher) 방식이 활발하게 적용되고 있다. 바우처 방식이란 사회 복지 수혜자가 민간에서 제공하는 특정 사회 서비스를 구매할 수 있도록 정부가 그 비용의 일부 또는 전체를 지원한다는 내용의 서비스 이용권인 바우처를 수혜자에게 지급하는 것이다. 바우처 제도는 이용자의 선택권을 통한 배분적 효율성과 서비스 공급자의 경쟁을 통한 생산적 효율성을 모두 높일 수 있다는 장점이 있다.

바우처 방식의 개념
수요 측면의 장점
공급 측면의 장점

■ 주제 : 사회 보장 제도의 유형과 그 특성

사회 07 정답 01 ② 02 ③ 03 ③

1 세부 정보의 파악

문제 분석 글의 세부적 정보와 선택지에 제시된 정보를 비교하며 일치 여부를 확인하는 문제이다.

정답 풀이 ❷ 2문단에서 알 수 있듯이 최저 생활 수준 이하에 속하는 사람들은 공공 부조에 따라 금품이나 무료 혜택을 받을 수 있다고 하였다. 그리고 3문단에서 '사회 보험은 개인의 필요에 따라 선택적으로 가입할 수 있는 것이 아니라, 국가가 제정한 사회 보험 관련법에 따라 강제적으로 가입해야 한다.'고 하였다. 그러므로 관련법에 따라 사회 보험에도 가입해야 한다. 즉 공공 부조는 따로 가입하는 것이 아니다.

오답 풀이 ① 1문단에서 국가 주도의 복지 활동은 법과 제도를 통해 집행되며, 이를 '사회 보장 제도'라고 부른다고 하였다.
③ 4문단에서 사회 수당은 '특정한 인구 범주에 해당하는 사람에게 현금 급여를 제공하는 복지 제도'이고, '수혜자는 특정한 인구 집단으로 한정'된다고 하였다.
④ 2문단에서 '공공 부조는 빈곤 계층이 국가가 인정한 최저 수준 이상의 생활 상태를 유지할 수 있도록 국가가 공식적으로 지원하는 내용과 절차를 규정한 제도'라고 하였다.
⑤ 1문단에서 '국가 주도의 복지 활동은 창의성과 유연성이 민간 주도 활동에 비해 떨어지지만'이라고 한 데에서 민간 주도 활동이 국가 주도의 복지 활동에 비해 유연성을 발휘할 여지가 크다는 것을 추측할 수 있다.

2 구체적 사례에 적용

문제 분석 글에 제시된 개념의 특징을 이해하여 구체적 사례에 적용하는 문제이다.

정답 풀이 ❸ 을이 받는 실업 급여는 사회 보장 제도 중 '사회 보험'에 해당한다. 3문단에서 '필요한 재원이 가입자가 낸 보험료로 충당되지 않는 경우에는 국가의 일반 조세로 이를 충당하게 된다.'고 하였다. 따라서 국가의 일반 조세에 관한 내용은 적절하지만, 을이 다니던 회사에서 실업 급여의 절반을 충당한다는 내용은 적절하지 않다.

오답 풀이 ① 사회 보장 제도 가운데 갑은 공공 부조, 을은 사회 보험, 병은 사회 수당에 의한 혜택을 받고 있다. 1문단에서 '국가 주도의

복지 활동을 사회 보장 제도'라고 하였다.
② 2문단에서 공공 부조의 대상자는 '빈곤 여부에 대한 조사를 받아야 한다.'고 하였다.
④ 4문단에서 사회 수당은 '특정한 인구 범주에 해당하는 사람에게 현금 급여를 제공하는 복지 제도'라고 하였다. 병은 만 65세가 되면서부터 노인 수당 수혜자가 되었다고 하였으므로, 병이 사는 국가는 만 65세 이상의 모든 노인에게 노인 수당을 지급할 것이라는 사실을 추측할 수 있다.
⑤ 2문단에서 공공 부조는 '사회 보장 제도 중 권리성이 가장 취약'하다고 하였으며, 4문단에서는 사회 수당이 '사회 보장 제도 중 가장 권리성이 높다'고 하였다. 따라서 공공 부조를 받고 있는 갑보다 사회 수당을 받고 있는 병이 더 권리성이 높은 사회 보장 제도의 혜택을 받고 있다고 할 수 있다.

3 자료를 통한 이해의 심화

문제 분석 제시문에서 언급한 내용의 적용 사례인 〈보기〉를 통해 제시문을 깊이 있게 파악하는 문제이다.

정답 풀이 ❸ 5문단에서 '서비스는 민간에서 제공하고 그 비용은 국가가 지원하는 방식'으로 사회 복지 서비스의 형태가 바뀌고 있다고 하였다. 그리고 최근에는 '사회 복지 수혜자가 민간에서 제공하는 특정 사회 서비스를 구매할 수 있도록 정부가 그 비용의 일부 또는 전체를 지원'하는 제도인 바우처 제도가 활발하게 적용되고 있다고 하였다. 따라서 바우처 제도가 민간의 복지 활동을 억제한다는 반응은 적절하지 않다.

오답 풀이 ① 5문단에서 바우처 제도는 이용자의 선택권을 통한 배분적 효율성을 높일 수 있다고 하였다. 따라서 바우처 제도의 도입으로 복지 서비스 수요자의 선택권이 강화되었다고 할 수 있다.
②, ⑤ 〈보기〉에서 전자식 바우처 제도의 도입으로, 바우처 사용 내역 모니터링을 통해 바우처 부정 사용을 차단하고, 사용 내역을 분석하여 사회 복지 활동의 방향에 대한 정보를 얻을 수 있게 되었다고 하였다.
④ '산모 · 신생아도우미' 바우처는 '산모'와 '신생아'라는 특정한 인구 범주에 해당하는 사람에게 현금이 아닌 서비스 형태의 혜택을 제공하는 것으로, 특정한 인구 집단을 수혜자로 삼는 만큼 사회 수당에 해당한다고 볼 수 있다.

소비 이데올로기와 광고_비판사회학회

이 글은 광고를 바탕으로 현대 자본주의적 소비사회의 특징과 소비 이데올로기의 역기능을 설명하고 있다. 자본주의적 소비사회에서 기업은 광고를 통해 끊임없이 대중의 소비 욕구를 증대시킨다. 특히 '호명' 전략을 활용한 광고는 소비 이데올로기에 대한 저항을 어렵게 만들어 상품물신주의를 불러올 가능성이 있다. 또한 보드리야르에 의하면 광고는 현실과 재현 사이의 관계 역전을 가져오므로, 모방 현실이 실제 현실을 압도하게 되고 실제 현실이 영향력을 잃게 된다는 문제를 유발한다고 하였다.

☑ 지문 분석 노트

① 현대 소비사회의 소비 이데올로기

② 광고에서 사용하는 '호명' 전략

③ 호명 전략을 사용하는 광고의 특징과 역기능

④ 상품 자체가 아니라 이미지(기호)를 판매하는 광고

⑤ 광고를 통한 현실과 재현의 관계 역전 현상

■ 주제 : 현대의 자본주의적 소비사회에서 광고의 특징

현대 소비사회에서 대중은 상품 소비를 통해 자신의 욕구를 충족하면서 자기만족을 느낄 수 있다고 생각하며 끊임없이 소비를 추구한다. 보드리야르는 이러한 성향을 '소비 이데올로기'라고 말했는데, 대중은 소비 이데올로기 속에서 자본이 부추기는 욕구 생산의 논리에 서서히 빠져든다. 자본주의적 소비사회에서 기업은 새로운 상품을 개발할 뿐만 아니라, 광고를 통해 새로운 상품이 소비되도록 끊임없이 대중의 욕구를 불러일으키고 또 증대시킨다.

광고는 자신을 사회의 주체인 것처럼 생각하게 만드는 전략인 '호명'을 통해 개인을 소비의 주체로 구성해낸다. 광고에 의해 호명된 개인은 광고가 마련해주는 주체의 위치에 자신을 들여놓는다. 「예를 들어, 스마트폰 광고에 '이것을 사용하는 당신은 정보를 스마트하게 이용할 줄 아는 특별한 전문가'라는 메시지를 보내온다면, 이를 보는 소비자들은 그 제품을 구매해 사용함으로써 스마트한 정보의 지배자가 되고 싶다는 욕망을 가지게 될 것이다. 그리고 이러한 욕구를 충족할 때만이 자신을 남들에게 보여 줄 수 있고 또 진정한 자기만족을 느낄 수 있다고 생각하게 될 것이다.」: 호명 전략을 사용한 광고와 그 효과의 예

물론 대중이 자신 앞에 던져지는 광고의 메시지를 모두 수용하는 것은 아니다. 오히려 무시하거나 거부하면서 광고가 던지는 소비 이데올로기에 저항하기도 한다. 그러나 대중을 단순한 상품 소비자로 여기며 상품에 대한 현실적 정보만을 제공하는 전략에 비해, 호명을 함으로써 개인을 소비 주체로 구성하는 전략은 소비자에게 광고의 메시지를 실현하는 순간 자신이 살아 있고 주목받는 존재라는 환상을 갖게 하여 소비에 저항하기 어렵도록 만든다. 이러한 광고 효과는 자본가에게는 더 많은 이윤을 가져다 주지만, 대중에게는 충동적 소비를 확산시켜 상품물신주의와 황금만능주의에 빠져들게 할 가능성도 있다.

한편, '기호가치'를 강조하는 보드리야르는 소비자들이 선택하고 욕망하는 대상은 광고에 등장하는 상품 자체가 아니라 광고를 통한 기호라는 점이 문제라고 지적한다. 광고는 현실의 어떤 물건을 단순히 소개하는 것이 아니라 어떤 이미지를 보여 주고 이것이 현실에 존재하는 물건의 실제 모습이라고 믿게 한다. 이를 통해 이미지는 현실보다 더 큰 힘을 가지게 된다. 대중들은 현실의 실제 물건보다는 광고 속의 이미지를 믿게 되고, 이를 현실의 대상에게 투사한다.

이러한 과정은 광고를 통해 현실과 재현 사이의 관계가 역전되는 결과를 가져온다. 현실이 모방을 통해 재현되는 것이 아니라 재현을 통해 현실을 확인하는 전복적인 현상이 발생하는 것이다. 이처럼 모방을 통해 만들어진 이미지를 '시뮬라크르(simulacre)'라고 하며, 모방 현실이 실제 현실을 압도하는 현상을 '극사실성'이라고 부른다. 이러한 과정을 통해 대중은 매체 속의 이미지에 흡수되어 원본과 사본, 현실과 이미지를 구분할 수 없게 되고, 나아가 가상을 현실로 믿게 된다. 예를 들어 1990년 이라크의 쿠웨이트 침공에 대응하여 미국을 비롯한 다국적군이 이라크를 공격한 걸프전쟁이 있었다. 보드리야르는 이 전쟁이 TV 이미지에 의한 것이었을 뿐 대중들은 실제 전쟁을 경험할 수도 알 수도 없다고 주장했다. 이처럼 모사, 모방 현실, 시뮬라크르가 실제 현실을 능가한 영향력을 갖게 되는 문화적 조건 속에서 실제 현실, 즉 사회와 사회적인 것은 점차 영향력을 ⓐ잃게 된다는 것이다.

1 세부 정보의 파악

문제 분석   글에 제시된 세부적 정보를 파악하는 문제이다.

정답 풀이   ❺ 4문단에서 '보드리야르는 소비자들이 선택하고 욕망하는 대상은 광고에 등장하는 상품 자체가 아니라 광고를 통한 기호'라고 하였다. 따라서 대중들은 실제 물건보다는 광고 속의 이미지를 믿고 광고를 통한 기호(이미지)를 욕망한다고 볼 수 있다.

오답 풀이   ① 5문단에서 자본주의적 소비사회에서는 광고가 '현실과 재현 사이의 관계를 역전'시킨다고 하였다.
② 1문단에서 '대중은 상품 소비를 통해 자신의 욕구를 충족하면서 자기만족을 느낄 수 있다고 생각하며' 소비를 추구한다고 하였지만, 3문단에서는 대중이 광고의 메시지를 무시하거나 거부하면서 소비 이데올로기에 저항하기도 한다고 하였다.
③ 1문단에서 기업은 '광고를 통해 새로운 상품이 소비되도록 끊임없이 대중의 욕구를 불러일으키고 또 증대시킨다.'고 하였다.
④ 2문단에서 '광고에 의해 호명된 개인은 광고가 마련해주는 주체의 위치에 자신을 들여놓는다.'며 개인을 소비의 주체로 만든다고 하였다.

2 관점의 추론

문제 분석   글에 제시된 정보를 활용하여 겉으로 명시되지 않은 글 속 인물의 관점을 추론하는 문제이다.

정답 풀이   ❺ 4문단을 보면 보드리야르는 광고가 이미지를 보여 주고 이것이 현실에 존재하는 물건의 실제 모습이라고 믿게 함으로써 실제 현실보다 이미지가 더 큰 힘을 지니게 된 것이 문제라고 지적하였다. 또한 5문단에서 이러한 관계 역전은 시뮬라크르가 실제 현실을 능가하는 영향력을 갖게 되는 문화적 조건 속에서 실제 현실은 점차 영향력을 잃게 된다고 하였다.

오답 풀이   ① 5문단에서 모방을 통해 만들어진 이미지를 '시뮬라크르'라고 하였으며, 현대 사회에서 시뮬라크르가 실제 현실을 능가한 영향력을 갖게 되었다고 하였다. 그러나 이로 인해 시뮬라크르의 확산이 대중이 생산하고 소비하는 자본주의의 주체가 되었다고 추론할 근거는 제시되지 않았다.
② 5문단에서 '모방 현실이 실제 현실을 압도하는 현상을 '극사실성'이라고 부른다.'고 하였다. 따라서 현실이 모방을 통해 재현되는 현상은 극사실성의 증대로 이어진다고 볼 수 있다.
③ 5문단에서 보드리야르는 현대 자본주의적 소비 사회에서 이미지가 현실보다 더 큰 힘을 지니게 된다는 점을 지적하였지만, 대중이 시뮬라크르에 기대어 합리적인 소비를 할 수 있는 능력을 얻게 된다고는 언급하지 않았다.
④ 4문단에서 보드리야르는 '소비자들이 선택하고 욕망하는 대상은 광고에 등장하는 상품 자체가 아니라 광고를 통한 기호라는 점이 문제'라고 지적하였다. 따라서 실제 현실이 모방 현실을 압도하게 된다는 내용은 적절하지 않다.

3 구체적 상황에 적용

문제 분석   글의 내용을 이해하여 이를 구체적인 상황인 〈보기〉에 적용하는 문제이다.

정답 풀이   ❹ (가)는 상품에 대한 현실적 정보만 제공하는 전략을 사용한 광고이고, (나)는 '당신'이라고 호명해 개인을 소비 주체로 구성하는 전략을 취한 광고이다. 3문단에서 '호명을 함으로써 개인을 소비 주체로 구성하는 전략은 소비자에게 광고의 메시지를 실현하는 순간 자신이 살아 있고 주목받는 존재라는 환상을 갖게 하여 소비에 저항하기 어렵도록 만든다.'고 하였다. 따라서 (가), (나)를 모두 접한 사람은 (가)에 비해 (나)의 메시지에 저항하는 것에 더 큰 어려움을 느낄 것이다.

오답 풀이   ① (가)는 상품에 대한 현실적 정보만 제공하는 광고이므로, (나)에 비해 대중을 단순한 상품 소비자로 보는 관점에서 제작되었다고 할 수 있다.
② (나)는 이 차를 타는 '당신'의 삶이 업그레이드된다는 내용으로 개인을 소비 주체로 구성하는 호명 전략을 사용하였다.
③ 3문단에서 (나)와 같이 호명 전략을 사용한 광고는 '광고의 메시지를 실현하는 순간 자신이 살아 있고 주목받는 존재라는 환상을 갖게' 한다고 하였다.
⑤ 1문단에서 자본주의적 소비사회에서 기업은 광고를 통해 새로운 상품이 소비되도록 끊임없이 대중의 욕구를 불러일으키고 또 증대시킨다고 하였으므로, 두 광고가 기업의 이윤을 극대화하려는 의도에서 제작된 것임을 알 수 있다.

4 어휘의 문맥적 의미 파악

문제 분석   글의 내용을 효과적으로 전달하기 위해 사용된 어휘의 의미를 정확히 이해하고 있는지 확인하는 문제이다.

정답 풀이   ❹ '사회와 사회적인 것은 점차 영향력을 잃게 된다는 것이다.'에서 '잃다'는 '어떤 대상이 본디 지녔던 모습이나 상태를 유지하지 못하게 되다.'의 의미로 사용되었다.

마키아벨리의 정치사상

이탈리아의 사상가 마키아벨리의 정치사상과 그 특징을 설명한 글이다. 마키아벨리는 정치를 도덕과는 별개의 영역으로 보았으며, 도덕이 정치의 수단이 될 수 있다고 하였다. 이는 그가 살았던 시대가 역사적으로 주변국과 교황의 간섭으로 인해 정치 체제가 불안정한 시대였기 때문이다. 그는 이런 상황을 극복하기 위해서는 정치 변동에 능숙하게 대처하고 시민들의 결속력을 강화시킬 강력한 정치가 필요하다고 생각했고, 이를 위해서는 필요에 따라 사악한 수단을 쓸 수도 있다는 생각을 담아 저서 『군주론』을 발표하였다.

☑ 지문 분석 노트

(가) 마키아벨리의 정치사상

(나) 마키아벨리가 중시한 비르투의 개념과 중요성

(다) 마키아벨리가 비르투를 중시한 이유

(라) 군주론에 담긴 마키아벨리의 정치론

(마) 마키아벨리의 사상에서 도덕의 의미

■주제 : 도덕을 수단으로 여긴 마키아벨리의 정치사상

(가) 마키아벨리는 이전의 사상가들과 달리 정치를 도덕과 분리하여 사고하였다. 플라톤 이후 서양의 정치사상가들은 정치를 도덕의 아래에 있는 것으로 보았으며, 사회를 도덕적인 곳으로 만드는 것이 정치의 사명이라고 생각했다. 하지만 마키아벨리는 정치는 도덕과는 별개의 영역으로, 한 국가를 잘 운영하고 유지하는 능력이라고 믿었다. 그는 특히 갑작스런 정치 변동에 대한 유연한 대응을 가장 훌륭한 정치적 능력이라고 믿었다.

(나) 마키아벨리는 정치 변동의 본질이 어떤 법칙 아래서 발생하는 것이 아니라 항상 우연한 사건들에서 비롯된다고 생각했다. 그리고 이러한 우연한 정치 변동에 능숙하게 대처하기 위해서는 덕의 속성인 비르투가 중요하다고 보았다. 비르투는 포르투나*를 극복할 수 있는 힘으로, 비르투를 잘 길러서 남보다 우수한 비르투를 ⓐ발휘할 수 있는 사람이 지도자의 재목이며, 개인이든 국가든 우수한 비르투를 가졌을 때 불운을 최소화하거나 번영할 수 있다고 생각했다. 예를 들어, 홍수로 인해 강이 범람한 경우 우수한 비르투를 가지고 있는 사람은 실패를 거듭하면서도 강에 둑을 쌓고, 강이 ⓑ범람하는 것을 막도록 노력할 것이기 때문이다.

(다) 마키아벨리가 운명에 대항하는 비르투를 중시했었던 이유는 역사적으로 그가 살았던 시기의 이탈리아 도시 상업 국가들이 주변국과 교황의 간섭 아래 항상 그 정치 체제의 유지에 위협을 느끼고 있었기 때문이다. 또한 이런 현실을 운명으로 ⓒ수용하는 이탈리아 인들의 태도도 이유가 되었다. 외교관으로서 이런 국내외 현실을 ⓓ간파하고 있던 마키아벨리는 정치 변동과 변화하는 환경에 능숙하게 대처하며 시민들의 결속을 강화시키는 것이야말로 정치의 역할이라고 본 것이다.

(라) 마키아벨리는 자신이 살던 공화국인 피렌체가 메디치가의 군주정으로 넘어가자, 군주가 권력을 유지하고 이탈리아 도시 국가를 결집시킬 수 있는 방법을 담은 ㉠『군주론(The Prince)』을 써 메디치가에 바쳤다. 이 책에서 가장 논쟁이 된 것은 군주가 필요에 따라 간계, 속임수 폭력과 같은 사악한 수단을 사용할 필요가 있다는 조언이었다. 마키아벨리가 이런 수단을 강조한 것은 군주정 아래에서 인민들이 국가보다는 자신의 이익을 추구하려는 성향을 강하게 보인다고 믿었기 때문이다. 이런 이익의 추구는 예측할 수 없는 정권의 정복이나 군주의 시해라는 우연한 정치 변동으로까지 이어지기 때문에, 마키아벨리는 이런 사태를 미리 예견하여 방지하고 시민들을 단합시키기 위해서는 군주가 강력한 정치 지도력으로 인민들의 자기 이익 추구 성향을 잠재울 필요가 있다고 생각했다.

(마) 마키아벨리가 권력을 ⓔ획득하기 위해 사악한 수단을 쓰라고 한 것은 도덕이 의미가 없다는 것이 아니라, 정치적 안정을 위해서는 어떤 부분에서 악덕을 행할 필요도 있다는 의미이다. 또한 그는 군주가 도덕적으로 보여서 더 많은 지지를 얻게 된다면 군주는 도덕적으로 행동하는 것처럼 보일 필요가 있다고 보았다. 이처럼 마키아벨리에게 도덕은 정치를 운영하는 하나의 수단이지 정치가 지향하는 목적이 아니었다.

1 세부 내용 및 전개 방식의 파악

문제 분석 각 문단의 중심 내용과 이를 효과적으로 전달하기 위해 사용한 전개 방식을 파악하는 문제이다.

정답 풀이 ❺ (마)에서는 마키아벨리의 사상적 특징을 정리하며 글의 내용을 마무리하고 있을 뿐, 마키아벨리의 주장이 가진 한계나 문제점 등은 언급하지 않았다.

오답 풀이 ① (가)에는 도덕과 정치를 분리하지 않았던 이전의 정치 사상가들과 정치와 도덕을 별개의 영역으로 보았던 마키아벨리를 대조하고 있다.
② (나)에는 마키아벨리가 포르투나를 극복할 수 있는 힘인 비르투를 강조했던 이유를 홍수로 인해 강이 범람한 상황의 예를 들어 설명하고 있다.
③ (다)에서는 마키아벨리가 비르투를 중시했던 이유를 그가 살았던 시대가 역사적으로는 주변국과 교황의 간섭으로 인해 항상 정치 체제가 위협을 받았고, 사회적으로는 시민들이 그러한 현실을 운명으로 받아들였기 때문이라고 설명하고 있다.
④ (라)에서는 저서인 『군주론』에 드러난 마키아벨리의 생각을 구체적으로 보여 주고 있다. 마키아벨리는 이 책에서 정치 변동을 미리 예견하여 방지하고 시민들을 단합시키기 위해 군주가 필요에 따라 사악한 수단을 사용할 필요가 있다고 하였다.

2 세부 내용의 파악

문제 분석 글에 제시된 세부적 정보를 파악하는 문제이다.

정답 풀이 ❺ (다)를 통해 마키아벨리는 '이탈리아의 도시 상업 국가들이 주변국과 교황의 간섭 아래 항상 그 정치 체제의 유지에 위협'을 받고 있다고 생각했으며, 이러한 현실을 운명이라 받아들이는 이탈리아 인들의 태도도 문제라고 생각하고 있다는 것을 알 수 있다. 마키아벨리는 이탈리아가 강한 국가가 되기 위해서는 이러한 환경에 대응할 수 있는 비르투를 가진 군주가 필요하다고 생각했다. (라)에서 알 수 있듯이, 마키아벨리는 이런 문제를 해결하기 위해서는 군주가 시민들의 결속력을 강화시켜야 한다고 보았다.

오답 풀이 ① (나)에서 마키아벨리는 정치 변동이 항상 우연한 사건들에서 비롯된다고 생각했다고 하였다.
② (나)에서 마키아벨리는 '개인이든 국가든 우수한 비르투를 가졌을 때 불운을 최소화하거나 번영할 수 있다고 생각했다.'고 하였다.
③ (가)에서 마키아벨리는 정치를 도덕과 별개의 영역이라고 하였으며, 정치를 도덕과 분리하여 사고하였다고 하였다.
④ (라)에서 마키아벨리는 '군주정 아래에서 인민들이 국가보다는 자신의 이익을 추구하려는 성향을 강하게 보인다고 믿었다'고 하였다.

3 핵심 내용의 추론

문제 분석 글에 제시된 핵심 정보를 바탕으로 〈보기〉에 언급된 정보와

비교하여 부합 여부를 확인하는 문제이다.

정답 풀이 ❷ (라)에서 '군주가 강력한 정치 지도력으로 인민들의 자기 이익 추구 성향을 잠재울 필요가 있다'고 한 것을 통해 ㄱ을 유추할 수 있다. 그리고 '군주가 필요에 따라 간계, 속임수, 폭력과 같은 사악한 수단을 사용할 필요가 있다'는 내용을 통해 ㄷ을 유추할 수 있다.

오답 풀이 국가를 다스리기 전에 자기의 몸을 먼저 다스린다는 내용(ㄴ)과 지도자가 먼저 모범을 보여야 한다는 내용(ㄹ)은 제시문에서 확인할 수 없다.

4 어휘의 문맥적 의미 파악

문제 분석 글의 내용을 효과적으로 전달하기 위해 사용된 어휘의 의미를 정확히 이해하고 있는지 확인하는 문제이다.

정답 풀이 ❶ '발휘하다'는 '재능, 능력 따위를 떨치어 나타내다.'는 뜻이므로, '맡은 일이나 닥친 일을 능히 처리하다'의 의미인 '해내다'로 바꾸는 것은 적절하지 않다.

오답 풀이 ② '범람하다'는 '큰물이 흘러넘치다.'의 의미로 '흘러넘치는'으로 바꿀 수 있다.
③ '수용하다'는 '어떠한 것을 받아들이다.'의 의미로 '받아들이는'으로 바꿀 수 있다.
④ '간파하다'는 '속내를 꿰뚫어 알아차리다.'의 의미로 '꿰뚫고'로 바꿀 수 있다.
⑤ '획득하다'는 '얻어 내거나 얻어 가지다.'의 의미로 '얻기'로 바꿀 수 있다.

소득세와 연말정산

이 글은 소득세를 징수하는 제도와 이를 보완하기 위한 연말정산 제도에 대해 설명하고 있다. 정부는 근로소득에 대한 원천징수 제도를 시행하고 있는데, 이 과정에서 개인의 담세력을 적정하게 측정하기 어렵기 때문에 연말정산 절차를 통해 이를 보완한다. 연말정산 결과 연간 납부한 세금이 자신이 내야 할 세금보다 많다면 차액을 돌려받고, 적었다면 추가로 세금을 납부해야 한다. 연말정산에서의 세금 공제 혜택은 연소득에 따라 공제 혜택에 차등을 둠으로써, 소득세의 누진적 성격을 강화하는 결과를 가진다.

☑ 지문 분석 노트

① 소득세의 개념

② 원천징수 제도에 따른 소득세 징수

③ 근로소득세 부과의 원리

④ 연말정산의 필요성과 절차

⑤ 소득 수준에 따라 차등 적용되는 세금 공제

■ **주제** : 원천징수와 연말정산의 개념

정부의 조세 정책의 원칙 중 하나가 공평 과세, 즉 조세 부담의 공평한 분배이기 때문에 정부는 누구에게 얼마의 조세를 부과할 것인가를 매우 중요하게 생각한다. 정부가 걷는 세금 중 소득세는 모든 소득자가 납세 의무자로, 개인의 소득에 따라 인적 사정을 반영하여 각종 세금 공제를 실시하고, 여러 소득을 종합하여 누진세율에 따라 과세함으로써 공평 과세를 실현하는 조세이다.
소득이 많을수록 세금이 누진적으로 증가함.

소득세는 원칙적으로 과세 소득 산정의 기초를 개인의 신고에 두고 있어서 납세자의 협력 없이는 세원(稅源)을 포착하기 어려우므로 탈세와 조세 마찰*이 유발될 가능성이 높다. 이를 미연에 방지하고 조세 수입을 안정적으로 확보하기 위한 조세 징수 방법이 원천징수 제도이다. 원천징수 제도란 소득 또는 수입 금액을 지급받는 자(원천납세 의무자)가 내야 할 세금을, 지급하는 자(원천징수 의무자)가 정부 대신 징수하는 제도를 말한다. 근로소득의 경우, 고용주가 근로자에게 근로소득을 지급할 때에 법이 정하는 바에 따라 소득세를 원천징수하고 이를 과세 관청에 납부한다. 그러나 사업소득은 원천징수가 불가능하므로, 여전히 사업소득자 본인의 신고를 바탕으로 소득세를 부과한다.
세금을 줄이기 위해 의도적으로 소득을 축소하여 신고할 가능성 / 원천징수 제도의 개념 / 일반적으로 매월 지급받는 급여

그렇다면 원천징수의 대상인 근로소득세는 어떻게 정해지는 것일까? 소득이 있고 그 소득을 벌기 위한 필요 경비의 지출이 있으면, 총소득에서 지출한 필요 경비만큼을 차감한 금액인 종합소득과세표준에 대하여 일정 세율의 소득세를 부과하는 것이 기본 흐름이다. 그러나 필요 경비 지출액을 매월 입증하고 계산하는 것이 너무 번거롭기 때문에, 원천징수 의무자는 일단 국세청에서 정한 간이세액표에 따라 근로자의 필요 경비 지출에 대한 고려 없이 간이 소득세를 계산하고 이를 원천납세 의무자의 급여에서 공제한다.
A / B / A-B / T = (A-B)×t / =고용주 / 결과적으로 근로자는 매월 소득세만큼을 공제한 급여를 지급받게 됨.

그런데 간이세액표를 통한 소득세의 계산은 개인이 처한 인적 사정을 고려하지 않은 것이므로, 개인의 조세 부담 능력, 즉 담세력(擔稅力)을 적정하게 측정한 것이라고 보기는 어렵다. 이를 보완하기 위해 근로소득자에 대한 연말정산 절차가 존재한다. 연말정산이란 법령에서 정한 세금 공제를 반영하여 계산한 최종소득세(결정세액)에서 이미 납부한 간이소득세(원천징수액)를 제한 뒤, 더 낸 세금을 환급해 주거나 덜 낸 세금을 더 징수하는 절차를 말한다. 세금공제의 방식에는 소득공제와 세액공제가 있다. 소득공제는 소득에서 공제 대상 금액을 빼고 남은 금액에 소득세율을 곱하여 세금을 계산하는 방식이고, 세액공제는 계산된 세금(산출세액)에서 공제 대상 금액을 미리 차감함으로써 아예 세금 자체를 깎아주는 방식이다.
부양 가족, 필요 경비의 지출 등 / 핵심어 / 결정세액 - 원천징수액 / 소득공제의 개념 / 세액공제의 개념

근로소득자라면 누구나 연말정산에서 근로소득공제가 적용되며, 또한 부양가족 등을 고려한 인적 공제, 교육비, 의료비, 주택 자금 등 필요 경비 지출을 감안한 특별 공제를 추가로 받게 되는데 구체적인 공제 내역은 개인이 처한 상황에 따라 달라진다. 특히 연소득에 따라 공제 혜택에 차등을 둠으로써, 근로소득이 높을수록 소득세율은 높아지는 반면에 근로소득공제율은 낮아져서 근로소득공제액이 적어지고 또 공제를 받을 수 있는 금액의 한도도 줄어든다. 이같은 연말정산을 통해 저소득 납세 의무자의 납세 부담은 줄어들고 고소득 납세 의무자의 납세 부담은 늘어나게 되어 결과적으로 연말정산이 ㉠소득세의 누진적 성격을 강화하는 셈이 된다. 이는 사회적으로 소득 계층 간 수직적 재분배를 유도하는 측면이 있으나, 근로소득자와 사업소득자 간의 세금 부담 불공평 문제에 대한 논란을 야기하고 있다.
「 」: 근로소득에 따른 차등적 공제 혜택 / 연말정산의 한계

1 세부 정보의 파악

문제 분석 글에 제시된 사실적 정보들을 파악하여 이를 바탕으로 내용을 이해하는 문제이다.

정답 풀이 ❸ 2문단에서 '고용주가 근로자에게 근로소득을 지급할 때에 법이 정하는 바에 따라 소득세를 원천징수하고 이를 과세 관청에 납부한다.'고 하였다. 즉 이러한 원천징수 방법에 의해 소득세를 납부한 사람은 근로자로, 고용주 본인이 아니다. 1문단에서 소득세는 모든 소득자를 납세 의무자로 삼는다고 하였으므로, 고용주 역시 사업 소득자로서 소득세를 내야 할 의무가 있다. 따라서 고용주는 따로 소득 신고를 하여 자신의 소득세 납세 의무를 이행해야 한다.

오답 풀이 ① 4문단에서 '소득공제는 소득에서 공제 대상 금액을 빼고 남은 금액에 소득세율을 곱하여 세금을 계산하는 방식'이라고 하였다. 따라서 공제 항목이 동일하다면 소득세율이 높을수록 소득공제를 통해 감면받는 세액이 많아지고 반면에 소득세율이 낮으면 소득공제를 통해 감면받는 세액이 적어진다.

② 2문단에 따르면, 원천징수 제도에 의해서 근로소득자는 근로소득을 지급받을 때 이미 고용주로부터 소득세를 공제한 금액을 받는다. 그러나 '사업소득은 원천징수가 불가능하므로, 여전히 사업소득자 본인의 신고를 바탕으로 소득세를 부과한다.'고 하였다. 따라서 근로소득은 사업소득에 비해 세원의 투명성을 확보하는 것이 쉽다고 할 수 있다.

④ 5문단에서 '연소득에 따라 공제 혜택에 차등'이 있다고 하였다. 즉 근로소득이 높을수록 근로소득공제율이 낮아지므로 근로소득공제액이 줄어들고, 공제를 받을 수 있는 금액의 한도도 줄어든다. 따라서 인적 공제, 특별 공제 등의 공제받을 항목이 동일하다면 연말정산 결과 저소득 근로자가 받을 공제 혜택이 고소득 근로자의 공제 혜택보다 클 것으로 추측할 수 있다.

⑤ 4문단에서 연말정산은 '세금 공제를 반영하여 계산한 최종소득세(결정세액)에서 이미 납부한 간이소득세(원천징수액)를 제한 뒤, 더 낸 세금을 환급해 주거나 덜 낸 세금을 더 징수하는 절차'라고 하였다. 따라서 결정세액에서 간이소득세를 뺀 값이 (+)이면 세금을 덜 낸 것이므로 차액만큼을 추가로 납부해야 하고, (-)이면 세금을 더 낸 것이므로 차액만큼을 환급받아야 한다.

2 구체적 상황에 적용

문제 분석 글의 내용을 이해하여 〈보기〉에 적용하는 문제이다.

정답 풀이 ❶ 5문단에서 '근로소득이 높을수록 소득세율은 높아지는 반면에 근로소득공제율은 낮아져서 근로소득공제액이 적어지고 또 공제를 받을 수 있는 금액의 한도도 줄어든다.'고 하였다. 따라서 ⓐ'총급여'가 증가하면 여기에 적용되는 근로소득공제율은 낮아지므로 ⓒ'근로소득공제'가 커지지는 않는다.

오답 풀이 ② 4문단에서 연말정산이란 '최종소득세(결정세액)에서 이미 납부한 간이소득세(원천징수액)를 제한 뒤 더 낸 세금을 환급해 주거나 덜 낸 세금을 더 징수하는 절차'라고 하였다. 따라서 ⓑ'원천징수액'의 증가나 감소는 최종소득세의 계산 단계에서는 영향을 미치지 않는다.

③ 3문단에서 '근로소득세는 총소득에서 필요 경비만큼을 차감한 금액인 종합소득과세표준에 대하여 일정 세율의 소득세를 부과하는 것'이라고 하였다. 〈보기〉에서 종합소득과세표준은 총급여에서 근로소득공제와 소득공제를 차감하여 계산한 금액이라고 하였으므로, ⓐ'총급여'에서 ⓒ'근로소득공제'와 ⓓ'소득공제 계'를 차감한 금액에 대해 소득세를 부과하게 된다.

④ 5문단에서 근로소득자는 연말정산을 할 때 부양가족 여부를 고려한 인적 공제를 받을 수 있다고 하였다. 〈보기〉의 A씨는 부양가족이 없어서 인적 공제로는 기본 공제만을 받았지만, 만약 A씨에게 부양가족이 있다면 소득공제 또는 세액공제의 방식으로 세금 공제를 더 받게 될 것이다.

⑤ 〈보기〉의 모의 연말정산 결과, A씨가 내야 하는 최종 소득세(결정세액)는 2,820,000원이다. 그런데 A씨는 이미 3,300,000원을 원천징수에 의해 납부하였으므로 세금을 더 많이 낸 셈이다. 따라서 A씨는 결정세액에서 원천징수액을 뺀 480,000원을 환급받게 될 것이다.

3 구체적 상황에 적용

문제 분석 글에서 설명한 개념을 구체적인 사례에 적용해 보는 문제이다.

정답 풀이 ❺ 5문단에서 '근로소득이 높을수록 소득세율은 높아지는 반면에 근로소득공제율은 낮아져서 근로소득공제액이 적어지고 또 공제를 받을 수 있는 금액의 한도도 줄어든다.'고 하였다. 총급여가 7천만 원을 초과하는 경우에는 총급여가 5천 5백만 원 이하인 경우보다 세액공제액이 적다는 것은 소득세의 누진적 성격을 강화하는 사례라고 볼 수 있다(ㄷ). 이자, 배당 등을 합산한 금융 소득 금액이 4,000만 원을 초과하지 않고, 총급여가 7천만 원 이하인 근로 소득자에 대해서만 월세 세액공제가 가능하다는 것도 소득세의 누진적 성격을 보여 주는 사례라고 할 수 있다(ㄹ).

오답 풀이 ㄱ. 소득자가 연말정산에서 따로 세금 공제를 신청하지 않은 경우에 근로소득자는 12만 원을, 사업소득자는 7만 원을 일괄 세액공제한다는 것은 근로소득자에게 세액공제 혜택을 더 많이 준다는 것을 보여 주는 사례이다. 이는 소득 수준에 따라 공제액에 차이를 둔 것이 아니라는 점에서 소득세의 누진적 성격과 직접적인 관련이 있다고 보기는 어렵다.

ㄴ. 공제 항목의 성격에 따라 공제율을 다르게 설정한 것으로, 소득의 많고 적음에 따라 공제율에 차등을 둔 것이 아니라는 점에서 소득세의 누진적 성격을 드러내는 사례라고 보기 어렵다.

생각줍기···
Cartoon Allegory

'지게꾼'에겐
빈 지게가
가장 무거운 짐이지만

'지식꾼'에겐
앎은 쌓일수록
가벼워진다···

다만 배운 만큼 다시 돌려줘야 할 '짐'은 커진다···

kimyh@hani.co.kr

SUB NOTE · 정답 및 해설

제 Ⅲ 부

예술

추사 김정희의 묵란화

이 글은 난초에 관념을 투영하여 형상화한 그림인 묵란화의 특징을 중심으로, 추사 김정희의 〈석란〉과 〈부작란도〉에 드러난 그의 예술 세계에 대해 설명하고 있다. 김정희가 25세에 그린 〈석란〉은 당시 문인들의 공통적 이상을 드러내고 있다. 하지만 유배 생활 이후인 69세에 그린 것으로 추정되는 〈부작란도〉에서는 거친 갈필로 자신의 경험에서 느낀 세계와 묵란화 표현 방법을 일치시켜, 문인 공통의 이상을 표출하는 관습적인 표현을 넘어선 자신만의 감정을 충실히 드러낸 세계를 창출했다고 하였다.

☑ 지문 분석 노트

1 문인들의 교양과 감성을 드러내는 묵란화

2 김정희가 젊은 시절에 그린 〈석란〉에 드러나는 전형성

3 유배 생활로 인한 김정희의 예술 세계 변화

4 〈부작란도〉를 통해 자신만의 감정을 충실히 드러낸 김정희

5 〈부작란도〉에 표현된 김정희의 예술적 감성

■ 주제 : 묵란화에 나타난 추사 김정희의 예술 세계

먹으로 난초를 그린 묵란화는 사군자의 하나인 난초에 관념을 투영하여 형상화한 그림으로, 여느 사군자화와 마찬가지로 군자가 마땅히 지녀야 할 품성을 담고 있다. 묵란화는 중국 북송 시대에 그려지기 시작하여 우리나라를 포함한 동북아시아 문인들에게 널리 퍼졌다. 문인들에게 시, 서예, 그림은 나눌 수 없는 하나였다. 이런 인식은 묵란화에도 이어져 난초를 칠 때는 글씨의 획을 그을 때와 같은 붓놀림을 구사했다. 따라서 묵란화는 문인들이 인문적 교양과 감성을 드러내는 수단이 되었다. *(묵란화의 개념 / 묵란화의 유래와 전파 / 묵란화의 가치)*

추사 김정희가 25세 되던 해에 그린 ㉠〈석란(石蘭)〉은 당시 청나라에서도 유행하던 전형적인 양식을 따른 묵란화이다. 화면에 공간감과 입체감을 부여하는 잎새들은 가지런하면서도 완만한 곡선을 따라 늘어져 있으며, 꽃은 소담하고 정갈하게 피어 있다. 도톰한 잎과 마른 잎, 둔중한 바위와 부드러운 잎의 대비가 돋보인다. 난 잎의 조심스러운 선들에서는 단아한 품격을, 잎들 사이로 핀 꽃에서는 고상한 품위를, 묵직한 바위에서는 돈후한 인품을 느낄 수 있으며 당시 문인들의 공통적 이상이 드러난다. *(「」: 〈석란〉의 특징과 전형적 상징성)*

평탄했던 젊은 시절과 달리 김정희의 예술 세계는 49세부터 장기간의 유배 생활을 거치면서 큰 변화를 보인다. 글씨는 맑고 단아한 서풍에서 추사체로 알려진 자유분방한 서체로 바뀌었고, 그림도 부드럽고 우아한 화풍에서 쓸쓸하고 처연한 느낌을 주는 화풍으로 바뀌어 갔다. *(김정희의 예술 세계의 변화 계기 / 「」: 김정희의 예술 세계의 변화 양상)*

생을 마감하기 일 년 전인 69세 때 그렸다고 추정되는 ㉡〈부작란도(不作蘭圖)〉는 이러한 변화를 잘 보여 준다. 담묵의 거친 갈필로 화면 오른쪽 아래에서 시작된 몇 가닥의 잎은 왼쪽에서 불어오는 바람을 맞아, 오른쪽으로 뒤틀리듯 구부러져 있다. 그중 유독 하나만 위로 솟구쳐 올라 허공을 가르지만, 그 잎 역시 부는 바람에 속절없이 꺾여 있다. 그 잎과 평행한 꽃대 하나, 바람에 맞서며 한 송이 꽃을 피웠다. 바람에 꺾이고, 맞서는 난초 꽃대와 꽃송이에서 세파에 시달려 쓸쓸하고 황량해진 그의 처지와 그것에 맞서는 강한 의지를 느낄 수 있다. 우리는 여기에서 김정희가 자신의 경험에서 느낀 세계와 묵란화의 표현 방법을 일치시켜, 문인 공통의 이상을 표출하는 관습적인 표현을 넘어 자신만의 감정을 충실히 드러낸 세계를 창출했음을 알 수 있다. *(「」: 〈부작란도〉의 특징과 상징성 / 〈부작란도〉에 담긴 김정희의 작품 세계)*

묵란화에는 종종 심정을 적어 두기도 했다. 김정희도 〈부작란도〉에 '우연히 그린 그림에서 참모습을 얻었다'고 적어 두었다. 여기서 우연히 얻은 참모습을 자신이 처한 모습을 적절하게 표현하는 것이라 한다면 이때 우연이란 요행이 아니라 오랜 기간 훈련된 감성이 어느 한 순간의 계기에 의해 표출된 필연적인 우연이라고 해야 할 것이다. *(〈부작란도〉에 대한 김정희의 심정)*

1 내용 전개 방식의 파악

문제 분석 글의 내용을 효과적으로 전달하기 위해 사용된 글쓰기 방식을 파악하는 문제이다.

정답 풀이 ❶ 1문단에서 묵란화의 개념과 특징을 소개하고, 2문단에서 〈석란〉을 통해 젊은 시절 김정희의 작품 세계를 설명하였다. 3문단에서는 유배 생활로 인해 김정희의 예술 세계가 변화했음을 언급하고, 4~5문단에서는 〈부작란도〉를 통해 김정희의 변화된 예술 세계를 설명하고 있다. 따라서 이 글은 구체적인 작품을 사례로 제시하며 작가의 삶과 작품 세계를 설명하고 있음을 알 수 있다.

오답 풀이 ② 김정희의 후대 작가에 대해서는 언급하지 않았다.
③ 김정희의 삶과 작품을 살펴보고 있지만, 이것을 특정한 입장이라고 보기는 어렵다. 또한 작가와 작품에 대한 역사적 논란을 소개하지도 않았다.
④ 김정희의 작품에 대한 다양한 해석이나 통념적인 이해에 대한 비판은 찾아볼 수 없다.
⑤ 〈석란〉과 〈부작란도〉를 대조적인 성격의 작품으로 볼 수는 있으나, 이를 통해 예술의 대중화 과정을 분석하지는 않았다.

2 세부 정보의 파악

문제 분석 글에 제시된 세부적 정보를 파악하는 문제이다.

정답 풀이 ❺ 1문단에서 묵란화에서 '난초를 칠 때는 글씨의 획을 그을 때와 같은 붓놀림을 구사했다.'고 하였다. 3문단에서는 유배 생활 이후 김정희의 화풍이 바뀌어 갔다고 했지만, 말년에 서예의 필법을 쓰지 않는 묵란화를 그렸다는 내용은 언급되지 않았다.

오답 풀이 ① 1문단에서 묵란화는 '여느 사군자화와 마찬가지로 군자가 마땅히 지녀야 할 품성을 담고 있다.'고 하였다.
② 1문단에서 '묵란화는 사군자의 하나인 난초에 관념을 투영하여 형상화한 그림'이라고 하였다.
③ 3문단에서 김정희가 유배 생활을 거치면서 글씨는 맑고 단아한 서풍에서 자유분방한 서체로 바뀌었고, 그림은 부드럽고 우아한 화풍에서 쓸쓸하고 처연한 느낌을 주는 화풍으로 바뀌어 갔다고 하였다.
④ 1문단에서 '묵란화는 중국 북송 시대에 그려지기 시작하여 우리나라를 포함한 동북아시아 문인들에게 널리 퍼졌다.'고 하였다.

3 핵심 정보의 파악

문제 분석 글에 제시된 핵심 정보를 파악하여 이를 바탕으로 내용을 이해하는 문제이다.

정답 풀이 ❹ 〈부작란도〉에서 유독 하나만 위로 솟구쳐 올랐다가 바람에 속절없이 꺾인 잎은 '세파에 시달려 쓸쓸하고 황량해진' 김정희의 처지를 드러내는 것으로 볼 수 있으며, 바람에 맞서는 꽃대와 꽃송이에서는 자신의 처지에 맞서는 김정희의 강한 의지를 느낄 수 있다고 하였다. 이는 유배 생활로 인한 김정희의 쓸쓸하고 황량한 처지와 강한 의지를 표현한 것이지 지식을 추구했던 과거의 삶과 단절하겠다는 의지를 표현한 것으로는 볼 수 없다.

오답 풀이 ① 〈석란〉의 난 잎에서 '단아한 품격'을 느낄 수 있다고 하였고, 김정희는 젊은 시절 평탄한 삶을 살았다고 하였다.
② 〈석란〉의 소담하고 정갈하게 피어 있는 꽃에서는 '고상한 품위'를 느낄 수 있다고 하였다.
③ 〈부작란도〉의 바람에 맞아 뒤틀리듯 구부러져 있는 잎에서는 '세파에 시달려 쓸쓸하고 황량해진' 김정희의 처지를 느낄 수 있다고 하였다.
⑤ 1문단에서 '묵란화는 문인들이 인문적 교양과 감성을 드러내는 수단'이라고 하였다. 따라서 김정희는 두 작품에 그려진 난초를 통해 자신의 인문적 교양과 감성을 표현했다고 볼 수 있다.

4 자료를 통한 내용의 파악

문제 분석 예술 작품에 대한 관점을 다룬 〈보기〉를 바탕으로 글의 내용을 깊이 있게 이해하는 문제이다.

정답 풀이 ❺ 4문단에서 김정희는 〈부작란도〉를 통해 '문인 공통의 이상을 표출하는 관습적인 표현을 넘어 자신만의 감정을 충실히 드러낸 세계를 창출'했다고 하였다. 이는 〈보기〉에서 설명한 '문화적 축적 속에서 새롭게 의미를 찾아 형식화하는 것'으로 볼 수 있다. 따라서 〈부작란도〉에서 자신만의 감정을 드러내는 세계를 창출했다는 것은 단순히 축적된 문화로부터 멀어지려 한 것으로 보기 어렵다.

오답 풀이 ① 2문단에서 〈석란〉은 '당시 청나라에서도 유행하던 전형적인 양식을 따른 묵란화'라고 하였으므로, 당시 문인화의 전통을 그대로 수용한 것으로 볼 수 있다.
② 3문단에서 김정희의 서풍이 유배 생활을 거치면서 맑고 단아한 것에서 자유분방한 추사체로 바뀌었다고 하였다. 따라서 추사체가 전통의 답습에 머무르지 않았다는 것을 추측할 수 있다.
③ 4문단에서 김정희는 '자신의 경험에서 느낀 세계와 묵란화의 표현 방법을 일치시켜' 〈부작란도〉를 그렸고, 5문단에서 이를 통해 '참모습을 얻었다'고 밝혔다. 〈보기〉에서 '내용과 형식이 꼭 맞게 이루어진 예술 작품에서 감동을 받는다.'고 하였으므로, 김정희가 〈부작란도〉에서 참모습을 얻었다고 한 것은 의미가 그에 걸맞은 형식을 만난 것이라 할 수 있다.
④ 1문단에서 '문인들에게 시, 서예, 그림은 나눌 수 없는 하나'였고, '난초를 칠 때는 글씨의 획을 그을 때와 같은 붓놀림을 구사했다.'고 하였다. 그리고 〈보기〉에서 '예술 작품의 형식은 그것이 속한 문화 속에서 형성되어 온 것'이고, '이 형식을 이해하고 능숙하게 익히는 것은 작가에게도 매우 중요한 일'이라고 하였다. 따라서 김정희가 시, 서예, 그림 모두에 능숙했다는 것은 여러 가지 표현 양식을 이해하고 익힌 것이라고 볼 수 있다.

이차 프레임의 기능_김호영

이 글은 영화나 사진 등의 시각 매체에서 사용되는 이차 프레임의 개념과 기능에 대해 설명하고 있다. 이차 프레임은 프레임 안의 또 다른 프레임을 만드는 것으로, '안에 있는 프레임'을 말한다. 이차 프레임의 일반적 기능은 크게 세 가지로 구분할 수 있다. 먼저 화면 안의 인물이나 물체에 대한 시선을 유도하는 기능을 한다. 그리고 작품의 주제나 내용을 암시하기도 한다. 마지막으로 '이야기 속 이야기'인 액자형 서사 구조를 지시하는 기능을 한다. 그런데 현대에 이를수록 시각 매체 작가들은 이차 프레임 범례에서 벗어나는 여러 시도들을 통해 다양한 효과를 끌어내기도 한다고 하였다.

☑ 지문 분석 노트

1 프레임과 이차 프레임의 개념과 특징

2 이차 프레임의 기능 ① – 시선 유도 기능

3 이차 프레임의 기능 ② – 주제나 내용 암시

4 이차 프레임의 기능 ③ – 액자형 서사 구조 지시

5 이차 프레임의 범례에서 벗어나는 다양한 시도

■ 주제 : 이차 프레임의 개념과 기능

프레임(frame)은 영화와 사진 등의 시각 매체에서 화면 영역과 화면 밖의 영역을 구분하는 경계로서의 틀을 말한다. 카메라로 대상을 포착하는 행위는 현실의 특정한 부분만을 떼어 내 프레임에 담는 것으로, 찍는 사람의 의도와 메시지를 내포한다. 그런데 문, 창, 기둥, 거울 등 주로 사각형이나 원형의 형태를 갖는 물체들을 이용하여 프레임 안에 또 다른 프레임을 만드는 경우가 있다. 이런 기법을 '이중 프레이밍', 그리고 안에 있는 프레임을 '이차 프레임'이라 칭한다.

이차 프레임의 일반적인 기능은 크게 세 가지로 구분할 수 있다. 먼저, 화면 안의 인물이나 물체에 대한 시선 유도 기능이다. 대상을 틀로 에워싸기 때문에 시각적으로 강조하는 효과가 있으며, 대상이 작거나 구도의 중심에서 벗어나 있을 때도 존재감을 부각하기가 용이하다. 또한 프레임 내 프레임이 많을수록 화면이 다층적으로 되어, 자칫 밋밋해질 수 있는 화면에 깊이감과 입체감이 부여된다. 광고의 경우, 설득력을 높이기 위해 이차 프레임 안에 상품을 위치시켜 주목을 받게 하는 사례들이 있다.

다음으로, 이차 프레임은 작품의 주제나 내용을 암시하기도 한다. 이차 프레임은 시각적으로 내부의 대상을 외부와 분리하는데, 이는 곧잘 심리적 단절로 이어져 구속, 소외, 고립 따위를 환기한다. 그리고 이차 프레임 내부의 대상과 외부의 대상 사이에는 정서적 거리감이 ⓐ조성(造成)되기도 한다. 어떤 영화들은 작중 인물을 문이나 창을 통해 반복적으로 보여 주면서, 그가 세상으로부터 격리된 상황을 암시하거나 불안감, 소외감 같은 인물의 내면을 시각화하기도 한다.

마지막으로, 이차 프레임은 '이야기 속 이야기'인 액자형 서사 구조를 지시하는 기능을 하기도 한다. 일례로, 어떤 영화는 작중 인물의 현실 이야기와 그의 상상에 따른 이야기로 구성되는데, 카메라는 이차 프레임으로 사용된 창을 비추어 한 이야기의 공간에서 다른 이야기의 공간으로 들어가거나 빠져나온다.

그런데 현대에 이를수록 시각 매체의 작가들은 ㉠이차 프레임의 범례에서 벗어나는 시도들로 다양한 효과를 끌어내기도 한다. 가령 이차 프레임 내부 이미지의 형체를 식별하기 어렵게 함으로써 관객의 지각 행위를 방해하여, 강조의 기능을 무력한 것으로 만들거나 서사적 긴장을 유발하기도 한다. 또 문이나 창을 봉쇄함으로써 이차 프레임으로서의 기능을 상실시켜 공간이나 인물의 폐쇄성을 드러내기도 한다. 혹은 이차 프레임 내의 대상이 그 경계를 넘거나 파괴하도록 하여 호기심을 자극하고 대상의 운동성을 강조하는 효과를 낳는 사례도 있다.

1 세부 정보의 파악

문제 분석 글에 제시된 세부적 정보의 정확성을 확인하는 문제이다.

정답 풀이 ❹ 3문단에서 이차 프레임은 '시각적으로 내부의 대상을 외부와 분리'한다고 하였고, 그 둘 사이에는 '정서적 거리감이 조성되기도 한다.'고 하였다. 따라서 이차 프레임 내부의 인물과 외부의 인물 사이에 일체감이 형성된다고 볼 수 없다.

오답 풀이 ① 1문단에서 '카메라로 대상을 포착하는 행위는 현실의 특정한 부분만을 떼어 내 프레임에 담는 것으로, 찍는 사람의 의도와 메시지를 내포한다.'고 하였다.
② 2문단에서 '프레임 내 프레임이 많을수록 화면이 다층적으로 되어' '화면에 깊이감과 입체감이 부여된다.'고 한 것에서 이차 프레임 내에 또 다른 프레임을 만들 수 있음을 알 수 있다.
③ 3문단에서 '이차 프레임은 시각적으로 내부의 대상을 외부와 분리하는데, 이는 곧잘 심리적 단절로 이어져 구속, 소외, 고립 따위를 환기한다.'고 하였다.
⑤ 4문단에서 '카메라는 이차 프레임으로 사용된 창을 비추어 한 이야기의 공간에서 다른 이야기의 공간으로 들어가거나 빠져나온다.'고 한 것에서 알 수 있다.

2 자료 해석의 적절성 파악

문제 분석 글의 내용을 구체적인 상황인 〈보기〉를 통해 이해해 보는 문제이다.

정답 풀이 ❺ 〈보기〉의 사진에서 ㉮'자동차의 열린 뒷문의 창'은 프레임 안에 또 다른 프레임으로 들어가 이차 프레임으로서의 역할을 하고 있다. 즉 ㉮를 통해 눈에 잘 띄지 않는 한 인물을 시각적으로 강조하고 있다. 1문단에서 '문, 창, 기둥, 거울 등 주로 사각형이나 원형의 형태를 갖는 물체들을 이용하여 프레임 안에 또 다른 프레임을 만'든다고 하였다. 따라서 ㉮를 원형의 빈 액자 틀로 바꾸더라도 이차 프레임이 만들어진다고 볼 수 있다.

오답 풀이 ① 2문단에서 '프레임 내 프레임이 많을수록 화면이 다층적으로 되어' '화면에 깊이감과 입체감이 부여된다.'고 하였다. 따라서 ㉮로 인해 화면은 평면적이 아니라 입체적으로 느껴지게 된다.
② 5문단에서 '문이나 창을 봉쇄함으로써 이차 프레임으로서의 기능을 상실시켜 공간이나 인물의 폐쇄성을 드러내기도 한다.'고 하였다. 따라서 폐쇄성을 강조하려면 ㉮를 없애는 것이 아니라 봉쇄해야 한다.
③ 2문단에서 이차 프레임은 '대상을 틀로 에워싸기 때문에 시각적으로 강조하는 효과가 있다'고 하였다. 따라서 ㉮로 인해 창 테두리 외부 풍경이 아니라 창 테두리 안에 있는 인물이 강조된다.
④ 2문단에서 이차 프레임은 '대상이 작거나 구도의 중심에서 벗어나 있을 때도 존재감을 부각하기가 용이하다.'고 하였다. 따라서 ㉮가 없다면, ㉮ 안의 인물의 존재감은 약화될 것이다.

3 구체적 사례에 적용

문제 분석 글에 제시된 개념의 특징을 이해하여 구체적 사례에 적용하는 문제이다.

정답 풀이 ❹ ㉠은 이차 프레임의 일반적인 기능에서 벗어난 현대 시각 매체 작가들의 시도를 의미한다. 그런데 ④처럼 반쯤 열린 창틈을 통해서 그 안의 화목한 가족의 모습을 보여 주는 것은 이차 프레임의 범례에서 벗어나는 시도가 아니라 일반적인 이차 프레임의 기능에 해당한다.

오답 풀이 ① 인물의 팔과 다리가 틀을 빠져나와 있는 것은, 5문단에 따르면 '이차 프레임 내의 대상이 그 경계를 넘거나 파괴하도록 하여 호기심을 자극하고 운동성을 강조하는 효과'를 낳고 있다고 볼 수 있다.
② 주인공이 속한 공간의 문이나 창이 항상 닫혀 있다는 것은, 5문단에 따르면 '문이나 창을 봉쇄함으로써 이차 프레임의 기능을 상실시켜 인물의 폐쇄성을 드러내'는 경우라고 할 수 있다.
③ 이차 프레임 안을 실체를 불분명한 물체의 이미지로 처리한 것은, 5문단에 따르면 '관객의 지각 행위를 방해하여 강조의 기능을 무력화한 것으로 만'든 경우에 해당한다.
⑤ 이차 프레임인 차창을 줄곧 뿌옇게 보이게 하는 것은, 5문단에 따르면 '이차 프레임 내부 이미지의 형체를 식별하기 어렵게 함으로써' 강조의 기능을 상실시키는 경우로 볼 수 있다.

4 문맥적 의미의 파악

문제 분석 글의 내용을 효과적으로 전달하기 위해 사용된 어휘의 의미를 정확하게 이해하고 있는지 확인하는 문제이다.

정답 풀이 ❺ ⓐ의 '조성(造成)되다'는 글의 문맥상, '분위기나 정세 따위가 만들어지다.'라는 의미를 가진다. 그러므로 '어떤 형상이 이루어지다.'는 의미의 '형성(形成)되다'로 바꾸어 쓸 수 있다.

오답 풀이 ① '결성(結成)되다'는 '조직이나 단체 따위가 짜여 만들어지다.'의 의미이다.
② '구성(構成)되다'는 '몇 가지 부분이나 요소들이 모여 일정한 전체가 짜여 이루어지다.'라는 의미이다.
③ '변성(變成)되다'는 '변하여 다르게 되다.'라는 의미이다.
④ '숙성(熟成)되다'는 '충분히 이루어지다.'라는 의미이다.

건축에 드러난 휴먼 스케일_임석재

이 글은 휴먼 스케일의 개념과 그 특징을 밝히면서 구체적인 예를 통해 서양과 한국 건축에 나타난 휴먼 스케일에 대해 설명하고 있다. 서양에서의 휴먼 스케일은 인체의 비례 체계를 모방한 척도를 문법적 규칙처럼 사용한 것으로, 도리스 양식과 이오니스 양식이 쓰인 건축물에서 이를 찾아 볼 수 있다고 하였다. 반면 한국 전통 건축의 휴먼 스케일은 인체의 척도를 체험적 대상으로 보았는데, 한옥의 툇마루에서 이를 찾아 볼 수 있다고 하였다.

✔ 지문 분석 노트

① 휴먼 스케일의 개념과 특성

② 서양에서 사용된 휴먼 스케일과 예

③ 인체의 비례 체계가 적용된 건축의 예

④ 한국 건축에 사용된 휴먼 스케일과 그 특징

⑤ 체험적 휴먼 스케일의 사례와 효과

■ 주제 : 서양 건축과 한국 전통 건축에 드러난 휴먼 스케일

대형 건축물 없이도 뛰어난 문명을 꽃피웠던 그리스 시대와 르네상스 시기 건축의 공통점은 인본주의를 바탕으로 삼았다는 점이다. 이 시기에는 사람의 행복이 모든 학문과 기술의 목표였으며 건물 부재들의 위치와 규모 등도 모두 인체를 기준으로 결정되었다. 건물의 크기인 스케일이 인체 크기의 배수로 환원될 수 있는 규모를 ㉠휴먼 스케일이라고 하는데, 이는 건물을 구성하는 여러 요소들이 인체의 크기와 적절한 조화를 이루며 각각의 사용 기능을 암시할 때 구현된다. 또한 건물을 사용하는 과정에서 인체에 대한 끊임없는 연상 작용이 일어날 때 사람들은 체험적 휴먼 스케일적 느낌을 갖게 된다.

서양에서 휴먼 스케일은 휴머니즘을 기본 사조로 삼은 고전주의 건축물에서 주로 사용됐다. 실제로 서양 고전 건축에서는 인체의 비례 체계를 모방한 척도를 문법적 규칙으로 만들어 통용했다. 예를 들어 고전 건축의 완성을 이룩했던 그리스 인들은 네 개의 손가락 폭이 모여 손바닥 길이가 되고, 다시 네 개의 손바닥 길이가 모여 하나의 발바닥 길이가 되고, 여섯 개의 발바닥 길이가 모여 신장이 된다는 인체 비례 체계를 찾아냈다. 또 인체 각 부위의 길이를 지칭하는 단어를 도량형 단위로 쓰기도 했다.

그리스 신전에서도 기둥을 비롯한 각 부재의 크기에 인체의 비례 체계가 적용되었다. 인체에서는 손가락 폭이 비례 체계를 형성하는 출발점이듯 그리스 신전에서는 기둥의 반지름이 그런 역할을 했다. 기둥의 반지름만 정해지면 신전의 모든 부재의 크기는 기둥 반지름의 배수로 표시되었다. 남성의 몸을 본떠 만들었다는 도리스 양식에서는 기둥과 기둥 사이의 간격이 기둥 반지름의 네 배로, 기둥의 높이는 열네 배로 정해졌다. 그리고 여성의 몸을 본떠 만든 이오니아 양식에서는 이보다 좀 더 세장(細長)한 여섯 배와 열여덟 배의 척도가 쓰였다. 이와 같은 휴먼 스케일의 법칙은 고전 건축이 대표적인 건축 양식이었던 18세기까지 비교적 엄격하게 지켜지며 사용되었다. 요즘에도 고전 건축의 권위를 따르는 일부 서양 건축가들은 숫자 대신 휴먼 스케일 척도를 사용하기도 한다.

한국 전통 건축 또한 이와 유사한 특징을 보이는데, 서양과는 달리 인체의 척도를 체험적 대상으로 보았다. 한국의 전통 건축물들이 아담하고 편안하게 느껴지는 이유는 사람들이 건물 앞에 섰을 때 그 크기를 인체의 크기로 환원하여 가늠할 수 있기 때문이다. 크기의 차이에서 오는 이질감이 적기 때문에 그만큼 건물이 친숙하게 느껴지는 것이다.

툇마루는 한국 전통 건물만이 갖는 휴먼 스케일의 뛰어난 예다. 툇마루는 보통 사람의 무릎 높이이다. 무릎은 '슬하(膝下)'라든가 '무릎을 맞대고' 혹은 '무릎을 꿇다' 등의 표현에서 알 수 있듯이 인체 가운데에서도 특별한 의미를 지닌 부위이다. 즉, 무릎을 굽히면 더 이상 서 있지 않은 상태가 되는 것처럼, 무릎은 사람이 서 있는지 아닌지를 결정하는 기준이 된다. 툇마루는 무릎을 굽히고 걸터앉으면 딱 알맞은 높이이다. 그러면서도 서 있는 상태와 유사한 눈높이를 유지하게 한다. 툇마루를 오르내리면서 사람들은 무릎이라는 자신의 신체에 대한 연상을 하루에도 여러 번 하게 된다. 이처럼 툇마루는 사용자가 무릎에 특별한 신경을 쓰게 만드는 동시에 서 있는 상태의 느낌도 갖게 함으로써 신체에 대한 이중의 연상 작용을 일으킨다.

1 내용 전개 방식의 파악

문제 분석 글의 내용을 효과적으로 전달하기 위해 사용된 내용 전개 방식을 파악하는 문제이다.

정답 풀이 ❺ 1문단에서 글의 핵심적인 용어인 휴먼 스케일의 개념을 정의하였고, 3문단에서 도리스 양식과 이오니아 양식, 5문단에서 한국 전통 건축의 툇마루에 나타난 휴먼 스케일을 예로 들어 설명하고 있다.

오답 풀이 ① 휴먼 스케일이 사용된 예를 들고는 있으나 장단점을 설명하고 있는 것은 아니다.
② 서양의 고전주의 건축과 한국 전통 건축에 나타난 휴먼 스케일의 예를 설명하고 있을 뿐, 휴먼 스케일의 시대별 변화 양상에 대한 내용은 나타나 있지 않다.
③ 건축에서 휴먼 스케일을 사용한 것을 현상으로 보기는 어려우며, 배경이나 원인도 찾아볼 수 없다.
④ 기존 이론이나 그것과 대비되는 사례는 나타나 있지 않다.

2 세부 정보의 파악

문제 분석 글에 제시된 세부적 정보들을 파악하는 문제이다.

정답 풀이 ❸ 2문단에서 서양의 휴먼 스케일은 '인체의 비례 체계를 모방한 척도를 문법적 규칙으로 만들어 통용했다.'고 하였다. 그리고 3문단에서 '고전 건축의 권위를 따르는 일부 서양 건축가들은 숫자 대신 휴먼 스케일 척도를 사용하기도 한다.'고 하였다. 따라서 서양의 고전 건축을 계승한 건축가들은 인체의 비례 체계를 사용했음을 알 수 있다. 건축을 인체의 체험적 대상으로 본 것은 한국의 전통 건축이다.

오답 풀이 ① 1문단에서 '그리스 시대와 르네상스 시기 건축의 공통점은 인본주의를 바탕으로 삼았다는 점이다.'라고 하였다.
② 5문단에서 '툇마루를 오르내리면서 사람들은 무릎이라는 자신의 신체에 대한 연상을 하루에도 여러 번 하게 된다.'고 하였다.
④ 3문단에서 '그리스 신전에서도 기둥을 비롯한 각 부재의 크기에 인체의 비례 체계가 적용되었다.'고 하였다.
⑤ 4문단에서 한국의 전통 건축물들은 '사람들이 건물 앞에 섰을 때 그 크기를 인체의 크기로 환원하여 가늠할 수 있기 때문'에 이질감이 적어 편안함과 친숙함을 느낄 수 있다고 하였다.

3 구체적 사례에 적용

문제 분석 글에서 설명한 개념을 구체적인 사례에 적용해 보는 문제이다.

정답 풀이 ❸ 캄피돌리오 광장이 원으로 설계되었다는 특성만 언급되었을 뿐, 인체를 기준으로 만들어진 것인지는 언급되지 않았다.

오답 풀이 ① 한옥의 문을 드나들면서 자신의 몸에 대해 각성을 한

다는 것은 몸에 대해 끊임없는 연상 작용이 일어나는 것이므로, 한옥의 문은 체험적 휴먼 스케일이 적용된 것이라고 할 수 있다.
② 장곡사 하대웅전의 마당이 주변 건물들을 인지할 수 있는 범위 내에서 만들어져 그곳에서 편안함을 느낄 수 있다는 것은 4문단에서 설명한 것처럼 사람들이 건물의 크기를 인체의 크기로 환원하여 가늠할 수 있는 휴먼 스케일 때문이라고 볼 수 있다.
④ 키지 예배당은 투시도법을 이용하여 거대 공간을 사람의 눈으로 인지할 수 있게 조절한 것이므로, 인체를 기준으로 한 휴먼 스케일이 적용되었다고 볼 수 있다.
⑤ 한국의 중정이 상대방의 얼굴 표정을 읽으며 육성으로 대화할 수 있는 공간이라는 것은 인체의 크기가 반영된 휴먼 스케일이 적용된 건축의 예라고 볼 수 있다.

4 다른 사례에 적용

문제 분석 글에 제시된 세부적인 정보들을 이해하고 이에 대한 심화 자료인 〈보기〉를 분석하여 적용해 보는 문제이다.

정답 풀이 ❹ 〈보기〉에 따르면 '칼스루에'는 재건 과정에서 인간의 감각에 적합하도록 만든 도시이다. 그러므로 '칼스루에'는 높이, 외관, 형태 등이 휴먼 스케일을 바탕으로 지어졌다고 볼 수 있다. 휴먼 스케일은 인체의 크기가 반영된 것으로, 고전주의 건축에서 주로 사용했으므로 '칼스루에'에 있는 건물에 대한 규제가 고전 건축에 대한 반감에서 시작되었다고 보기는 어렵다.

오답 풀이 ① '칼스루에'는 인간을 중심으로 생각하여 만들어진 도시이기 때문에 인본주의를 바탕으로 재건되었다고 볼 수 있다.
② '칼스루에'의 주차 공간의 배치, 자전거 도로, 녹지 등은 인간의 감각에 맞도록 만들어졌기 때문에 휴먼 스케일이 적용되었다고 볼 수 있다.
③ '칼스루에' 전체를 인간의 감각에 맞추어 건설했기 때문에 휴먼 스케일을 하나의 건축을 넘어 도시 계획으로 확장해 적용한 것이라고 볼 수 있다.
⑤ '칼스루에'의 도로가 인간에게 부담을 주지 않고 편안함을 준다는 것은, 인체의 크기로 환원한 휴먼 스케일이 적용되었기 때문이라고 볼 수 있다.

쇤베르크의 무조 음악_윤희경

온음계 시스템의 협화음과 불협화음에 대한 쇤베르크의 생각을 바탕으로 그의 무조 음악을 설명한 글이다. 온음계 시스템에서는 협화음과 불협화음을 대립적으로 보며, 불협화음은 혼자서 존재할 수 없는 음이므로 반드시 협화음으로 돌아와야만 한다. 이에 반해 쇤베르크는 협화음과 불협화음은 본질적으로 구분되지 않으며, 배음들에 의한 상대적인 익숙함의 차이로 보기 때문에 모든 음들은 독립적으로 자유롭게 쓰일 수 있다고 보아 무조 음악을 만들었다.

✔ 지문 분석 노트

1 온음계 시스템의 규칙 및 구성 방식

온음계 시스템(diatonic tonal system)은 17, 18세기에 발전하여 지금까지 음악의 지배적인 작곡 방식으로 통용되고 있다. 일반적으로 온음계 시스템 하에서는 어떤 음들이 동시에 화음으로 연주되어야 하는지, 그리고 어떤 음들이 각각 다른 것들에 따라와야 하는지에 관한 규칙이 정해져 있다. 온음계 시스템의 주요 구성 방식은 ㉠협화음과 ㉡불협화음의 대립이다. 특정한 음계 내에서 서로 어울리는 음들이 결합되면 독립적으로 존재할 수 있는 편안한 협화음을 만들어 낸다. 만약 선택된 음계의 음이 아닌 음을 연주하거나 허용된 특정 간격이 아닌 음의 조합이 연주되면, 충돌하고 대립하는 느낌을 ⓐ빚어내는 불협화음이 된다. 온음계적인 관습에 의하면 이러한 불협화음은 혼자서는 존재할 수 없으며 반드시 협화음으로 귀결되어야 한다.

2 온음계적인 조성 체계를 벗어난 쇤베르크

19세기를 거치면서 작곡가들은 점차 많은 불협화음을 작품 속에 포함시켰으며 불협화음에서 다시 협화음으로 되돌아가는 시간적 간격도 점차 늘려갔다. 쇤베르크도 초기 활동기에는 불협화음을 많이 쓰긴 했어도 온음계적인 조성 체계를 ⓑ따랐다. 하지만 1911년 음악회에서 연주된 〈현악 4중주 op.10〉과 〈세 개의 피아노 곡 op.11〉은 온음계적인 조성 체계를 무시하며 작품의 고유한 내적 논리에만 의지하고 있는데, 그의 이러한 기존 작곡법에서의 이탈이 추상화가 ⓒ칸딘스키에게 깊은 인상을 남겼다.

3 협화음과 불협화음을 구분하지 않은 쇤베르크

쇤베르크는 자신의 저서 『화성론』에서 불협화음과 협화음 간의 본질적인 구분은 없으며 불협화음이란 단지 '좀 멀리 떨어진 협화음'이라고 설명하면서 더 이상 협화음과 불협화음을 구분하지 않는 불협화음의 해방이 이루어졌다고 말했다. 이러한 설명은 배음(overtone) 체계에 대한 쇤베르크의 고유한 이해에 기초하고 있는데, 그는 『화성론』의 앞부분에서 이에 대해 ⓒ다루고 있다.

4 화음을 이루는 배음에 대한 쇤베르크의 생각

배음이란 한 음을 울렸을 때 동시에 울리는 진동수가 정배수인 음들로, 한 음이 울리면 강하게 울리는 배음들이 이 바탕음과 함께 울리며 좀 더 약한 배음들이 뒤따르게 된다. 쇤베르크에 의하면 뒤에 울리는 희미하게 감지되는 배음들은 우리의 귀에 생소하게 느껴지는 반면, 좀 더 강하게 울리는 배음들은 우리의 귀에 익숙하게 느껴진다. 즉, 우리의 귀에 익숙한 강하게 울리는 배음들의 계열이 함께 울릴 때 협화음이 되며, 이후의 약하게 울리는 배음들이 불협화음을 만든다는 것이다. 따라서 쇤베르크에 따르면 전통적인 방식의 협화음과 불협화음의 구분은 근본적인 차이가 아니라 단지 상대적인 익숙함의 차이이다. 이는 단순히 음악을 분석하는 귀가 멀리 떨어진 배음을 얼마나 친숙하게 받아들이는가에 ⓓ달려 있는 문제일 뿐, 협화음과 불협화음을 대립적인 개념으로 이해해서는 안 된다는 것이 그의 생각이다.

5 쇤베르크의 무조 음악의 개념

■ 주제 : 쇤베르크의 무조 음악

이렇게 협화음과 불협화음이 더 이상 반대 개념이 아니고 민감성의 문제라면 작곡에서 음들을 연결하고 조합하는 데 있어서 그 어떤 제한도 존재하지 않게 된다. 이를 바탕으로 쇤베르크는 어떤 하나의 조를 중심으로 ⓔ두지 않고 온음계적 체계에 있어서 기본이 되는 7음 대신에 12음 중 그 어떤 음들의 조합이라도 사용될 수 있으며 독립적으로 자유롭게 쓰일 수 있는 무조(無調) 음악을 만들었다.

1 세부 정보의 파악

문제 분석 글에 제시된 사실적 정보들을 파악하여 이를 바탕으로 내용을 명확하게 파악하는 문제이다.

정답 풀이 ❷ 4문단에서 '한 음이 울리면 강하게 울리는 배음들이 이 바탕음과 함께 울리며 좀 더 약한 배음들이 뒤따르게 된다.'고 하였다.

오답 풀이 ① 1문단에서 '온음계 시스템은 17, 18세기에 발전하여 지금까지 음악의 지배적인 작곡 방식으로 통용되고 있다.'고 하였다.
③ 3문단을 보면 쇤베르크는 『화성론』에서 불협화음과 협화음 간의 관계에 대해 밝히며, 더 이상 '협화음과 불협화음을 구분하지 않는 불협화음의 해방이 이루어졌다'고 하였다.
④ 2문단에서 '19세기를 거치면서 작곡가들은 점차 많은 불협화음을 작품 속에 포함시켰'다고 하였다.
⑤ 5문단에서 쇤베르크는 '온음계적 체계에 있어서 기본이 되는 7음 대신에 12음 중 그 어떤 음들의 조합이라도 사용될 수 있'는 무조 음악을 만들었다고 하였다.

2 중심 제재의 파악

문제 분석 글에 제시된 중심 제재에 대한 세부 내용을 확인하는 문제이다.

정답 풀이 ❺ 3문단에서 쇤베르크는 '불협화음과 협화음 간의 본질적인 구분은 없으며 불협화음이란 단지 '좀 멀리 떨어진 협화음'이라고 설명하였다. 협화음과 불협화음을 본질적으로 구분할 수 있다고 보는 것은 온음계 시스템의 관점이다.

오답 풀이 ① 1문단에서 '온음계 시스템의 주요 구성 방식은 협화음과 불협화음의 대립'이라고 하였다.
② 1문단에서 온음계 시스템에서는 '불협화음은 혼자서는 존재할 수 없으며 반드시 협화음으로 귀결되어야 한다.'고 하였다.
③ 4문단에서 '전통적인 방식의 협화음과 불협화음의 구분은 근본적인 차이가 아니라 단지 상대적인 익숙함의 차이'라고 하였다.
④ 5문단에서 쇤베르크는 '12음 중 그 어떤 음들의 조합이라도 사용될 수 있으며 독립적으로 자유롭게 쓰일 수 있는 무조 음악을 만들었다.'고 하였다.

3 유사한 사례에 적용

문제 분석 〈보기〉는 제시글에서 언급한 내용과 유사한 사례로, 제시문의 내용을 바탕으로 〈보기〉를 파악하는 문제이다.

정답 풀이 ❷ 2문단에서 쇤베르크는 1911년 음악회에서 온음계적인 조성 체계를 무시하며 작품의 고유한 내적 논리에만 의지하여 기존에 확립된 작곡법에서 이탈한 곡을 연주했다고 하였다. 〈보기〉를 보면 칸딘스키는 이런 쇤베르크의 음악을 극찬했는데, 이는 그 음악의 내적 논리를 파악했기 때문이라고 볼 수 있다. 칸딘스키는 쇤베르크의 음악과 당대의 회화적 구성을 비교하며

회화적 구성 역시 무의식중에 파악할 수 있는 숨겨진 유형의 것이라고 하였다. 따라서 칸딘스키는 쇤베르크의 음악에서 숨겨진 유형이 있음을 느꼈다고 추론할 수 있다.

오답 풀이 ① 쇤베르크가 화성론에서 다룬 협화음과 불협화음을 회화에 적용하면 색채나 형태와 같은 요소로 볼 수 있다. 칸딘스키는 이런 회화적 요소들이 자유로이 독립적으로 쓰일 수 있지만 숨겨진 유형을 이루고 있다고 보았다. 따라서 칸딘스키가 협화음과 불협화음이 어울릴 수 없다고 보았다고는 할 수 없다.
③ 칸딘스키는 불협화음을 해방시키고 온음계적인 조성 체계를 벗어난 쇤베르크의 음악을 극찬했다. 그리고 회화적 구성에 있어서도 자유로움과 독립성을 주장하며, 이것이 회화에 있어서 미래의 화성론이라고 주장하였다. 이는 단순히 불협화음이 아니라, 불협화음의 해방에 대한 것이라고 볼 수 있다.
④ 칸딘스키는 온음계 시스템을 벗어난 쇤베르크의 음악을 극찬했다. 그리고 우리 시대의 화음은 기하학적인 방법을 통해 발견될 수 없고 비기하학적이고 비논리적인 방식으로 이루어져야 한다고 말하였다. 따라서 칸딘스키의 관점에서 온음계 시스템을 회화에 적용한다면 논리적인 방식이라고 생각했을 것이다.
⑤ 칸딘스키가 우리 시대의 화음은 기하학적인 방법을 통해 발견될 수 없고 비기하학적이고 비논리적인 방식으로 이루어져야 한다고 말한 것에서, 쇤베르크 음악의 조성 체계는 비기하학적인 방법을 따르고 있다고 여겼을 것이라고 추측할 수 있다.

4 어휘의 문맥적 의미 파악

문제 분석 글의 내용을 효과적으로 전달하기 위해 사용된 어휘의 의미를 정확하게 인지하고 있는지 확인하는 문제이다.

정답 풀이 ❷ ⓑ'따랐다'는 '어떤 경우, 사실이나 기준 따위에 의거하다'의 의미로 쓰였지만, ②의 '따라서'는 '일정한 선 따위를 그대로 밟아 움직이다'의 의미로 쓰였다.

오답 풀이 ① ⓐ와 ① 모두 '어떤 결과나 현상을 만들어내다'의 의미로 쓰였다.
③ ⓒ와 ③ 모두 '어떤 것을 소재나 대상으로 하다'의 의미로 쓰였다.
④ ⓓ와 ④ 모두 '어떤 일이나 상태 따위가 무엇에 의존하다'의 의미로 쓰였다.
⑤ ⓔ와 ⑤ 모두 '행위의 준거점. 목표, 근거 따위를 설정하다'의 의미로 쓰였다.

MEMO

MEMO

MEMO

숨마쿰라우데® [국어 문제집]

독서 강화 [인문·사회]

'제대로' 공부를 해야 공부가 더 쉬워집니다!

"공부하는 사람은 언제나 생각이 명징하고 흐트러짐이 없어야 한다. 그러자면 우선 눈앞에 펼쳐진 어지러운 자료를 하나로 묶어 종합하는 과정이 필요하다. 비슷한 것끼리 갈래를 묶고 교통정리를 하고 나면 정보 간의 우열이 드러난다. 그래서 중요한 것을 가려내고 중요하지 않은 것을 추려 내는데 이 과정이 바로 '종핵(綜核)'이다." 이는 다산 정약용이 주장한 공부법입니다. 제대로 공부하는 과정은 종핵처럼 복잡한 것을 단순하게 만드는 과정입니다. 공부를 쉽게 하는 방법은 복잡한 내용들 사이의 관계를 잘 이해하여 간단히 정리해 나가는 것입니다. 이를 위해서는 무엇보다도 먼저 내용을 정확히 알아야 합니다. 숨마쿰라우데는 전체를 보는 안목을 기르고, 부분을 명쾌하게 파악할 수 있도록 친절하게 설명하였습니다. 좀 더 쉽게 공부하는 길에 숨마쿰라우데가 여러분들과 함께 하겠습니다.

수능 국어 독서, 독해 능력 강화(強化) 고득점 전략서!

POINT 1 __ 자학자습(自學自習)을 통한 독해력 향상 시스템!
- 문단 요지와 주제를 직접 쓰면서 분석 능력을 강화하는 학습 시스템
- '지문 분석 노트'의 활용을 통해 글의 흐름을 한눈에 파악하는 능력 배양

POINT 2 __ 다양한 분야의 읽기 자료를 통해 낯선 제재에 대한 적응력 강화!!
- 〈하루 10분〉 독서 PLUS⁺의 다양한 글 읽기를 통한 배경지식 강화
- 단락 요지 파악 연습을 통한 폭넓은 제재의 독해 능력 향상

POINT 3 __ 제재별 풍부한 구성 요소를 통한 수능 국어 독서 해결 능력 강화!!!
- 제재별 경향 분석 – 오답률 BEST 빈출 유형 파악 – 실전 TEST

학습 교재의 새로운 신화! 이룸이앤비가 만듭니다!

숨마쿰라우데® 시리즈

내신·수능 1등급으로 안내하는
숨마쿰라우데만의 **3단계 학습 시스템!!**

1단계 개념 학습
누구나 쉽게 이해할 수 있는 **상세한 개념 설명**

2단계 문제 학습
내신·수능에 반드시 출제되는 **최적의 문제 유형**

3단계 심화 학습
내용의 심화·확장을 위한 **교과서 심화 학습**

〈국어〉	〈영어〉	〈수학〉	〈한국사〉
고전 시가	영어 입문 MANUAL	고등 수학 (상)/(하)	한국사
어휘력 강화	WORD MANUAL	수학I	
독서 강화[인문·사회]	어법 MANUAL	수학II	
독서 강화[과학·기술]	구문 독해 MANUAL	미적분	
신경향 비문학 워크북	독해 MANUAL	확률과 통계	
	수능 2000 WORD MANUAL		

본 시리즈가 최고의 개념 기본서인 이유!

첫째, 완벽한 개념 이해를 통해 흔들리지 않는 실력을 쌓을 수 있게 합니다.
숨마쿰라우데만의 자세하고 완벽한 설명은 어느 교재도 따라올 수 없습니다.

둘째, 교과 연계나 개념 확장 등을 통한 입체 학습으로 생각하는 힘을 갖게 합니다.
내신, 서술형 평가는 물론 수능, 논·구술까지 공부할 수 있도록 교과 연계 심화
학습을 제공합니다.

셋째, 엄선된 문제들로 개념 확인은 물론 응용력, 문제 해결력 등을 기를 수 있게 합니다.
단순한 지식을 묻는 문제가 아닌, 개념을 완벽하게 습득하였는지 점검할 수 있도록
엄선된 문제들로 구성하였습니다.

넷째, 선배들의 노하우나 조언 등을 통해 자신만의 학습법을 찾게 합니다.
선배들이 들려주는 문제 접근법, 주의, 조언 등을 통해 개념이나 문제들을 완벽하게
숙지할 수 있게 합니다.

❝상위권 선호도 1위의 명성은
중위권에서 상위권으로
성적 향상을 경험한 학생들에 의해
만들어진 영예입니다.❞

수능을 향한 첫걸음! 수·능·입·문·서
굿비 시리즈

GOOD BEGIN GOOD BASIC

굿비 시리즈는 이럴 때 좋습니다

첫째, 단기간에 교과 핵심 개념을 파악하고자 할 때 **GOOD~!**
굿비는 가볍지만 알찹니다. 알찬 한 권의 책으로 교과 내용을 정복해 보세요.

둘째, 시험 전에 핵심 문제로 마무리하고 싶을 때 **GOOD~!**
굿비는 학교 시험 필수 문제들로 구성된 책입니다.
다양한 유형의 문제들로 내신을 대비해 보세요.

셋째, 수능에 한 발짝 다가가고 싶을 때 **GOOD~!**
굿비는 수능 입문서입니다.
수록된 기출문제들을 통해 수능에 한 발짝 다가가 보세요.

국어	영어	수학	한국사
독서 입문	영어 듣기	고등 수학 (상)/(하)	한국사
문학 입문	영어 독해	수학I	
		수학II	
		미적분	
		확률과 통계	

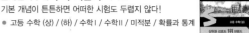